Aspekte|neu
Mittelstufe Deutsch

Arbeitsbuch 1 mit Audio-CD

von
Ute Koithan
Helen Schmitz
Tanja Sieber
Ralf Sonntag

Klett-Langenscheidt
München

Von: Ute Koithan, Helen Schmitz, Tanja Sieber, Ralf Sonntag

Redaktion: Cornelia Rademacher in Zusammenarbeit mit Annerose Bergmann
Layout: Andrea Pfeifer
Umschlaggestaltung: Studio Schübel, München (Foto Treppe: drsg98 – Fotolia.com; Foto Grashalm: Eiskönig – Fotolia.com)
Zeichnungen: Daniela Kohl

Verlag und Autoren danken Margret Rodi für die Begutachtung sowie allen Kolleginnen und Kollegen, die Aspekte | neu erprobt und mit wertvollen Anregungen zur Entwicklung des Lehrwerks beigetragen haben.

Aspekte | neu 1 – Materialien

Lehrbuch mit DVD	605015
Lehrbuch	605016
Audio-CDs zum Lehrbuch	605020
Arbeitsbuch mit Audio-CD	605017
Lehr- und Arbeitsbuch 1 mit Audio-CD, Teil 1	605018
Lehr- und Arbeitsbuch 1 mit Audio-CD, Teil 2	605019
Lehrerhandbuch mit digitaler Medien-DVD-ROM	605021
Intensivtrainer	605022

www.aspekte.biz
www.klett-sprachen.de/aspekte-neu

Symbole in Aspekte

 Hören Sie auf der CD im Arbeitsbuch Track 2.

 Zu dieser Übung finden Sie die Lösung im Anhang.

Die Audio-CD zum Arbeitsbuch finden Sie als mp3-Download unter www.aspekte.biz im Bereich „Medien". Der Zugangscode lautet: aS4g!M2

1. Auflage   1   5   4   3 | 2016 2015

© Klett-Langenscheidt GmbH, München, 2014

Satz und Repro: Satzkasten, Stuttgart
Gesamtherstellung: Print Consult GmbH, München

ISBN 978-3-12-605017-3

Inhalt

Inhalt

Kaufen, kaufen, kaufen   8

Endlich Urlaub   9

Natürlich Natur!   10

Leute heute

 1a Über mich selbst berichten. Welche Wörter passen zu welchen Themen?

die Partnerin ~~die Lehre~~ der Sport reisen
geschieden die Fremdsprache die Firma
lernen bauen der Ehemann sammeln
das Apartment die Mietwohnung der Job
die Fabrik arbeiten als … das Haus
die Nachbarn das Büro der Verein die Stadt
getrennt die Ehefrau der Single Teilzeit
die WG (Wohngemeinschaft) alleinerziehend
das Dorf der Garten fernsehen die Eltern
der Sohn ausgehen verheiratet Vollzeit
die Tochter das Kind die Arbeitsstelle lesen
die Musik etwas im Internet posten
im Internet surfen das Studium die Kollegen
das Hobby der Betrieb die Schule
die Freunde der Partner das Instrument
faulenzen

Ausbildung/Arbeit	Familie	Wohnen	Freizeit
die Lehre			

b Ergänzen Sie vier Begriffe zu jedem Thema.

c Schreiben Sie zu jedem Thema einen Satz über sich selbst.

_____

_____

_____

_____

2a Auf den ersten Blick: Ordnen Sie den Personen spontan Eigenschaften aus dem Kasten zu.

charmant   ruhig   unsicher   witzig   ehrgeizig   gebildet   geduldig   ehrlich   selbstbewusst   offen
kreativ   hilfsbereit   freundlich   arrogant   zufrieden   schüchtern   zuverlässig   verantwortungsbewusst

Nr. 1 _____   Nr. 4 _____

Nr. 2 _____   Nr. 5 _____

Nr. 3 _____   Nr. 6 _____

b Wie heißen die Nomen? Ergänzen Sie die Liste.

1. charmant   *der Charme* _____   9. geduldig   _____

2. ruhig   _____   10. freundlich   _____

3. unsicher   _____   11. kreativ   _____

4. witzig   _____   12. zuverlässig   _____

5. ehrgeizig   _____   13. offen   _____

6. ehrlich   _____   14. hilfsbereit   _____

7. schüchtern   _____   15. zufrieden   _____

8. selbstbewusst   _____   16. verantwortungsbewusst   _____

c Zu welchen Adjektiven kennen Sie das Gegenteil? Notieren Sie.

   unsicher – sicher ...

Gelebte Träume

1a Hören Sie den Dialog und notieren Sie. Welche Träume haben Pia und Max?

Pia: _____   Max: _____

b Hören Sie noch einmal. Welche Verben verwenden Pia und Max in Zusammenhang mit „Träumen". Notieren Sie.

1. sich einen Traum _____   3. einen Traum _____

2. einen Traum _____   4. einen Traum _____

2a Finden Sie je ein passendes Verb und notieren Sie alle Formen wie im Beispiel.

> studierte   hat genommen   sein   verdienen   wuchs auf   aufgeben   hat geträumt
> wurde   ~~machte~~   hat eröffnet

	Infinitiv	Präteritum	Perfekt
1. eine Ausbildung	*machen*	*machte*	*hat gemacht*
2. eine Praxis			
3. in einem Dorf			
4. von einer Karriere			
5. Tanzunterricht			
6. Profifußballer			
7. Geschichte			
8. einen Traum			
9. den Lebensunterhalt			
10. erfolgreich			

b Traumberuf. Ergänzen Sie die Verben im Perfekt.

1. Ein Leben als Künstlerin war immer mein Traum, deshalb _____ ich auch Kunst

_____ (studieren). Aber leider _____ ich mit meinen Bildern nicht genug Geld zum

Leben _____ (verdienen). Mein Onkel _____ mir dann _____ (anbieten),

in seiner Firma zu arbeiten. Das _____ ich dann ungefähr für ein Jahr _____

(machen), aber diese Arbeit _____ mir überhaupt nicht _____ (gefallen).

Also _____ ich mich _____ (entschließen), als Kunstlehrerin zu arbeiten. Das macht

mir wirklich Spaß und kommt meinem Traumberuf ziemlich nahe.

2. Zuerst _____ ich eine Ausbildung zum Bankkaufmann _____ (anfangen). Aber das war

nicht das Richtige für mich. Also _____ ich erst mal für zwei Jahre ins Ausland _____

(gehen) und _____ dort in einem Hotel _____ (arbeiten). Das ist mein Traumberuf!

Jetzt _____ ich mir eine Lehrstelle zum Hotelkaufmann _____ (suchen).

c Wo passt welches Verb? Ergänzen Sie das Partizip II.

	fahren	erholen	passieren	lesen	fliegen
verbringen	bestehen	machen		besichtigen	segeln

Liebe Sara,

ich muss dir unbedingt berichten, was in den letzten Wochen (1) _____ ist.

Du weißt ja, dass ich meine Abschlussprüfung (2) _____ habe. Und dann

haben Dani und ich eine große Reise (3) _____. Zuerst sind wir mit dem Zug

nach Kroatien (4) _____ und dort sind wir zwei Wochen lang vor der Küste

mit einem Schiff (5) _____. Das war wirklich traumhaft!

Dann haben wir zwei Wochen auf einer griechischen Insel (6) _____.

Wir haben uns so richtig (7) _____ und viele Bücher (8) _____.

Danach hatten wir wieder genug Energie für Istanbul! Eine Woche nur Kultur und gutes Essen!

Ich glaube, wir haben alle Sehenswürdigkeiten (9) _____, die es in Istanbul

gibt ☺. Als wir dann nach Hause (10) _____ sind, waren wir müde,

aber glücklich. Ein richtiger Traumurlaub! Und wie war dein Sommer? Melde dich bald und

erzähl mir alles!

Liebe Grüße

Anna

3a Traumberuf Schauspieler/in. Ergänzen Sie in den Kurzbiografien auf dieser und der nächsten Seite die Verben im Präteritum.

Christiane Paul __kam__ 1974 in Ost-Berlin zur Welt. Ihre Eltern _____ beide Ärzte. Mit 16 Jahren _____ sie an einem Modelwettbewerb_____ und _____ in der Folgezeit als Model für Teenie-Zeitschriften. 1991 _____ ihre Schauspielkarriere mit dem Film „Deutsch-fieber". Seitdem _____ sie in zahlreichen Fil-men. Außerdem _____ Christiane Medizin und _____ 2002. Den Arztberuf _____ sie allerdings für die Schauspielerei _____. Christiane Paul engagiert sich für viele soziale Projekte und lebt mit ihren Kin-dern in Berlin.

kommen

sein, teilnehmen

jobben

beginnen

spielen

studieren

promovieren, auf-geben

Klaus Maria Brandauer (22.06.1943 Steiermark, Österreich)

_____ bei seinen Großeltern in Österreich _____.   aufwachsen

Später _____ er mit seinen Eltern in Deutschland.   leben

Nach dem Abitur _____ er an die *Stuttgarter Hoch-*   gehen

schule für Musik und Darstellende Kunst. Nach zwei Semestern

_____ er die Schule allerdings ohne Abschluss.   verlassen

Sein Debüt als Schauspieler _____ er 1963 am   haben

Theater Tübingen. Es _____ zahlreiche Filme und   folgen

Theaterproduktionen. Brandauer _____ mit nahe-   arbeiten

zu allen namhaften Regisseuren zusammen. Auch in den USA

_____ er sich einen Namen und _____   machen, gewinnen

viele amerikanische Filmpreise. Neben seiner Tätigkeit als

Schauspieler _____ er auch selbst immer wieder   führen

Regie. Brandauer lebt in Wien und New York.

b Bringen Sie die Ausdrücke in eine sinnvolle Reihenfolge. Schreiben Sie dann eine Biografie im Präteritum zu einer Fantasie-Person. Denken Sie sich auch Namen und Orte aus.

_____ 1975 zur Welt kommen   _____ das Studium beenden

_____ das Abitur machen   _____ heiraten

_____ in einem Architekturbüro arbeiten   _____ mit Freunden ein Café eröffnen

_____ einen neuen Job in … finden   _____ Architektur studieren

_____ arbeitslos werden   _____ umziehen nach …

_____ sich scheiden lassen   _____ ein Jahr im Ausland verbringen

_____ ein Kind bekommen   _____ …

4   Was ist vorher passiert? Lesen Sie die Sätze und schreiben Sie je einen Satz im Plusquamperfekt dazu.

1. Belinda weinte. *Ihr Freund hatte sie verlassen.* _____

2. Anton war glücklich. _____

3. In der Wohnung herrschte Chaos. _____

4. Peter trank eine ganze Flasche Wasser. _____

5. Der Computer funktionierte nicht mehr. _____

6. Ich kam erst morgens nach Hause. _____

7. Er kam mit einem riesigen Blumenstrauß. _____

8. Die Feuerwehr stand vor dem Haus. _____

9. Fabian rief mich überglücklich an. _____

In aller Freundschaft ─────── 1

1a Es gibt verschiedene Ausdrücke für Freundschaft, die die unterschiedliche Intensität der Beziehung beschreiben. Ordnen Sie die Ausdrücke ein.

der beste Freund – der entfernte Bekannte – der gute Bekannte – der gute Freund – der enge Freund

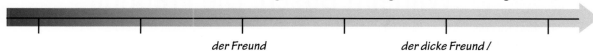

der Freund   der dicke Freund /

b Welche Ausdrücke für Freundschaften gibt es in Ihrer Sprache? Notieren Sie.

c Bitte recht *freund-lich*! In diesen Wörtern kommt die Silbe *freund* vor. Übersetzen Sie sie in Ihre Sprache.

1. die **Freund**schaft _____

2. die **Freund**lichkeit _____

3. die Gast**freund**schaft _____

4. be**freund**et sein _____

5. das **Freund**schaftsspiel _____

6. **freund**lich _____

7. der/die **Freund**/in _____

8. der **Freund**eskreis _____

9. umwelt**freund**lich _____

10. sich an**freund**en mit _____

2 In der Wortschlange finden Sie Umschreibungen für Eigenschaften, die für einen Freund / eine Freundin wichtig sein können. Schreiben Sie das passende Adjektiv zu den Umschreibungen.

meinbesterfreundkanngeheimnissefürsichbehalten/ersagtmirdiewahrheiteinegutefreundinteiltgernemitanderen

tomwillseinezieleerreichensonjaundmariongehenoftzusammeninsfitnessstudiopatrickistinseinerfreizeitsehraktiv

duakzeptierstauchanderemeinungenmeinefreundinerzähltsehrlustigegeschichtenmeinältesterfreundweißsehrvieledinge

1. _Mein bester Freund kann Geheimnisse für sich behalten. → Er ist verschwiegen._ _____

2. _____

3. _____

4. _____

5. _____

6. _____

7. _____

8. _____

9. _____

3a Lesen Sie das Gedicht und bringen Sie die Bilder in die richtige Reihenfolge.

Wilhelm Busch: Die Freunde

Zwei Knaben, Fritz und Ferdinand,
Die gingen immer Hand in Hand,
Und selbst in einer Herzensfrage
Trat ihre Einigkeit zutage.
5 Sie liebten beide Nachbars Käthchen,
Ein blondgelocktes kleines Mädchen.
Einst sagte die verschmitzte Dirne[1]:
„Wer holt mir eine Sommerbirne,
Recht saftig, aber nicht zu klein?
10 Hernach soll er der Beste sein."
Der Fritz nahm seinen Freund beiseit
Und sprach: „Das machen wir zu zweit;
Da drüben wohnt der alte Schramm,
Der hat den schönsten Birnenstamm;
15 Du steigst hinauf und schüttelst sacht[2],
Ich lese auf[3] und gebe acht."
Gesagt, getan. Sie sind am Ziel.
Schon als die erste Birne fiel,

Macht' Fritz damit sich aus dem Staube[4],
20 Denn eben schlich aus dunkler Laube[5],
In fester Faust ein spanisch Rohr[6],
Der aufmerksame Schramm hervor.
Auch Ferdinand sah ihn beizeiten
Und tät am Stamm heruntergleiten
25 In Ängstlichkeit und großer Hast,
Doch eh' er unten Fuß gefasst[7],
Begrüßt ihn Schramm bereits mit Streichen[8],
Als wollt' er einen Stein erweichen.
Der Ferdinand voll Schmerz und Hitze,
30 Entfloh und suchte seinen Fritze.
Wie angewurzelt[9] bleibt er stehn.
Ach, hätt' er es doch nie gesehn:
Die Käthe hat den Fritz geküsst,
Worauf sie eine Birne isst. –
35 Seit dies geschah ist Ferdinand
Mit Fritz nicht mehr so gut bekannt.

[1]kleines Mädchen, [2]vorsichtig, [3]hebe auf, [4]weglaufen, [5]kleines Gartenhaus, [6]Stock, [7]sicher stehen, [8]Schläge, [9]erstarrt/steif

b Richtig oder falsch? Kreuzen Sie an.

	richtig	falsch
1. Fritz und Ferdinand sind beide in Käthchen verliebt.	☐	☐
2. Wer Käthchen eine Birne bringt, darf ihr Freund sein.	☐	☐
3. Jeder Junge gibt ihr eine Birne.	☐	☐
4. Fritz wird für das Stehlen der Birne bestraft.	☐	☐
5. Fritz und Ferdinand sind immer noch gute Freunde.	☐	☐

c Wie pflegen Sie Ihre Freundschaften? Schreiben Sie einen kurzen Text.

Meine beste Freundin kenne ich schon sehr lange. In den letzten Jahren haben wir uns nicht so oft gesehen, weil wir in unterschiedlichen Städten wohnen. Aber wir skypen jede Woche mindestens einmal länger miteinander. Dann erzählen wir ...

1 Lesen Sie Forumsbeiträge zum Thema „Wer ist für dich ein Held?". Schreiben Sie Ihren Beitrag.

GONZO 15.08. | 16:30 Uhr

Ein Held ist für mich eine Person, die eine ganz besondere Leistung vollbracht hat und sich eben durch diese Leistung auszeichnet. So sind für mich Nobelpreisträger Helden. Alexander Fleming hat z. B. das Penicillin entdeckt. Welche Probleme hätten wir Menschen heute ohne diese Entdeckung? Dieser Verdienst berechtigt meiner Meinung nach dazu, einen Menschen als Helden zu bezeichnen.

FUTURA 14.08. | 19:00 Uhr

Helden sind für mich Menschen, denen das Wohl anderer Leute genauso wichtig ist wie das eigene. Dazu gehören aus meiner Sicht Menschen, die nicht wegschauen, z. B. wenn jemand auf der Straße bedroht wird oder in Gefahr ist; Menschen, die sich einmischen und dadurch vielleicht auch etwas riskieren. Leute, die Zivilcourage haben – das sind für mich Helden.

 2 Lesen Sie den Text und ergänzen Sie die fehlenden Wörter aus dem Kasten.

Mut	Held	retten	einsetzen	unglaublichen	schneller	Heldentaten
			Interessen	Aktion	halten	

Felix Baumgartner – ein Held?

Der 43-jährige Österreicher hat einen (1) _____ Sprung überstanden. Er ließ sich in 39 km Höhe aus einer Kapsel fallen und flog dann mit 1.342 km/h der Erde entgegen. Im freien Fall war er (2) _____ als der Schall. Die ganze Welt verfolgte den Sprung am Fernseher und hielt den Atem an.

Für viele Zuschauer wurde Felix Baumgartner zum Helden. Trotzdem machte er Schluss mit dem Extremsport und will nun echte (3) _____ vollbringen: als Rettungspilot in den Alpen.

Er will seinen (4) _____ und seine Kräfte einsetzen, um Waldbrände zu bekämpfen oder in den Bergen Menschen zu (5) _____.

Nach Medienberichten hat die Baumgartner-Aktion rund 50 Millionen Euro gekostet und viele meinen, das Geld hätte man durchaus auch sinnvoller nutzen können. Baumgartner sei nicht wirklich ein Held.

Viele (6) _____ ihn sogar für einen Egoisten, der mit dieser (7) _____ zum Millionär wurde. Ein klassischer Held würde sich für das Leben anderer Menschen (8) _____.

Dagegen folgte Baumgartner vor allem seinen eigenen (9) _____. Sein Sprung wird weder die Welt verändern noch die Probleme dieser Welt lösen, so das Urteil vieler Zuschauer.

Allerdings dürfte Baumgartner für viele Wissenschaftler ein (10) _____ sein: Mit seinem Sprung hat der Extremsportler wichtige Daten für die Raumfahrt gesammelt.

Heldenhaft

3a Wichtige Verben mit Dativ und Akkusativ. Ordnen Sie die Verben in eine Tabelle. Schreiben Sie zu jedem Verb einen Satz.

schmeckenhabenerziehenzustimmenzuhörenschadenerhalten

gelingenbeantwortendankenbekommengratuliereneinfallenessen

gefallenliebenhelfenhörenbenutzenpassenlesen

Verben mit Dativ	Verben mit Akkusativ
gelingen: Der Kuchen ist dir gut gelungen.	

b Ergänzen Sie weitere Verben in Ihrer Tabelle.

4 Dativ oder Akkusativ? Ergänzen Sie das Artikelwort.

1. ○ Gestern habe ich mir ei____ Buch gekauft.

   ● Hast du denn d____ Roman schon gelesen, den Klaus dir geschenkt hat?

   ○ Nein, ich fand d____ Buch zu langweilig.

   ● Mein____ Freundin hat es aber sehr gut gefallen.

2. ○ Ich habe Eintrittskarten für d____ Fußballspiel. Kommst du mit?

   ● Ich weiß noch nicht genau. Ich helfe ein____ Freundin beim Umzug.

   ○ Gut, dann schick mir bis morgen ein____ SMS, sonst frage ich mein____ Bruder.

5 Ergänzen Sie die Objekte in der richtigen Form.

großes Glück	der Verletzte	die Polizei
der nachfolgende Verkehr	der Unfallort	die Autobahn ~~ein Verkehrsunfall~~

Ein 23-jähriger Mann verursachte am Montagmorgen beim Auffahren auf die A14 (1) _einen Verkehrsunfall_ .

Ein nachfolgender Autofahrer informierte sofort (2) _____. Sie war sehr schnell vor

Ort, sperrte (3) _____ und half (4) _____. Ein Arzt erreichte

(5) _____ mit dem Rettungshubschrauber und brachte den Verletzten nach kurzer

Behandlung in die Klinik. Die Sperrung der Autobahn behinderte (6) _____.

Laut Polizeisprecher hatte der Unfallverursacher (7) _____. Durch den schnellen

Einsatz der Rettungskräfte konnte sein Leben gerettet werden.

6 Verben mit Dativ und Akkusativ.
Suchen Sie passende Objekte und bilden
Sie Sätze.

1. Der Zeuge zeigt der Polizei den Unfallort.

Subjekt	Verb	Objekte	
1. Der Zeuge	zeigen	die Straßensperrung	das Aufstehen
2. Die Polizei	verbieten	dem leicht Verletzten	den Zuhörern
3. Der Radiosender	mitteilen	~~der Polizei~~ eine Rechnung	seinen Helfern
4. Der Arzt	erlauben	einen Strauß Blumen	
5. Der Gerettete	schenken	dem Unfallverursacher	dem Patienten
6. Die Stadt	schicken	~~den Unfallort~~	die Weiterfahrt

7 Deklination des Personalpronomens. Ergänzen Sie die Tabelle.

N	ich	du	er	es	sie	wir	ihr	sie/Sie
A					*sie*	*uns*		
D		*dir*		*ihm*				*ihnen*

8 Beantworten Sie die Fragen. Ersetzen Sie dabei die unterstrichenen
Wörter durch Pronomen. Achten Sie auf die Position der Pronomen.

1. Verschwieg der Unfallverursacher der Polizistin <u>seine Unaufmerksamkeit</u>?
2. Zeigte er <u>der Polizistin</u> seinen Ausweis?
3. Gestattete sie <u>dem Autofahrer</u> die Weiterfahrt?
4. Nahm sie dem Autofahrer <u>die Fahrerlaubnis</u> weg?
5. Empfahl die Ärztin <u>dem Autofahrer</u> <u>eine ausführliche Untersuchung</u>?
6. Gestand der 30-jährige Fahrer <u>seiner Anwältin</u> <u>seinen Fehler</u>?

1. Ja, der Unfallverursacher verschwieg sie der Polizistin.

> **TIPP**
>
> **Stellung der Objekte**
>
> 1. Dativ <u>vor</u> Akkusativ
> (beide Objekte = Nomen)
> *dem Polizisten seinen Ausweis*
>
> 2. Pronomen <u>vor</u> Nomen
> (ein Objekt = Nomen)
> *ihm seinen Ausweis*
> *ihn dem Polizisten*
>
> 3. Akkusativ <u>vor</u> Dativ
> (beide Objekte = Pronomen)
> *ihn ihm*

9a Verben mit Präpositionen. Ergänzen Sie die Präposition und den Kasus.

1. sich einsetzen <u>*für*</u> + <u>*A*</u>

2. sich bemühen _____ + _____

3. danken _____ + _____

4. helfen _____ + _____

5. hoffen _____ + _____

6. sich kümmern _____ + _____

7. sich sorgen _____ + _____

8. sich verlassen _____ + _____

9. warnen _____ + _____

b Schreiben Sie mit jedem Verb einen Satz.

> **TIPP** Verben mit Präpositionen kann man am besten mithilfe von Beispielsätzen lernen, die Merkhilfen sind: *Ich warte **auf** den **Auf**zug.*
> *Er freut sich **über** die **Über**raschung.*

1a Bilden Sie zusammengesetzte Nomen mit *Glück*.

Mutter	Gefühl	Moment	Ehe	Spiel	Familien

Tag   Zahl   **– G L Ü C K (S) –**   Symbol   Hormon

Keks   Strähne   Pilz   Anfänger   ~~Kind~~   Fee

das Glückskind ...

b Was bedeuten die Redewendungen? Ordnen Sie zu.

1. __e__ Er hat beim Chef kein Glück.

2. ____ Sie hat mehr Glück als Verstand.

3. ____ Er hatte Glück im Unglück.

4. ____ Du kannst noch von Glück reden, dass nichts passiert ist.

5. ____ Jeder ist seines Glückes Schmied.

6. ____ Glück und Glas, wie leicht bricht das.

7. ____ Man kann niemanden zu seinem Glück zwingen.

a Es hätte noch schlimmer kommen können.

b Jeder ist für sein Glück verantwortlich.

c Sie hat in einer riskanten Situation Glück.

d Du solltest froh sein, dass nichts passiert ist.

e Er kann bei jemandem nichts erreichen.

f Jemand hört nicht auf einen guten Rat.

g Glück kann schnell enden.

Aussprache: Hauchlaut oder Vokalneueinsatz

3

1a Welches Wort hören Sie? Kreuzen Sie an.

1. ☐ Ende   ☐ Hände   4. ☐ eben   ☐ heben

2. ☐ Ecke   ☐ Hecke   5. ☐ erstellen   ☐ herstellen

3. ☐ eilen   ☐ heilen   6. ☐ Haus   ☐ aus

4

b Hören Sie die Wortpaare und sprechen Sie nach.

5

2a Trennen Sie die Wörter nach Silben. Wird das *h* gesprochen oder nicht? Begründen Sie.

herz/haft, *leh/ren*, Johannes, sehen, lebhaft, erheben, Alkohol, unhaltbar, Seehund, ehrlich, wohnen, Frechheit, Gehilfe

TIPP *h* wird am Wort- und Silbenanfang immer gesprochen: *heiraten*. *h* bleibt im Wortinneren nach einem Vokal stumm und macht den Vokal lang: *Wohnung*.

b Hören Sie die Wörter zur Kontrolle und sprechen Sie nach.

6

3 Zungenbrecher. Hören Sie und lesen Sie mit.

Hinter Hermann Hannes Haus hängen hundert Hemden raus.
Zehn zahme Ziegen zogen zehn Zentner Zucker zum Zoo.
Als Anna abends aß, aß Anna abends Ananas.

So schätze ich mich nach Kapitel 1 ein: Ich kann …	+	○	—
… einen Dialog über Träume verstehen. ▶AB M1, Ü1a	☐	☐	☐
… in einem Radiobeitrag zum Thema „Freundschaft" allgemeine und persönliche Aussagen verstehen. ▶M2, A2	☐	☐	☐
… eine Umfrage zum Thema „Helden" verstehen. ▶M3, A1b	☐	☐	☐
… eine Umfrage zum Thema „Glück" verstehen. ▶M4, A3	☐	☐	☐
… einen Zeitungstext zum Thema „Träume" nach bestimmten Informationen durchsuchen und verstehen. ▶M1, A3a	☐	☐	☐
… ein Gedicht über Freundschaft verstehen. ▶AB M2, Ü3	☐	☐	☐
… in kurzen Texten die wichtigsten Informationen verstehen. ▶M3, A2a	☐	☐	☐
… die wesentlichen Informationen aus einem Text über alltägliche Missgeschicke verstehen. ▶M4, A5a-b	☐	☐	☐
… über meine Träume sprechen. ▶M1, A5	☐	☐	☐
… über Eigenschaften sprechen. ▶M2, A1b	☐	☐	☐
… meine Meinung zum Thema „Freundschaft" äußern und begründen. ▶M2, A1, A2b, A3b	☐	☐	☐
… den Begriff „Held" definieren. ▶M3, A1a	☐	☐	☐
… besondere Personen beschreiben. ▶M2, A1c	☐	☐	☐
… über Glückssymbole und Aberglaube sprechen. ▶M4, A1, A5d-e	☐	☐	☐
… über Glück diskutieren und dabei geeignete Redemittel verwenden. ▶M4, A2, A4	☐	☐	☐
… einen Text über eine besondere Person schreiben. ▶M3, A3a	☐	☐	☐
… in einem Forumsbeitrag beschreiben, wer für mich ein Held ist. ▶AB M3, Ü1	☐	☐	☐
… in einer E-Mail zur Geburt eines Kindes gratulieren und meine Freude ausdrücken. ▶M4, A6	☐	☐	☐

Das habe ich zusätzlich zum Buch auf Deutsch gemacht (Projekte, Internet, Filme, Texte, …):

Datum: Aktivität:

_____   _____

_____   _____

_____   _____

Grammatik und Wortschatz weiterüben: interaktive Übungen unter www.aspekte.biz/online-uebungen1

Wortschatz

Modul 1   Gelebte Träume

anfeuern	_____	mäßig	_____
aufgeben (gibt auf, gab auf, hat aufgegeben)	_____	scheinen (scheint, schien, hat geschienen)	_____
der Auftritt, -e	_____	tatsächlich	_____
aufwachsen (wächst auf, wuchs auf, ist aufge- wachsen)	_____	der Traum, -"e	_____
		die Unterstützung	_____
die Ernüchterung	_____	verbringen (verbringt, ver- brachte, hat verbracht)	_____
die Euphorie	_____	der Verein, -e	_____
herausbringen (bringt heraus, brachte heraus, hat herausgebracht)	_____	sich verletzen	_____
		zusammenstellen	_____

Modul 2   In aller Freundschaft

begleiten	_____	das Symbol, -e	_____
die Beziehung, -en	_____	sich trennen von	_____
ehrgeizig	_____	der Übergang, -"e	_____
die Eigenschaft, -en	_____	unternehmungslustig	_____
der Freundeskreis, -e	_____	verantwortungsbewusst	_____
gebildet	_____	verschwiegen	_____
die Kindheit	_____	witzig	_____
schnelllebig	_____	zuverlässig	_____

Modul 3   Heldenhaft

abwechslungsreich	_____	die Rettung	_____
ehrenamtlich	_____	überleben	_____
der Einsatz, -"e	_____	das Ufer, -	_____
sich einsetzen für	_____	untergehen (geht unter, ging unter, ist unter- gegangen)	_____
die Maßnahme, -n	_____		
der Nobelpreis, -e	_____	vollbringen (vollbringt, vollbrachte, hat voll- bracht)	_____
retten	_____		

Modul 4 Vom Glücklichsein

der Aberglaube	_____	der Kreißsaal, -säle	_____
abergläubisch	_____	messen (misst, maß,	_____
sich anstrengen	_____	hat gemessen)	
die Anstrengung, -en	_____	offenlegen	_____
sich belasten mit	_____	das Schicksal	_____
die Entspannung	_____	überprüfen	_____
die Erfüllung	_____	sich umhören	_____
das Erlebnis, -se	_____	die Unterlagen (Pl.)	_____
die Erleichterung	_____	weitgehend	_____

Wichtige Wortverbindungen

die Abwehrkräfte stärken _____

sich auf einen Kaffee verabreden _____

auf dem Laufenden bleiben _____

sich seinen Lebensunterhalt verdienen mit _____

die Schulbank drücken _____

einen Traum aufgeben _____

sich einen Traum erfüllen _____

einen Traum verwirklichen _____

Wörter, die für mich wichtig sind:

_____ _____ _____ _____

_____ _____ _____ _____

_____ _____ _____ _____

Wohnwelten

Vor dem Start: Erinnern Sie sich? Diese Übungen bereiten Sie auf das Kapitel vor.

1 Lesen Sie die E-Mail und ergänzen Sie die fehlenden Wörter.

Aufzug	Bad	Balkon	Dusche	Tiefgarage	Küche	Mietvertrag	Parkplatz
Quadratmeter	Schlafzimmer	Stadtmitte	Stock	Wohnblock	Wohnung	Zimmer	

Liebe Paula,

endlich habe ich eine neue (1) _____. Vor zwei Wochen habe ich den

(2) _____ unterschrieben. Diese Wohnung ist wirklich perfekt für

mich. Sie liegt sehr zentral, direkt in der (3) _____. Das Haus, ein

(4) _____ aus den 60er-Jahren, ist von außen nichts Besonderes,

aber meine zwei (5) _____ sind sehr gemütlich. Ich werde mich hier

bestimmt wohlfühlen. Ich habe ein Wohn- und ein (6) _____, eine

(7) _____ und ein kleines (8) _____ mit

(9) _____. Ich wohne im sechsten (10) _____, aber

zum Glück gibt es hier einen (11) _____. Paula, du glaubst es nicht:

Ich habe nun tatsächlich einen (12) _____. Er ist sogar ziemlich groß: 6,5

(13) _____. Im Sommer werde ich da jeden Tag frühstücken. Aber das

Beste ist: Ich muss nun nie wieder einen (14) _____ suchen, denn ich habe

einen Stellplatz in der (15) _____ gemietet.

Du musst mich so bald wie möglich besuchen!

Viele Grüße, Marietta

2 Lesen Sie den Dialog und formulieren Sie die passenden Fragen.

○ Hallo Carla.

● Hallo Jörg. Mensch, wir haben uns ja ewig nicht gesehen! Was gibt's Neues?

○ Ach, so einiges. Ich bin gerade umgezogen.

● Echt? Das ist ja toll! Erzähl mal! (1) _____?

○ Die Lage ist optimal – direkt am Stadtrand. Da ist es so viel ruhiger als im Zentrum.

● (2) _____?

○ Nein. Ich fahre nur 10 Minuten mit dem Bus. Der hält direkt vor meinem Haus.

● (3) _____?

○ Die Wohnung hat ungefähr 52 Quadratmeter, wirkt aber viel geräumiger, weil sie gut geschnitten ist.

● Hört sich toll an. (4) _____?

○ Leider ziemlich hoch. Ich zahle jetzt fast 400 €.

● (5) _____?

○ Die Nebenkosten sind dann auch noch mal knapp 80 €. Aber das lohnt sich, die Wohnung ist einfach toll. Komm doch mal vorbei!

3a Welche Beschreibung passt zu welchem Nomen?

1. ____ die Miete
2. ____ die Kaution
3. ____ die Nebenkosten
4. ____ die Provision
5. ____ die Wohnungsanzeige
6. ____ die Ablöse

a Kosten, die zusätzlich zur Miete entstehen, z. B. für Müllabfuhr oder Wasser

b Geld, das man für die Vermittlung einer Wohnung bezahlt

c Geld, das man z. B. für die Einbauküche zahlt, die man vom Vormieter übernimmt

d kurzer Text, den man z. B. in der Zeitung drucken lässt, weil man eine Wohnung anbieten will oder sucht

e Geldbetrag, den man als Sicherheit hinterlegen muss, wenn man eine Wohnung mietet

f Geld, das man jeden Monat zahlt, um in einer Wohnung / in einem Haus wohnen zu können

 b Welches Verb passt zu welchem Nomen? Notieren Sie. Manchmal gibt es mehrere Möglichkeiten.

1. die Hausordnung	6. den Mietvertrag	a renovieren	f einhalten
2. den Umzug	7. die Wohnung	b gründen	g aufgeben
3. die Nebenkosten	8. die Anzeige	c organisieren	h erhöhen
4. die WG	9. die Maklerin /	d überweisen	i beauftragen
5. die Miete	den Makler	e bezahlen	j unterschreiben
	10. die Kaution		

1f _____

4 Ergänzen Sie die passenden Verben. Die Buchstaben in den grauen Kästchen ergeben das Lösungswort: Haben Sie Ihre ____ ____ ____ ____ ____ ____ ____ ____ ____ ____ ____ ____ schon gefunden?

(*ä, ö, ü* = ein Buchstabe)

waagrecht:
1. für Wärme sorgen
2. einen (Miet-)Vertrag beenden
3. eine Wohnung nicht kaufen, sondern …
4. an der Haustür läuten
5. die Wohnung für immer verlassen
6. sauber machen
7. Ordnung machen

senkrecht:
8. schön machen, gestalten, schmücken
9. in einer Wohnung oder einem Haus leben
10. das Auto an einem Platz abstellen
11. in eine Wohnung gehen, um darin zu leben
12. jemanden gegen Bezahlung in seiner Wohnung wohnen lassen
13. ein Zimmer durch Möbel und andere Dinge wohnlich machen
14. alte Dinge erneuern, reparieren

Eine Wohnung zum Wohlfühlen

1 Ergänzen Sie die Präfixe in den Sätzen.

auf	~~aus~~	be	aus
			be
ein	ein		
		ent	

1. Wenn man aus einer Wohnung __*aus*__zieht, bedeutet das immer viel Arbeit. 2. Man muss die alte Wohnung ausräumen und alles _____packen. 3. Oft muss man in der alten Wohnung renovieren oder die Renovierungsarbeiten _____zahlen. 4. Bevor man in die neue Wohnung _____ziehen kann, muss man meistens noch viele Sachen _____sorgen. 5. Oft sind neue Möbel nötig und da ist es nicht so einfach, sich zu _____scheiden. 6. In der neuen Wohnung muss man natürlich alle Kartons _____packen und Bilder und Lampen _____hängen.

2 Ergänzen Sie die Verben im Partizip Perfekt.

anschreiben	ansehen	beginnen	entscheiden	herumlaufen
kennenlernen		umziehen	vergleichen	~~vorbereiten~~

Ich habe meinen Umzug sehr gut (1) __*vorbereitet*__: Zuerst habe ich mir viele Anzeigen
(2) _____ und die Beschreibungen und Preise genau (3) _____.
Dann habe ich mit den Wohnungsbesichtigungen (4) _____. Dabei bin ich viel in der
Stadt (5) _____ und habe sie so viel besser (6) _____.
Nach drei Wochen habe ich mich (7) _____. Ich habe dann meinen Vermieter
(8) _____ und die alte Wohnung gekündigt. Vor drei Wochen bin ich endlich
(9) _____.

3 Was hört man bei Umzügen? Bilden Sie Imperativsätze.

1. Vermieter noch mal anrufen — *Ruf bitte den Vermieter noch mal an!* _____
2. Gläser und Teller einpacken — _____
3. Tür aufmachen — _____
4. Schlüssel nicht vergessen — _____
5. Pizza und Getränke mitbringen — _____
6. Auto abschließen — _____

4 Schreiben Sie einen Text (8–10 Sätze) über einen Umzug, bei dem Sie dabei waren.

Bei meinem letzten Umzug bin ich in den zweiten Stock gezogen. Das Treppenhaus war nicht sehr groß – aber mein Kleiderschrank hatte sehr große Türen …

5 Formulieren Sie Sätze. Achten Sie auf den Infinitiv mit *zu*.

1. Ich habe gar keine Lust, _*nächstes Wochenende von hier wegzuziehen.*_
   (nächstes Wochenende von hier wegziehen)

2. Ich hätte große Lust, nächsten Freitag _____
   (einfach verreisen)

3. Aber für mich ist es wichtig, endlich _____
   (in die neue Wohnung einziehen)

4. Ich hoffe, dass viele Freunde Zeit haben, _____
   (vorbeikommen und helfen)

5. Ich hoffe, sie helfen mir, _____
   (alles auspacken und aufbauen)

6 Ergänzen Sie die Verben in der richtigen Form.

abwaschen   aufräumen   ausruhen   eingießen   einteilen   entscheiden   ~~entspannen~~   genießen   umziehen   wohlfühlen

„So, jetzt (1) _*entspann*_ dich doch endlich!" Das denke ich oft, wenn ich abends nach Hause komme. In meiner kleinen Wohnung (2) _____ ich mich sehr _____. Ich habe mich vor einem Jahr (3) _____, in diese Wohnung (4) _____. Und das war goldrichtig! Die Wohnung ist sehr schön und ruhig. Nur leider ist es so, dass ich die Ruhe selten (5) _____. Ich habe sehr viel Arbeit und wenn ich nach Hause komme, heißt es (6) _____, (7) _____ und, und, und. Irgendwie muss ich mir die Zeit besser (8) _____ und mir zwischendrin sagen: (9) _____ dir einen schönen Tee _____ und (10) _____ dich einfach mal _____!"

7 Eine Grafik beschreiben. Was passt zusammen?

100 %	95 %	87 %	59 %	50 %	47 %	25 %	19 %	5 %
____	____	____	____	____	____	____	____	____

A über die Hälfte / mehr als die Hälfte
B ein Viertel
C die wenigsten / fast niemand /
  nur sehr wenige
D alle

E knapp die Hälfte
F wenige / einige
G viele
H fast alle / die meisten
I die Hälfte

8 Lesen Sie das Interview mit dem TV-Moderator Jörg Pilawa. Beantworten Sie die Fragen auch für sich selbst. Tauschen Sie sich dann im Kurs aus.

„Sag mir, wie du wohnst, dann weiß ich besser, wer du bist."

Sie möchten sich entspannen. Wohin in Ihrer Wohnung gehen Sie?
In die klitzekleine Sauna in unserem Haus.

_____
_____
_____

Wenn ich die Haustür aufschließe, …
… hoffe ich, dass meine Kinder mir entgegenlaufen und erzählen, wie sie den Tag verbracht haben.

_____
_____
_____

Was darf in Ihrem Kühlschrank niemals fehlen?
Frische Milch, guter Käse und Schwarzbrot.

_____
_____

Welches ist Ihr Lieblingsmöbelstück und warum?
Ein Ledersessel mit Fußbank. Alle finden ihn sehr hässlich, aber ich finde ihn sehr gemütlich.

_____
_____

Mit wem könnten Sie sich vorstellen, eine WG zu gründen?
Wer würde es mit uns aushalten? Mit drei Kindern ist immer etwas los. Ich habe zwei gute Freunde aus der Schulzeit. Mit denen könnte es gut gehen.

_____
_____

Welche Ihrer Macken wären für einen WG-Partner nur schwer zu akzeptieren?
Ich kann unordentlich und fast schlampig sein, wenn ich viel arbeite. Und penibel und pingelig, wenn ich Zeit habe.

_____
_____

Meine Küche ist …
… Zentrum für die Familie. Dort essen wir zusammen mit den Kindern dreimal am Tag.

_____
_____

Wenn Geld keine Rolle spielen würde, wie und wo würden Sie gerne wohnen?
Auf Amrum. Die Insel ist für mich das schönste Fleckchen Erde. Hier finde ich Naturgewalt pur, Luft, Wasser, Dünen. Strand und Ruhe.

_____
_____

Gemütlichkeit bedeutet für mich …
… wenig Licht, guter Rotwein, Kaminfeuer, meine Frau.

_____
_____
_____

1a Lesen Sie den Text und entscheiden Sie, welche Aussagen richtig und welche falsch sind.

Hilfe zur Selbsthilfe – Die Zeitung BISS

In allen deutschen Großstädten gibt es heute Zeitungsprojekte, die Menschen in Not helfen sollen. Eine dieser Zeitungen heißt BISS und wird in München verkauft. BISS steht für Bürger und Bürgerin-
5 nen In Sozialen Schwierigkeiten. Es ist das erste und älteste Straßenmagazin bundesweit. Am 17. Oktober 1993 wurde die Zeitung BISS zum ersten Mal verkauft und erscheint heute mit elf Ausgaben pro Jahr und einer Auflagenhöhe von 38.000 Stück. Man sieht
10 die Verkäufer auf großen Plätzen und an U-Bahnhöfen. Das Projekt ist eine Hilfe zur Selbsthilfe für viele wohnungslose und arbeitslose Menschen. Rund 2.400 wohnungslose und alleinstehende Menschen leben in München das ganze Jahr auf der Straße.
15 Die Wege in die Not sind vielfältig. Ein Weg zurück in die Gesellschaft kann über die Zeitung BISS führen. Denn BISS hilft den Obdachlosen bei der Wohnungs- und Arbeitssuche, bei Gesundheitsfürsorge, Schulden- und Drogenproblemen. Für viele
20 Bedürftige ist BISS erste Anlaufstelle und letzte Rettung.

Aktuell kostet die Zeitung 2,20 €, davon gehen 1,10 € an den Verkäufer. Die meisten von ihnen haben keinen Beruf erlernt und sonst nur geringe Chancen
25 auf dem regulären Arbeitsmarkt. Wer nachweisen kann, dass er arm oder mittellos ist, erhält einen Verkäuferausweis, auch Sozialhilfeempfänger, Arbeitslose und Kleinrentner. Jedem Verkäufer wird ein bestimmter Platz und eine feste Uhrzeit zugewiesen
30 – das wird auch kontrolliert.

Und es gibt noch mehr Regeln, die eingehalten werden müssen: Alkohol und Drogen sind während des Verkaufs untersagt, und wer krank ist, muss sich abmelden.
35 Momentan arbeiten 100 Verkäuferinnen und Verkäufer für die BISS. Wer regelmäßig 400 Zeitungen verkaufen kann, kann auch angestellt werden und ist damit endlich wieder sozialversichert. Für diese momentan 36 Verkäufer ist Wiedereingliederung kein
40 abstrakter Begriff mehr: Sie haben ihre Wohnung und gehen tagsüber die BISS verkaufen und manche fahren sogar mal ein paar Tage in Urlaub.

	richtig	falsch
1. Man kann die Zeitung BISS in allen deutschen Großstädten kaufen.	☐	☐
2. BISS kauft man in einem Geschäft oder an einem Kiosk.	☐	☐
3. Mit diesem Zeitungsprojekt wird wohnungs- und arbeitslosen Menschen geholfen.	☐	☐
4. Die Verkäufer können nicht entscheiden, wo und wann sie die Zeitungen verkaufen wollen.	☐	☐
5. Wer BISS verkaufen möchte, muss sich an bestimmte Regeln halten.	☐	☐
6. Alle BISS-Verkäufer sind fest angestellt und haben wieder eine Wohnung.	☐	☐

b Schreiben Sie: Worauf beziehen sich die Zahlen im Text?

17. 10. 1993: *BISS erschien zum ersten Mal* _____

11: _____

38.000: _____

2.400: _____

2,20 €: _____

1,10 €: _____

100: _____

36: _____

Wie man sich bettet, …

1a Schlafen im Hotel – Wie heißen die Nomen?

1. komfortabel   der _____
2. anbieten   das _____
3. ausstatten   die _____
4. gemütlich   die _____
5. übernachten   die _____
6. entspannen   die _____

b Wählen Sie drei Nomen aus 1a und schreiben Sie je einen Satz zum Thema „Schlafen im Hotel".

2a n-Deklination: mit oder ohne -(e)n? Lesen Sie den Dialog und tragen Sie die Endung ein, wo nötig.

○ Hi Robert. Du siehst ja super aus. Warst du im Urlaub____ (1)?

● Ja, ich war in der Schweiz, in einem Eishotel.

○ Echt? Das ist ja mal was ganz anderes. Hat dir jemand einen Tipp____ (2) gegeben?

● Das war ganz witzig. Davon habe ich zufällig von meinem Nachbar____ (3) gehört.

○ Und warst du alleine da?

● Nein, ich bin mit meinem Kollege____ (4) Heiner und seiner Frau gefahren. Er ist auch Arzt____ (5) in der Klinik. Du kennst ihn von meinem Geburtstag____ (6). Du hast gesagt, dass du noch nie einen so netten Neurologe____ (7) kennengelernt hast.

○ Ach der … Und? Wie war's denn?

● Super, wir waren alle ganz begeistert. Am Tag____ (8) haben wir eine Ski-Tour gemacht und am Abend____ (9) gab es eine Sterne-Tour mit einem Astronom____ (10). Nachts haben wir in einem Iglu übernachtet. Das war wunderschön.

○ Und wie war die Nacht? War es nicht zu kalt?

● Gar nicht. Ich habe tief und fest in meinem dicken Schlafsack____ (11) geschlafen. Du hättest einen Bär____ (12) neben mich legen können. Ich hätte nichts gemerkt.

○ Hört sich super an.

● Ach, und am Morgen … der Blick____ (13) über die Berge. Wie im Traum____ (14)! Ich habe es auch schon einem Patient____ (15) empfohlen. Er fährt mit seinem Sohn wegen der guten Luft immer in die Berge. Dem Junge____ (16) hat es da super gefallen.

○ Kannst du mir den Name____ (17) sagen? Dann kann ich das Hotel mal googeln.

● Ja, klar …

b Was passt wo? Ergänzen Sie die Lücken mit den Nomen und den Artikelwörtern.

| Chaot | Fotograf | Herr | ~~Kunde~~ | Name | Tourist | Rezeptionist |

1. In diesem Hotel werden d*ie Kunden* _____ richtig verwöhnt.

2. Unser Hotel hatte se_____ _____ „Zur Sonne" nicht verdient. Die Zimmer waren sehr dunkel.

3. Im Restaurant traf ich ei_____ älteren _____, der schon seit 20 Jahren in dieses Hotel kommt.

4. Bei der Abreise habe ich von d_____ _____ dreimal eine falsche Rechnung bekommen. So ei_____ _____ habe ich noch nie erlebt.

5. Unsere Foto-Safari war super! Das Hotel hat eine Tour angeboten mit ei_____ _____, der erklärt, wie man gute Bilder von wilden Tieren machen kann.

6. Im Hotel wurde das Gepäck ei_____ jungen _____ gestohlen und keiner der Hoteldetektive hatte es bemerkt.

3a So merken Sie sich die Nomen der n-Deklination leichter: Schreiben Sie Mini-Geschichten zu a) bis c). Die markierten Nomen gehören zur n-Deklination.

a) **Passant** – **Bandit** – **Zeuge** – Polizei / beobachten – anrufen – verfolgen – befragen

b) **Löwe** – Mann – Kinder – im Park – Fleisch – aus Einkaufstüte – **Held** / sehen – spielen – geben – retten

c) **Journalist** – **Fotograf** – gute Geschichte – **Bandit** – **Held** – **Präsident** – **Prinz** / suchen – entscheiden

b Erfinden und schreiben Sie drei Situationen wie in den Beispielen, in denen mindestens zwei Nomen der n-Deklination aus dem Kasten vorkommen.

1. Zu Hause haben wir einen Affen und einen Bären.
2. Letzte Woche war ich bei zwei Spezialisten: Bei einem Pädagogen und einem Dermatologen.
3. Kennst du einen Spezialisten oder Experten für Häuser? – Klar … einen Architekten!

der Tourist	der Hase	der Praktikant	der Mensch	der Nachbar	der Musikant
der Pilot · der Name	der Kunde	der Junge	der Elefant	der Neffe	der Diamant
der Herr · der Student	der Philosoph	der Idealist	der Soldat	der Kollege	der Diplomat
der Bär					

TIPP Neue Wörter kann man sich am besten im Kontext merken, z. B. im Zusammenhang mit einem Thema oder in einem Satz. Je interessanter das Thema und je skurriler der Satz, desto besser!

Hotel Mama

1 Welches Wort passt? Ergänzen Sie die Mail.

Kinder, Kinder, Kinder

Hallo Selina,

danke für deine Mail. Tja, meine beiden Kinder wohnen immer noch (1) _____,

obwohl sie schon über zwanzig sind. Eigentlich ist das kein Problem, denn wir haben

(2) _____ Platz. Allerdings denke ich, dass sie langsam mal lernen sollten, auf

eigenen Beinen zu stehen (3) _____ Verantwortung (4) _____.

Ich selbst bin ja schon mit 16 Jahren (5) _____, weil ich eine Ausbildung

(6) _____ einer anderen Stadt gemacht habe. Das war aber wirklich zu früh.

(7) _____ Tochter arbeitet bereits seit drei Jahren in ihrem Beruf. Sie

(8) _____ sich eine eigene Wohnung also auch leisten, aber hier bei uns ist es

einfach bequemer für sie und (9) _____ Luxus will sie nicht aufgeben. Mein Sohn

ist der Meinung, (10) _____ er bei uns wohnen kann, solange er studiert. Aber

andere Studenten wohnen doch auch in einem Studentenwohnheim oder in einer WG.

Ich glaube, ich muss jetzt mal härter werden, was meinst du? Mit „Hotel Mama" ist jetzt

Schluss! Drück mir die Daumen ☺

1.	A beim Haus	3.	A aber	5.	A ausgezogen	7.	A Meine	9.	A diese
	B zu Hause		B oder		B ausziehen		B Meinen		B diesen
	C zum Haus		C und		C auszuziehen		C Meiner		C dieser

2.	A genügend	4.	A übernehmen	6.	A aus	8.	A dürfte	10.	A dass
	B genügende		B übernehmend		B bei		B könnte		B obwohl
	C genügender		C zu übernehmen		C in		C müsste		C weil

2 Hören Sie das Gespräch und beantworten Sie die Fragen.

1. Was hat sich vor Kurzem in Sandras Leben geändert?

_____

2. Wie alt sind Sandras Kinder?

_____

3. Wo und wie wohnt Sandra?

_____

4. Was hat sich im Leben von Sandras Sohn verändert?

_____

5. Welche Veränderung gibt es bei Sandras Tochter?

_____

3 Lesen Sie den Text und die Aufgaben 1 bis 6 dazu. Wählen Sie: Sind die Aussagen Richtig oder Falsch?

Margot   27.08. | 09:30 Uhr

Mein Urlaub im „Apart-Hotel-Tochter"

Ab heute berichte ich wieder mal aus Hamburg: Wie schon letztes Jahr mache ich wieder zwei Wochen Urlaub in der Wohnung meiner Tochter Paula. Sie macht mit den Kindern Ferien auf der Ostseeinsel Fehmarn und ich kann so lange in ihrer Wohnung in Hamburg wohnen.

Gestern bin ich angekommen – und gleich habe ich etwas Lustiges erlebt. Ich hatte gerade meine Tasche abgestellt und wollte mir einen Kaffee machen, da klingelte es an der Tür. Eine freundliche Dame in einer alten Jogginghose und einem bequemen Pullover stand vor mir. Sie sah mich ziemlich überrrascht an und meinte dann unvermittelt: „Wer sind Sie denn?" – „Na", antwortete ich „das wollte ich Sie gerade fragen!" … Sofort entschuldigte sie sich. Sie sei die Nachbarin – und dann erinnerte ich mich, dass ich sie letztes Jahr ein paar Mal im Treppenhaus gesehen hatte, da hatte sie allerdings immer sehr schicke Klamotten an. Ich stellte mich also auch vor und fragte, worum es ginge. Und dann erzählte Sie mir, dass tags zuvor in Hamburg ein starker Sturm gewesen war. Es war ihr sehr unangenehm, aber ein schwerer Kasten mit Balkonpflanzen war von ihrer Dachterrasse heruntergefallen und auf dem Balkon meiner Tochter gelandet. Sie hätte gestern schon geklingelt, aber es sei niemand da gewesen. Sie wollte jetzt den Balkon sauber machen. Gemeinsam sahen wir nach und tatsächlich: Da lag ein wirklich großer Blumenkasten verkehrt herum und zerbrochen auf dem Balkon und alles war voll Erde – auch die Balkontür. Das war eine richtige Schweinerei! Einige Balkonpflanzen von Paula sind auch kaputtgegangen.

Wir haben dann zusammen geputzt – das hat richtig lange gedauert. Dabei hatten wir natürlich viel Zeit, uns ein bisschen kennenzulernen. Als wir fertig waren, haben wir noch einen Kaffee zusammen getrunken. Rosi (so heißt die Nachbarin) ist sehr nett und wir haben noch richtig lange zusammengesessen.

Heute fahren wir gemeinsam neue Balkonpflanzen für Paula kaufen – hoffentlich kaufen wir etwas, was ihr gefällt, gell Paula?! Und bevor wir fahren, will Rosi mit mir durch die Altstadt bummeln. Wofür so ein Sturm nicht alles gut ist!

Fortsetzung folgt – bis bald
Margot

Beispiel

0. Margot macht Urlaub in einem Hotel in Hamburg.   Richtig   ~~Falsch~~

1. Kaum ist Margot angekommen, klingelt das Telefon.   Richtig   Falsch

2. Margot hat die Nachbarin zunächst nicht erkannt.   Richtig   Falsch

3. Bei einem Unwetter ist etwas auf den Balkon gefallen.   Richtig   Falsch

4. Alle Pflanzen von Margots Tochter wurden zerstört.   Richtig   Falsch

5. Die Nachbarin hat den Balkon allein sauber gemacht.   Richtig   Falsch

6. Margot ist froh über die Bekanntschaft mit der Nachbarin.   Richtig   Falsch

4a Sie wollen einem Freund / einer Freundin in einer E-Mail von Ihrem Umzug berichten. Bringen Sie folgende Stichpunkte in eine sinnvolle Reihenfolge.

_____ die Kisten packen

_____ den Mietvertrag unterschreiben

_____ interessante Anzeigen markieren

_1_ Wohnungsanzeigen lesen

_____ sich für eine Wohnung entscheiden

_____ die alte Wohnung streichen

_____ eine Einweihungsparty geben

_____ die Kaution bezahlen

_____ zusammen mit Freunden alle Möbel und Kisten in die neue Wohnung bringen

_____ anrufen und Besichtigungstermine vereinbaren

_____ die Wohnungen besichtigen

b Schreiben Sie nun Ihre E-Mail.

TIPP | **Einen Brief / Eine E-Mail schreiben**
Bevor Sie einen Brief oder eine E-Mail beginnen, überlegen Sie sich, was und in welcher Reihenfolge Sie schreiben wollen. Machen Sie sich Notizen und beginnen Sie erst dann mit dem Schreiben des Textes.

Aussprache: trennbare Verben

8

a Hören Sie den Dialog und unterstreichen Sie die trennbaren Verben.

○ Alles okay? Du siehst so genervt aus.
● Ach, ich hab' mich wieder aufgeregt wegen Benni.
○ Was hat er denn wieder angestellt?
● Angestellt? Wie sich das anhört. Er ist doch kein Kind mehr.
○ Naja, das sollte man annehmen … mit 23.
● Du sagst es … Er ist 23, und ich muss ihn immer noch bitten aufzuräumen und nicht alles herumliegen zu lassen.
○ Ich habe gerade gestern mit ihm darüber gesprochen.
● Es hilft aber nichts. Er kommt auch nicht auf die Idee, den Einkauf zu übernehmen.
○ Geschweige denn, dass er auch mal ein bisschen Geld dazugibt.
● Ist das ein Witz? Gestern hat er sich erst fünfzig Euro von mir geliehen.
○ Ich habe mir das auch anders vorgestellt nach seinem Abitur.
● Haben wir ihn zu sehr verwöhnt?
○ Vielleicht. Ich finde, er sollte sich mal entscheiden, ob er auszieht oder nicht.
● Also, ich habe jedenfalls keine Lust mehr auf Hotel Mama.
○ Und Hotel Papa kann er auch vergessen!

9

b Hören Sie die trennbaren Verben und markieren Sie den Wortakzent. Welche Silbe ist betont?

aufregen – anstellen – anhören – annehmen – aufräumen – herumliegen – dazugeben – vorstellen – ausziehen

c Wählen Sie eine Rolle aus, hören Sie noch einmal den Dialog aus a und sprechen Sie mit.

So schätze ich mich nach Kapitel 2 ein: Ich kann …	✦	○	—
… in einem Radiointerview wichtige Informationen zum Thema „Obdachlosigkeit" verstehen und vergleichen. ▶M2, A3	☐	☐	☐
… die wichtigsten Informationen in kurzen Aussagen verstehen. ▶M4, A3	☐	☐	☐
… in einem privaten Gespräch wesentliche Inhalte verstehen. ▶AB M4, Ü2	☐	☐	☐
… wichtige Zahlen und Daten den Inhalten aus einem Zeitungstext zuordnen. ▶AB M2, Ü1	☐	☐	☐
… Aspekte zu verschiedenen Übernachtungen aus einem Zeitschriftenartikel sammeln. ▶M3, A2	☐	☐	☐
… mithilfe von W-Fragen die wichtigsten Informationen in einem Text finden. ▶M4, A2a	☐	☐	☐
… aus einem Text Argumente für das Wohnen bei den Eltern sammeln. ▶M4, A2c	☐	☐	☐
… Informationen in einem Blog-Beitrag verstehen. ▶AB M4, Ü3	☐	☐	☐
… eine Grafik beschreiben und mit einer Umfrage vergleichen. ▶M1, A4	☐	☐	☐
… meine Meinung sagen und Vorschläge machen, wenn es darum geht, ein Problem zu lösen oder praktische Entscheidungen zu treffen. ▶M4, A5	☐	☐	☐
… in einer E-Mail meine Meinung äußern und Ratschläge geben. ▶M4, A4b–c	☐	☐	☐
… in einer E-Mail über einen Umzug berichten. ▶AB M4, Ü4	☐	☐	☐

Das habe ich zusätzlich zum Buch auf Deutsch gemacht (Projekte, Internet, Filme, Lesetexte, …):

Datum: Aktivität:

_____ _____

_____ _____

_____ _____

_____ _____

_____ _____

▶ **Grammatik und Wortschatz weiterüben:** interaktive Übungen unter www.aspekte.biz/online-uebungen1

Wortschatz

Modul 1   Eine Wohnung zum Wohlfühlen

auffällig _____

herkommen (kommt her, _____
   kam her, ist herge-
   kommen)

herumstehen (steht her- _____
   um, stand herum,
   hat herumgestanden)

hingehen (geht hin, ging _____
   hin, ist hingegangen)

die Lage _____

der Platz , "-e _____

sich wohlfühlen _____

zerreißen (zerreißt, zerriss, _____
   hat zerrissen)

Modul 2   Ohne Dach

die Alternative, -n _____

die Angst, -"e _____

arbeitslos _____

die Armut _____

die Ausgrenzung, -en _____

die Ausweglosigkeit _____

die Einsamkeit _____

die Freiheit, -en _____

die Frustration, -en _____

die Hygiene _____

die Intoleranz _____

die Isolation _____

die Notunterkunft, -"e _____

obdachlos _____

die Perspektive, -n _____

die Randgruppe, -n _____

die Schulden (Pl.) _____

die Unabhängigkeit _____

Modul 3   Wie man sich bettet, …

der/die Artist/in, -en/-nen _____

ausstatten mit _____

bewegend _____

die Branche, -n _____

der Gast, -"e _____

die Gemütlichkeit _____

investieren _____

der Komfort _____

die Leidenschaft, -en _____

nutzen als _____

die Übernachtung, -en _____

umbauen _____

die Umgebung,-en _____

Modul 4 Hotel Mama

abraten von (rät ab, riet ab, _____
  hat abgeraten)

anhänglich _____

der Anspruch, -"e _____

die Ausbildungszeit, -en _____

beweisen (beweist, bewies, _____
  hat bewiesen)

sich binden (bindet, band, _____
  hat gebunden)

sich einarbeiten _____

eindeutig _____

das Elternhaus, -"er _____

sich entwickeln _____

ermutigen zu _____

fleißig _____

gemütlich _____

der Haushalt, -e _____

identifizieren _____

klarkommen mit (kommt _____
  klar, kam klar, ist klarge-
  kommen)

der Nesthocker, - _____

partnerschaftlich _____

der Standpunkt, -e _____

an deiner/seiner Stelle _____

unabhängig _____

die Untersuchung, -en _____

die Ursache, -n _____

die Wäsche _____

Wichtige Wortverbindungen

auf eigenen Beinen/Füßen stehen _____

das Geld ist knapp _____

hin und her _____

Tür an Tür wohnen mit _____

die eigenen vier Wände _____

sich wie zu Hause fühlen _____

Wörter, die für mich wichtig sind:

_____ _____ _____ _____

_____ _____ _____ _____

_____ _____ _____ _____

_____ _____ _____ _____

Wie geht's denn so?

Vor dem Start: Erinnern Sie sich? Diese Übungen bereiten Sie auf das Kapitel vor.

 1a Notieren Sie die Namen der Körperteile mit bestimmtem Artikel.

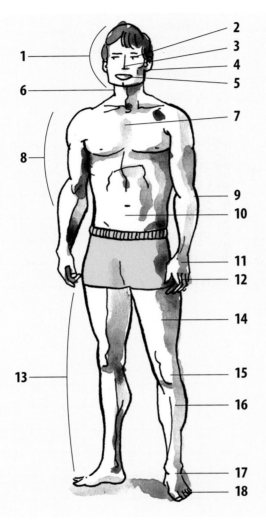

1. _____
2. _____
3. _____
4. _____
5. _____
6. _____
7. _____
8. _____
9. _____
10. _____
11. _____
12. _____
13. _____
14. _____
15. _____
16. _____
17. _____
18. _____

b Welche anderen Körperteile und Organe kennen Sie noch? Ergänzen Sie die Liste.

 2 Was macht der Arzt, was der Patient? Sortieren Sie.

> ein Rezept abholen   den Blutdruck messen   nach dem Befinden fragen   sich auf die Waage stellen
>
> eine Spritze bekommen   ein Medikament einnehmen   den Oberkörper frei machen
>
> die Diagnose stellen   einen Termin vereinbaren   sich eine Überweisung geben lassen
>
> ein Rezept ausstellen   die Versichertenkarte vorlegen
>
> seine Schmerzen beschreiben   ein Medikament verschreiben   den Zahn ziehen

3 Schreiben Sie die Nummern der Nomen in die Bilder.

1. die Kapsel 3. der Verband 5. die Tablette 7. die Spritze
2. die Salbe 4. der Saft 6. die Tropfen 8. das Pflaster

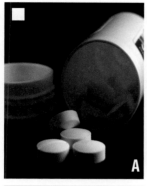 A
 B
 C
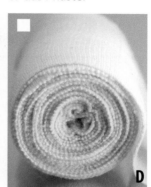 D
 E
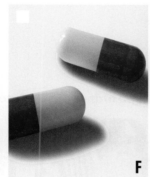 F
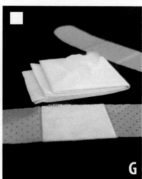 G
 H

4 Lesen Sie das Telefongespräch und ergänzen Sie die Wörter in der richtigen Form.

| Krankschreibung schlapp wehtun Besserung Erkältungsmittel |
| Grippe Symptome auskurieren krankmelden Fieber |

○ Guten Morgen Petra.

● Hallo Simone. Was ist los? Kommst du später?

○ Mir geht's gar nicht gut. Mir (1) _____ alles _____, ich fühle mich total

(2) _____ und ich habe hohes (3) _____.

● Das klingt ja gar nicht gut. Das könnte eine (4) _____ sein. Die (5) _____

sind typisch. Du solltest unbedingt zum Arzt gehen.

○ Das will ich auch machen. Die (6) _____ aus der Apotheke helfen nämlich gar nicht.

Kannst du bitte dem Chef sagen, dass ich mich (7) _____ habe?

● Ja klar, ich gebe ihm gleich Bescheid. Vergiss nicht, die (8) _____ einzureichen.

○ Muss ich die heute noch abgeben? Ich glaube, das schaffe ich nicht.

● Nein, das muss nicht heute sein. Du hast drei Tage Zeit. Jetzt wünsche ich dir erst mal gute

(9) _____ und (10) _____ dich richtig _____.

Eine süße Versuchung

1 Süßes – Ordnen Sie die Wörter in die Tabelle ein. Notieren Sie den bestimmten Artikel. Einige Wörter passen mehrfach.

> Glückshormon Zucker Marzipan Fett Nervennahrung Bitterschokolade Psyche Nüsse
> Geschmacksverbesserer Kakao Keks Schokoriegel Kalorien Aroma Kaugummi Nougat Sahnepulver

Bestandteile	Gesundheit	Süßigkeit

2a Süße Kalorienbomben – Lesen Sie die Rezepte und ordnen Sie die Fotos zu.

A 1 Ei, 3 Esslöffel Milch, 1 Prise Salz, 1 Esslöffel Mehl, 3 Esslöffel weiche Butter, 2 Esslöffel Ahornsirup

Mit dem Mixer Ei, Milch, Salz und Mehl in einer Schüssel verrühren. In der Pfanne 1 Teelöffel Butter erhitzen. 2 Esslöffel Teig hineingeben und zerlaufen lassen. Von einer Seite goldbraun braten. Dann wenden und auch von der anderen Seite braten. Dann auf den Teller legen, mit Butter bestreichen und mit Ahornsirup übergießen.

B 2 kleine Bananen, 1 Esslöffel Mandeln, 1 Esslöffel Butter, 1 Esslöffel Zitronensaft, 1 Esslöffel Honig

Bananen schälen. Die Mandeln grob hacken. In der Pfanne Butter erhitzen. Die Bananen hinzugeben. Die Bananen von beiden Seiten goldgelb backen. Eine Zitrone pressen. Den Zitronensaft über die Bananen gießen. Bananen auf den Teller legen und den Honig über die Bananen gießen. Mandeln darüber geben.

C 200 ml Kaffee, 1 Kugel Vanilleeis, Schlagsahne, 2 Eiswürfel

Kaffee kochen und im Kühlschrank kaltstellen. Dann Kaffee und Eiswürfel im Mixer mixen, bis das Eis zerkleinert ist. In ein hohes Glas gießen und die Kugel Vanilleeis darauf geben. Zum Schluss mit steif geschlagener Sahne garnieren.

b Erstellen Sie eine Tabelle und ergänzen Sie passende Wörter aus den Rezepten.

Mengenangaben	Zutaten/Lebensmittel	Zubereitung	Geräte/Gegenstände
der Esslöffel	*das Ei*	*rühren*	*der Mixer*

c Welche Süßspeise, welches Dessert mögen Sie gern? Schreiben Sie das Rezept.

3a Ergänzen Sie die Artikel zu den Nomen aus den Rezepten. Notieren Sie dann die Pluralformen und den Pluraltyp.

Singular		Plural		Singular		Plural	
1. _der_	Löffel	die _Löffel (Typ 1)_		8. _____	Kühlschrank	die _____	
2. _____	Ei	die _____		9. _____	Glas	die _____	
3. _____	Teller	die _____		10. _____	Pfanne	die _____	
4. _____	Zitrone	die _____		11. _____	Mixer	die _____	
5. _____	Banane	die _____		12. _____	Mandel	die _____	
6. _____	Saft	die _____		13. _____	Schüssel	die _____	
7. _____	Kugel	die _____		14. _____	Eiswürfel	die _____	

b In der Küche. Markieren Sie die Wortgrenze. Bilden Sie den Singular.

TASSEN|KUCHENFORMENGABELNTÖPFEMESSERKORKENZIEHERDECKELKANNENSCHALENUNTERTASSEN
PAPIERROLLENEIERBECHERFLASCHENKRÜGESCHNEIDEBRETTERSCHNEEBESENFLASCHENÖFFNERDOSEN
GEWÜRZESERVIETTENGESCHIRRTÜCHER

die Tassen – die Tasse, …

4 Lesen Sie den Dialog und ergänzen Sie die Nomen in der richtigen Form.

○ Schatz, möchtest du ein Dessert? Vielleicht einen Pudding mit heißen (1) _Himbeeren_

(die Himbeere)?

● Nicht für mich. In solchen (2) _____ (das Restaurant) schmeckt mir das nicht.

○ Na, ich nehme die Waffeln mit zwei (3) _____ (die Kugel) Eis.

● Bloß nicht. Deine selbst gemachten Waffeln sind doch viel besser.

○ Danke. Dann nehme ich lieber den Obstsalat mit (4) _____ (die Nuss). Das ist gut.

● Na ja, man weiß ja nie, wie frisch das Obst in diesen (5) _____ (der Salat) ist.

○ Meine Güte, an allen (6) _____ (das Dessert) hast du etwas auszusetzen.

● Also nimmst du keinen Nachtisch?

○ Nein danke, ich bin satt.

Frisch auf den Tisch?!

1 Wie heißen die Nomen? Ergänzen Sie die Wörter.

bar – ~~bens~~ – da – de – E – Ein – Fer – ge – Halt – halt – Haus – Ka – kaufs – keits – kett – Kun – ~~Le~~ – lo – ~~mit~~ – rich – rien – te – ~~tel~~ – tel – ti – tig – tum– zet

1. Ich muss jetzt wirklich los. Ich muss noch ein paar _Lebensmittel_ einkaufen. Brot, Obst, Nudeln und so.

2. Ich liebe diesen Supermarkt. Alle sind so nett und die Ware ist gut und günstig. Hier ist der _____ wirklich noch König!

3. Ich habe alles, was wir brauchen auf einen _____ geschrieben. Aber den habe ich leider zu Hause vergessen.

4. Ich mache ab heute Diät. Kein Fett, kein Zucker, maximal 1.500 _____ am Tag.

5. Nicht schon wieder Pizza aus dem Kühlschrank! Ich hasse _____.

6. Ist hier viel Fett drin? Was steht denn auf dem _____?

7. Ist der Joghurt noch gut? Wann läuft denn das _____ ab?

8. In unserem _____ leben vier Personen: mein Mann, unsere beiden Kinder und ich.

2a Seine Meinung äußern.
Vergleichen Sie die Redemittel.
Welche Formulierung ist stärker,
wenn Sie Ihre Meinung sehr
deutlich sagen möchten?
Kreuzen Sie an.

1. [a] Für mich ist absolut klar, dass man …   4. [a] Eigentlich bin ich dafür, dass …
   [b] Man könnte auch sagen, dass …   [b] Ich sage ganz offen, dass …

2. [a] Vielleicht sollte man bedenken, dass …   5. [a] Da gibt es keine zwei Meinungen, weil …
   [b] Ich vertrete immer die Position, dass …   [b] Es spricht viel dafür, dass …

3. [a] Wir wissen doch alle, dass …   6. [a] Meiner Meinung nach …
   [b] Ich finde es richtig, dass …   [b] Könnte man nicht auch sagen, dass …?

b Vergleichen Sie mit Ihrem Partner / Ihrer Partnerin und besprechen Sie Unterschiede bei Ihren Lösungen.

c Schreiben Sie zusammen vier weitere Redemittel, um Ihre Meinung zu äußern.

_____

_____

_____

_____

3 Lesen Sie die Texte 1–7. Ist die Person für das Verschenken von Lebensmitteln? Kreuzen Sie an.

In einer Zeitschrift lesen Sie Kommentare zu einem Artikel, der sich damit beschäftigt, dass in deutschen Supermärkten viele essbare Lebensmittel weggeworfen werden. Der Artikel fragt, ob es nicht sinnvoller wäre, sie lieber zu verschenken als wegzuwerfen.

1	Marianne	ja	nein
2	Horst	ja	nein
3	Caroline	ja	nein
4	Patrick	ja	nein

5	Julia	ja	nein
6	Heidi	ja	nein
7	Marius	ja	nein

1 Ich bin so erzogen worden, dass man den Wert von Lebensmitteln schätzen soll. Bei uns zu Hause haben wir den Teller leer gegessen und auch kein altes Brot weggeworfen, nur, weil es schon ein bisschen trocken war. Wenn ein Apfel nicht mehr so lecker aussieht, kann man ihn trotzdem noch essen. Es gibt bestimmt viele Menschen, die sich auch über Lebensmittel, die gratis sind, freuen würden.
Marianne, 72, Würzburg

2 Der Autor des Artikels hat bestimmt noch nie in einem Supermarkt gearbeitet. Sonst wüsste er bestimmt, dass das Verschenken von Lebensmitteln große finanzielle Nachteile für das Geschäft bedeuten würde. Viele Kunden wünschen sich nun einmal frische und perfekte Ware. Und die bieten wir ihnen zu sehr guten und günstigen Preisen an.
Horst, 53, Hannover

3 Schon seit vier Jahren arbeite ich in unserer Stadt in der Sozialstation. Wir bekommen oft von den großen Supermärkten Lebensmittel gespendet. So können wir Menschen, die wenig Geld haben, ermöglichen, Lebensmittel kostenlos abzuholen. Wir sammeln und verteilen die Lebensmittel und kontrollieren auch, dass die Verteilung gerecht ist. Die Spenden an uns finde ich die beste Lösung.
Caroline, 25, Halle

4 Ist der Vorschlag, Lebensmittel zu verschenken, sinnvoll? Wäre es nicht viel wichtiger, das Verhalten der Konsumenten zu ändern? Die Supermärkte werfen doch nur das weg, was niemand mehr kauft. Warum will denn niemand mehr Bananen, die ein bisschen weicher sind? Weil wir alle verwöhnt sind. Hier sollte der Verbraucher umdenken.
Patrick, 29, Buxtehude

5 Wir leben im absoluten Luxus und viele Länder können die Diskussion gar nicht verstehen. Ich verstehe sie ja eigentlich auch nicht. Was ist daran so schwer, etwas zu geben, wovon andere Menschen noch etwas haben und womit ich selbst gar nichts mehr verdienen würde. Ganz im Gegenteil: Wenn die Supermärkte die Lebensmittel verschenken, dann können sie sogar eine Menge Müllgebühren sparen.
Julia, 19, Saarbrücken

6 Meine Freunde und ich sind Studenten, haben wenig Geld und wohnen zusammen in einer WG. Wir haben angefangen, die Lebensmittel wieder aus den Containern zu holen, wenn der Supermarkt schließt. Offiziell ist das aber nicht erlaubt und auch nicht gut für das Image, wenn Menschen aus unserer reichen Gesellschaft im Müll wühlen. Unser Vorschlag: Verkauft die Lebensmittel 80 % billiger am Ende des Tages. Dann habt ihr weniger Müll und wir müssen nicht lange suchen.
Heidi, 22, Münster

7 Lebensmittel verschenken? Das ist doch total naiv. Wer übernimmt denn die Verantwortung für die Gesundheit der Menschen? Wir haben schließlich Gesetze, z. B. für die Hygiene. Das Datum für die Haltbarkeit gehört dazu. Da müssten doch erst einmal alle wissen, bis wann man welche Lebensmittel noch essen kann, deren Haltbarkeit offiziell abgelaufen ist. Oder würden Sie ohne Bedenken Eier essen, von denen Sie nicht wissen, wie frisch die sind? Nein danke – auch nicht geschenkt.
Marius, 37, Frankfurt/Oder

1 **Was bedeuten die Wörter? Ordnen Sie zu.**

1. _c_ das Hormon   a rote Flüssigkeit in den Adern

2. ____ die Auswirkung   b dient zur Abwehr von Krankheiten

3. ____ das Immunsystem   c Substanz, die der Körper zur Steuerung wichtiger Vorgänge im Körper bildet

4. ____ das Blut   d das Fließen des Blutes im Körper

5. ____ der Muskel   e Maßnahme, um eine Krankheit zu heilen

6. ____ die Durchblutung   f der Effekt

7. ____ die Therapie   g braucht der Mensch zur Bewegung des Körpers

2a **Erfahrungen einer Lachyoga-Lehrerin. Unterstreichen Sie im Text die Artikelwörter und markieren Sie die Adjektive.**

Lachyoga sollte jeder einmal probieren. Nach einer guten Stunde fühlt man sich völlig entspannt, gut gelaunt und frisch. Ich unterrichte seit einigen Jahren Lachyoga und habe schon sehr viele positive Rück-
5 meldungen bekommen. Die meisten Kursteilnehmer schätzen nach einem intensiven Training das gute Gefühl ihres gelockerten und entspannten Körpers.

Allerdings ziehen nicht alle angemeldeten Teilnehmer einen positiven Nutzen aus einer Lachyoga-
10 Sitzung. Gelegentlich kommt es vor, dass jemand zu blockiert ist, um sich von der allgemeinen Heiterkeit anstecken zu lassen.

Auffällig ist auch, dass junge Menschen Lachyoga nicht immer annehmen.
15 In der Altersgruppe 35+, also bei Menschen, die beruflich und familiär stark gefordert sind, weist Lachyoga eine steigende Tendenz auf, weil diese einfache Methode sehr schnell und mühelos die innere Balance

wiederherstellt. Zunehmend gibt es auch Menschen,
20 denen das Lachen aus den unterschiedlichsten Gründen z. B. wegen einer schweren Krankheit verloren gegangen ist. Für sie kann Lachyoga der richtige Weg sein, den notwendigen Optimismus und die eigene Lebensfreude wiederzugewinnen.

b **Ordnen Sie die im Text markierten Adjektive in die Übersicht ein.**

	Typ 1	Typ 2	Typ 3
Nominativ			
Akkusativ			*viele positive Rückmeldungen*
Dativ		*einer guten Stunde*	*einigen Jahren*
Genitiv			

3 Ergänzen Sie die Endungen.

1. **Das sind** die neuest_____ Sportarten, sehr anstrengend_____ Sportübungen,

   alle kostenlos_____ Trainingsmöglichkeiten, zwei interessant_____ Vorschläge für mehr

   Bewegung, keine positiv_____ Auswirkungen auf den Körper.

2. **Zeitungen berichten viel über** eine gesund_____ Lebensweise, das wichtigst_____

   Sportereignis des Jahres, alle aktuell_____ Fußballspiele, ausgewählt_____ Sport-

   veranstaltungen, das neuest_____ Sportprojekt.

3. **Mein Arzt rät zu** täglich_____ Bewegung, einem regelmäßig_____ Ausdauertraining,

   morgendlich_____ Gymnastik, einer vitaminreich_____ Kost, kalorienarm_____ Essen,

   mehr frisch_____ Obst und Gemüse, weniger fettig_____ Essen.

4. **Das ist das Programm** der gesetzlich_____ Krankenkassen, unseres neu_____ Sportvereins,

   der regional_____ Fußballliga, eines neu_____ Projektes für mehr Bewegung, meines wöchentlich_____

   Gymnastikkurses.

4 Tipps zum Sporttreiben. Ergänzen Sie die Adjektive in der richtigen Form.

kalt	klein	halb	intensiv	vitaminreich	regelmäßig	ausreichend	positiv

1. Bewegen Sie sich richtig. Es ist wissenschaftlich erwiesen,

   dass Sport viele (1) _____ Effekte auf die

   Gesundheit hat, zum Beispiel auf das Herz-Kreislauf-System.

   Weil das bei jedem Menschen anders ist, sollten Sie mit

   einer (2) _____ Trainingseinheit beginnen.

   Ich bewege mich regelmäßig.

2. Durch (3) _____ Sport kann man seine

   Kondition erhöhen und bleibt länger fit. Es ist besser,

   zwei- bis dreimal die Woche eine (4) _____ bis

   eine Stunde Sport zu treiben, als einmal die Woche intensiv

   zu trainieren.

3. Achten Sie auf die Signale Ihres Körpers. Planen Sie

   nach einer (5) _____ Belastung eine

   (6) _____ Erholungsphase ein.

4. Bei (7) _____ Wetter sollten Sie Intensität

   und Rhythmus der sportlichen Aktivität reduzieren.

5. Achten Sie beim Sport auf eine (8) _____ Kost. Die Kalorien sollten Sie dem Körpergewicht

   anpassen. Wichtig ist, viel zu trinken. Dazu eignet sich Mineralwasser am besten.

5 Was ist hier passiert? Schreiben Sie eine Geschichte.

die grüne Luftmatratze	ein schnelles Motorboot	vorbeirasen	der Rettungsring
hohe Wellen machen	ein schlechter Schwimmer		große Panik bekommen
ein aufmerksamer Mann		ins Wasser springen	sich erholen …

6a Wortbildung: Wie heißen die Adjektive?

1. der/die Erwachsene: _erwachsen_

2. der/die Arbeitslose: _____

3. der/die Jugendliche: _____

4. der/die Neue: _____

5. der/die Betrunkene: _____

6. der/die Fremde: _____

7. der/die Verwandte: _____

8. der/die Verlobte: _____

9. der/die Behinderte: _____

10. der/die Deutsche: _____

b Ergänzen Sie die Endungen.

1. Behindert_____ Menschen müssen öffentliche Verkehrsmittel problemlos benutzen können.

   Behindert_____ müssen öffentliche Verkehrsmittel problemlos benutzen können.

2. Viele deutsch_____ Frauen und Männer sind übergewichtig.

   Viele Deutsch_____ sind übergewichtig.

3. Die Anzahl der arbeitslos_____ Menschen sinkt.

   Die Anzahl der Arbeitslos_____ sinkt.

4. Für erwachsen_____ Kinobesucher gelten andere Preise als für jugendlich_____ Kinobesucher.

   Für Erwachsen_____ gelten andere Preise als für Jugendlich_____.

5. Meine Kollegin kam mit einem fremd_____ Mann zum Betriebsfest.

   Meine Kollegin kam mit einem Fremd_____ zum Betriebsfest.

6. Der betrunken_____ Fahrer musste den Führerschein abgeben.

   Der Betrunken_____ musste den Führerschein abgeben.

7. Ich finde den neu_____ Kollegen sehr nett.

   Ich finde den Neu_____ sehr nett.

> **TIPP**
> Adjektive können zu Nomen werden. Sie werden aber trotzdem wie Adjektive dekliniert:
> *Der Arzt hilft k**ranken** Menschen.*
> *Der Arzt hilft K**ranken**.*

1 Entspannt – gestresst. Sortieren Sie die Wörter.

die Entspannung   die Höchstleistung   langsam   nervös   die Ruhe   normaler Puls   ~~einfallslos~~   gelassen   ~~kreativ~~   konzentriert   schnell   das Leistungstief   die Nervosität   leistungsfähig   schneller Puls   vergesslich   die Unruhe   organisiert   überfordert   schwach

Ich bin entspannt.	Ich bin gestresst.
kreativ	*einfallslos*

2a Sehen Sie die Statistik 90 Sekunden an und versuchen Sie, sich so viele Informationen wie möglich zu merken. Decken Sie die Statistik dann mit einem Blatt zu und lösen Sie Übung b.

In welchen der folgenden Situationen oder Bereichen empfinden Sie Stress?

- Zeitdruck im Beruf — 49 %
- Streit oder Ärger in der Familie — 49 %
- Gesundheitliche Sorgen — 46 %
- Hektik und Stress im Alltag — 42 %
- Finanzielle Sorgen — 41 %
- Beruf und Familie unter einen Hut zu bekommen — 37 %
- Konflikte mit Kollegen oder dem Chef — 31 %
- Viele familiäre Verpflichtungen — 30 %
- Angst vor Jobverlust — 27 %

Anteil der Befragten[1]

[1] Deutschland, ab 18 Jahre; Befragte, die sich vorgenommen haben, 2010 Stress abzubauen, zu vermeiden; 1.776 Befragte; Forsa

b Lesen Sie die Aussagen zu der Statistik und entscheiden Sie: richtig oder falsch?

Das Forsa-Institut hat 1.776 Menschen dazu befragt, was sie besonders stresst.

	richtig	falsch
1. An Platz 1 stehen Zeitdruck im Beruf und Streit oder Ärger in der Familie.	☐	☐
2. Den zweiten Platz belegen familiäre Sorgen.	☐	☐
3. 42 % geben an, dass Hektik und Stress im Alltag sie belasten.	☐	☐
4. Finanzielle Sorgen stehen mit 30 % an vierter Stelle.	☐	☐
5. 37 % haben Probleme, Beruf und Hobby unter einen Hut zu bekommen.	☐	☐
6. 31 % stressen Konflikte mit den Nachbarn.	☐	☐
7. Mit 30 % und weniger stehen viele familiäre Verpflichtungen und die Angst, den Job zu verlieren, am Ende der Statistik.	☐	☐

c Hat Sie die Aufgabe gestresst? Wie konnten Sie sich die Informationen merken?

TIPP Komplexe Informationen kann man sich leichter merken, wenn man sie in eine Geschichte einbaut. *Robert ist total gestresst. Am schlimmsten ist der Zeitdruck, dann kommt er nach Hause und hat schnell Streit mit seiner Familie. Darum wird er oft krank …*

3a Hören Sie zu. Welche Stressfaktoren nennen Toni und Maja? Notieren Sie.

_____

_____

_____

_____

_____

_____

_____

_____

 b Welche Tipps passen zu welcher Situation? Ordnen Sie zu (Toni = T, Maja = M, beide = B).

Freunde/Familie um Hilfe bitten ___   mit Chef über die Aufgaben sprechen ___   freie Zeiten organisieren ___

Arbeit im Haushalt planen und teilen ___   Probleme offen besprechen ___   mehr Sport machen ___

einen Firmenberater um Rat bitten ___   einen Mitarbeiter/Praktikanten einstellen ___   mehr Geduld haben ___

c Ergänzen Sie die fünf Sätze zu Toni oder Maja.

1. Ich kann gut verstehen, dass _____.

2. Mir ging es ganz ähnlich, als _____.

3. An deiner Stelle würde ich _____.

4. Mir hat auch sehr geholfen, _____.

5. Ich würde dir auch raten, _____.

Aussprache: _ü_ oder _i_, _u_ und _ü_

  1a _ü_ oder _i_? Welches Wort hören Sie? Markieren Sie.

1. Kissen – küssen   4. lügen – liegen   7. Tür – Tier   10. Küste – Kiste

2. Kiel – kühl   5. Münze – Minze   8. für – vier   11. Züge – Ziege

3. spielen – spülen   6. fielen – fühlen   9. Bühne – Biene

TIPP So sprechen Sie das _ü_: Sprechen Sie ein _i_ und machen Sie die Lippen rund wie bei einem _o_.

b Hören Sie noch einmal und sprechen Sie nach.

 c Lesen Sie alle Wörter aus 1a laut. Hören Sie dann und sprechen Sie mit.

 2a _u_ und _ü_, Singular und Plural. Ergänzen Sie den Plural.

1. das Buch   _____   5. der Zug   _____

2. der Strumpf   _____   6. der Fluss   _____

3. der Gruß   _____   7. die Mutter   _____

4. das Tuch   _____   8. der Hut   _____

b Sprechen Sie die Nomen im Singular und Plural, achten Sie auf die Regeln. Hören Sie dann die CD zur Kontrolle.

1. Langes _u_ im Singular → Langes _ü_ im Plural.
2. Kurzes _u_ im Singular → Kurzes _ü_ im Plural.

So schätze ich mich nach Kapitel 3 ein: Ich kann …	+	○	–
… wesentliche Informationen aus einem Radiobeitrag zum Ess- und Einkaufverhalten der Deutschen verstehen. ▶M2, A1b	☐	☐	☐
… in einem Gespräch Informationen zur Initiative „Zu gut für die Tonne" verstehen. ▶M2, A2b	☐	☐	☐
… detaillierte Informationen in einem Radiobeitrag zum Thema „Biorhythmus" verstehen. ▶M4, A3a, b	☐	☐	☐
… Aussagen zu Stress-Situationen verstehen. ▶AB M4, Ü3	☐	☐	☐
… unterschiedliche Themenaspekte in einem Sachtext zum Thema „Schokolade" verstehen. ▶M1, A2a	☐	☐	☐
… einen Sachtext zum Thema „Lachyoga" verstehen. ▶M3, A2a	☐	☐	☐
… Meinungen zum Verschenken von Lebensmitteln verstehen. ▶AB M2, Ü3	☐	☐	☐
… meine Vorlieben bei Süßigkeiten nennen und sagen, wann in meiner Heimat Schokolade verschenkt wird. ▶M1, A1, A3	☐	☐	☐
… berichten, welche Ess- und Einkaufsgewohnheiten es in meinem Land gibt. ▶M2, A1d	☐	☐	☐
… meine Meinung zum Thema „Lebensmittel verschwenden" sagen. ▶M2, A3	☐	☐	☐
… meinen Tagesablauf beschreiben. ▶M4, A1b	☐	☐	☐
… Informationen aus einem Text über den Biorhythmus zusammenfassen. ▶M4, A2	☐	☐	☐
… über Lösungen für Stresssituationen sprechen. ▶M4, A4b	☐	☐	☐
… Tipps geben, wie man sich am besten entspannt. ▶M4, A5	☐	☐	☐
… meine Meinung zu Forumsbeiträgen schreiben. ▶M2, A3b	☐	☐	☐
… ein Rezept für eine Süßspeise schreiben. ▶AB M1, Ü2c	☐	☐	☐
… in einer E-Mail über einen Zeitungsartikel berichten. ▶M3, A5	☐	☐	☐
… einen Forumsbeitrag zum Thema „Stress" schreiben. ▶M4, A6	☐	☐	☐

Das habe ich zusätzlich zum Buch auf Deutsch gemacht (Projekte, Internet, Filme, Lesetexte, …):

Datum: Aktivität:

_____   _____

_____   _____

_____   _____

Grammatik und Wortschatz weiterüben: interaktive Übungen unter www.aspekte.biz/online-uebungen1

Wortschatz

Eine süße Versuchung

aromatisch	_____	herb	_____
bitter	_____	der Kakao, -s	_____
cremig	_____	köstlich	_____
enthalten (enthält, enthielt,	_____	naschen	_____
hat enthalten)		der Nerv, -en	_____
der/die Feinschmecker/in,	_____	das Marzipan	_____
-/-nen		sauer	_____
das Fett, -e	_____	scharf	_____
fruchtig	_____	das Vergnügen, -	_____
der Geschmack	_____	die Zutat, -en	_____
gewürzt	_____		

Modul 2 **Frisch auf den Tisch?!**

die App, -s	_____	die Tiefkühlware, -n	_____
ekelig	_____	die Tonne, -n	_____
entsorgen	_____	verantwortungsvoll	_____
das Fertiggericht, -e	_____	verbrauchen	_____
die Kalorie, -n	_____	verschwenden	_____
lagern	_____	wegwerfen (wirft weg,	_____
schockiert sein	_____	warf weg, hat wegge-	
der Skandal, -e	_____	worfen)	
spenden	_____		

Modul 3 **Lachen ist gesund**

abnehmen (nimmt ab,	_____	geraten in	_____
nahm ab, hat abge-		das Hormon, -e	_____
nommen)		das Immunsystem, -e	_____
aktivieren	_____	der Muskel, -n	_____
die Auswirkung, -en	_____	praktizieren	_____
die Durchblutung	_____	schädlich	_____
erfrischen	_____	therapeutisch	_____
das Fachgebiet, -e	_____	die Träne, -n	_____
gehören zu	_____	die Wirkung, -en	_____

Modul 4 Bloß kein Stress!

sich ausruhen _____   das Kurzzeitgedächtnis _____

die Auszeit, -en _____   das Langzeitgedächtnis _____

bestimmen _____   die Leistungsfähigkeit _____

der Biorhythmus, -rythmen _____   das Leistungshoch, -s _____

erledigen _____   das Leistungstief, -s _____

der Feierabend, -e _____   der Nachtmensch, -en _____

der Frühaufsteher, - _____   überfordert _____

gestresst _____   verständlich _____

sich konzentrieren auf _____

Wichtige Wortverbindungen:

jmd. das Leben schwer machen _____

im Müll landen _____

die Nacht zum Tag machen _____

die innere Uhr _____

jmd. etw. in die Schuhe schieben _____

Es ist kein Wunder, dass … _____

Wörter, die für mich wichtig sind:

_____ _____ _____ _____

_____ _____ _____ _____

_____ _____ _____ _____

_____ _____ _____ _____

Viel Spaß!

Vor dem Start: Erinnern Sie sich? Diese Übungen bereiten Sie auf das Kapitel vor.

 1 Sortieren Sie die Wörter in die Tabelle ein. Manchmal gibt es mehrere Möglichkeiten.

> das Instrument   die Bühne   die Rolle   der Regisseur   der Roman   die Zeichnung   Rad fahren
> der Hit   mischen   die Malerei   die Oper   das Schwimmbad   joggen   die Band   der Chor   trainieren
> ~~der Würfel~~   die Galerie   das Kartenspiel   raten   das Gedicht   die Disco   der Club   Ski fahren
> das Publikum   das Gemälde   das Brettspiel   das Museum   die Spielregel   die Ausstellung

Spiele	Fitness und Sport	Musik	Literatur und Theater	Bildende Kunst
der Würfel				

TIPP **Wörter in Gruppen lernen**

Wörter, die zu einer Themengruppe gehören, kann man gut zusammen lernen und sich so schneller wieder an sie erinnern.

 2 Bilden Sie Sätze. Wohin gehen/fahren Sie, wenn Sie …

1. spazieren gehen wollen?
2. klettern wollen?
3. lesen wollen?
4. einen Film sehen wollen?
5. tanzen wollen?
6. Freunde treffen wollen?
7. schwimmen wollen?
8. chatten wollen?
9. angeln wollen?
10. Sport treiben wollen?
11. Tennis spielen wollen?
12. sich entspannen wollen?

> Park   Kino   See   Freibad   Schreibtisch   Tennisplatz   Internetcafé   Sportplatz
> Sauna   Bibliothek   Disco   Gebirge   Biergarten   Kneipe   Fitnessstudio

1. Wenn ich spazieren gehen will, gehe ich in den Park oder an den See.

3a In der Freizeit. Was passt? Ordnen Sie zu. Manche Wörter passen mehrmals.

vorbereiten entspannen vertreiben besuchen erklären reservieren ausleihen ansehen verabreden unternehmen annehmen erleben feiern besorgen einladen schicken treffen

1. sich in der Freizeit   _entspannen, verabreden, besuchen, treffen_

2. etwas mit der Familie   _____

3. sich mit Freunden   _____

4. sich die Zeit   _____

5. einen Film   _____

6. ein Fest   _____

7. eine Einladung   _____

8. Theaterkarten   _____

9. ein Spiel   _____

10. ein Abenteuer   _____

11. die Verwandten   _____

b Wie heißen die Nomen? Notieren Sie mit Artikel.

1. besuchen: _____   4. erklären: _____

2. entspannen: _____   5. sich verabreden: _____

3. erleben: _____   6. vorbereiten: _____

4 Welches Verb passt nicht? Streichen Sie durch.

1. ein Spiel erklären – gewinnen – unternehmen – verlieren

2. die Freizeit planen – verbringen – genießen – verabreden

3. einen Film beschreiben – beobachten – ansehen – kritisieren

4. eine Ausstellung besorgen – besuchen – eröffnen – empfehlen

5. sich am Wochenende erholen – entspannen – erleben – ausruhen

5 Freizeitaktivitäten. Schreiben Sie wie im Beispiel.

```
RADFAHREN          F              S
   RUDERN          R              O
  KLETTERN         E              N
STRICKEN           I              N
    ZEICHNEN       Z              T
LESEN              E              A
    EISLAUFEN      I              G
   TAUCHEN         T
```

Meine Freizeit

1a Lesen Sie den Text und die Aussagen 1 bis 6 dazu. Sind die Aussagen richtig oder falsch?

Miros Blog: Alltag, Arbeit, Freizeit und noch viel mehr

Hilfe, ich bin mal wieder total im Stress! Aber im Moment ist nicht mein Job schuld, da habe ich eigentlich gerade eine ziemlich entspannte Phase. Es ist meine Freizeit, die so anstrengend ist.

Wenn ich Jutta auf Dienstag verschiebe, dann könnte ich heute mit Xaver ins Kino gehen. Das wäre gut, denn ab morgen läuft der Film nicht mehr. Dann müsste ich nur die Verabredung mit Hannes auf Donnerstag verschieben. Aber halt, das geht nicht! Da habe ich ja Basketball. Dann vielleicht auf Freitag. Ach nee, da ist das Geburtstagsfest von Eva.

Was für ein Stress! Ich habe mich zu einem Freizeitmanager entwickelt. Ich weiß gar nicht mehr, wann ich zuletzt einfach mal so in den Tag hineingelebt habe. Oder mal ein freies Wochenende hatte, das nicht von vorn bis hinten durchgeplant war mit Aktivitäten. Aber wie vermeidet man diesen Freizeitstress am besten? Ich brauche einen Plan. Ich glaube, es wäre ganz gut, das Handy öfter mal am Abend oder am Wochenende auszumachen. Dieses ewige Checken von E-Mails und Nachrichten ist echt anstrengend. Aber irgendwie schaffe ich das nicht, es könnte ja doch ein wichtiger Anruf kommen.

Ein Kollege hat mir erzählt, dass er in seinem Kalender immer drei Abende freihält, an denen er keine Verabredungen oder Termine einträgt. An diesen Abenden entscheidet er ganz spontan, was er machen will. Das kann auch einfach mal nur „aus dem Fenster sehen" sein. Finde ich gut, die Idee, das werde ich auch ausprobieren. Nichts zu tun, ist ja gar nicht so einfach in Zeiten von Social Media: Ständig posten alle Leute Fotos, was sie Tolles machen. Da will man ja auch mithalten können. Ich habe immer das Gefühl. dass ich auch zeigen muss, was ich alles so unternehme – ganz schön stressig. Dabei ist es wirklich wichtig, ab und zu zur Ruhe zu kommen und sich zu erholen, sonst wird man krank. Jeder weiß das! Und trotzdem gelingt es mir so selten, mir mal richtige Auszeiten vom (Freizeit-)Stress zu gönnen.

	richtig	falsch
1. Miro ist besonders von seiner Arbeit gestresst.	☐	☐
2. Es gibt wenige Tage, an denen Miro nichts vorhat.	☐	☐
3. In Zukunft schaltet Miro am Abend und am Wochenende sein Handy aus.	☐	☐
4. Miro will versuchen, sich an ein paar Abenden nichts vorzunehmen.	☐	☐
5. Miro denkt, dass er auch Fotos in Online-Netzwerken posten muss.	☐	☐
6. Für die Gesundheit ist es wichtig, immer aktiv zu sein.	☐	☐

b Schreiben Sie einen Kommentar zu Miros Blogeintrag. Berichten Sie über Ihre Erfahrungen mit Freizeitstress und geben Sie Miro Tipps.

Das kann ich gut nachvollziehen, denn …
Ich habe die Erfahrung gemacht, dass …
Vielleicht solltest du mal …

2a Komparativ und Superlativ. Ergänzen Sie die Formen in der Tabelle sowie drei weitere Adjektive mit Komparativ und Superlativ.

Grundform	Komparativ	Superlativ
alt		
	gesünder	
häufig		
kurz		
		am längsten
	netter	
süß		
		am teuersten
	lieber	
gut		
	mehr	

b Ergänzen Sie einen passenden Komparativ aus 2a.

1. ○ Gehen wir am Wochenende zusammen ins Kino?

   ● Ich möchte eigentlich _____ zu Hause bleiben.

2. ○ Komm, wir gehen joggen. Das ist _____, als am Computer zu spielen.

3. ○ Seit ich Teilzeit arbeite, habe ich endlich _____ Zeit, um meine Eltern _____ zu besuchen.

4. ○ Normalerweise arbeite ich nur bis 18 Uhr. Aber diese Woche muss ich jeden Abend _____ im Büro bleiben und dann ist es zu spät, um noch etwas zu unternehmen.

5. ○ In welches Restaurant gehen wir? Ins Teresa oder ins Bella Vista?

   ● Lass uns doch ins Teresa gehen, da schmeckt das Essen _____.

   ○ Ja, es ist aber auch _____, da gibt es ja kein Hauptgericht unter 20 Euro!

6. ○ Kommt Tinas neuer Freund auch mit zum Wandern?

   ● Ja. Der ist viel _____ als ihr letzter Freund, oder?

   ○ Stimmt, der ist echt sympathisch.

3 Vergleiche mit *als* und *wie*. Was ist richtig? Kreuzen Sie an.

Mein Freund ist genauso aktiv (1) ☐ wie ☐ als ich.
Aber manchmal ist es schwierig. Ich finde, er entscheidet öfter (2) ☐ wie ☐ als ich, was wir machen. Das heißt
dann Sport. Ich mache nicht so gern Sport (3) ☐ wie ☐
als Chris. Ich finde Kultur, also Kino, Ausstellungen und
Museen, viel interessanter (4) ☐ wie ☐ als Mountain-
biken im Wald. Einen lustigen Film finde ich eigentlich
auch entspannender (5) ☐ wie ☐ als jeden Abend
Fitnessstudio. Chris ist natürlich der Meinung, nichts
tut so gut (6) ☐ wie ☐ als Bewegung. Na ja …

4 Ergänzen Sie die Adjektive im Superlativ. Achten Sie auf die Endungen.

1. Schau mal, das ist das _____ (groß) Schwimmbad mit den

   _____ (viel) Attraktionen hier. Gehen wir dort am Wochenende hin?

2. Das war der _____ (langweilig) Film, den ich je gesehen habe!

3. Immer dieser Freizeitstress! _____ (gern) würde ich mal nichts tun.

4. Die _____ (gut) Entspannung ist für mich, mit meinen Kindern zu spielen.

5. Ich war jetzt in drei Museen und das letzte hat mir _____ (wenig) gefallen.

6. Faulenzen ist für mich _____ (erholsam), da kann ich richtig Energie tanken.

5 Komparativ (K) und Superlativ (S). Ergänzen Sie. Achten Sie auf die Endungen.

jung	gern	gut	hoch	schnell	neu	ruhig	gefährlich

1. Ich verbringe meine Freizeit _____ (S) mit meiner Familie. Am Wochenende

   unternehme ich oft etwas mit meinen _____ (K) Geschwistern.

2. Mein Freund ist ein bisschen anstrengend. Man kann nie etwas Normales mit ihm machen. Er will immer

   auf den _____ (S) Berg steigen, die _____ (S) Motorradrennen

   fahren, das _____ (S) Abenteuer erleben.

3. Ich will mal ein _____ (K) Wochenende verbringen als sonst, ich war nur unterwegs in

   letzter Zeit.

4. Radtouren sind mein neues Hobby, aber mein Rad ist nicht mehr das _____ (S),

   ich brauche unbedingt ein _____ (K) Rad.

6 Rund um das Thema „Freizeit". Stellen Sie Vergleiche an und schreiben Sie Sätze mit *als* und *wie*.

1. in der Stadt / auf dem Land
2. Sommer / Winter
3. schwimmen / Ski fahren
4. Kino / Theater
5. allein / mit Freunden
6. zu Hause / Restaurant

In der Stadt gibt es mehr Kinos als auf dem Land
Auf dem Land gibt es nicht so viele Freizeitmöglichkeiten wie in der Stadt.

1 Bilden Sie so viele Wörter mit „Spiel" wie möglich. Arbeiten Sie auch mit dem Wörterbuch.

das Spielfeld, verspielt, _____

_____

_____

_____

 2 Was bedeuten die markierten Wörter? Verbinden Sie mit den Erklärungen.

1. Bau doch schon mal das **Spielfeld** auf.

2. Ich kann die Präsentation gestalten, wie ich will. Ich habe da viel **Spielraum**.

3. Die Leute zu überzeugen war ja ein **Kinderspiel**, total einfach.

4. Weißt du, welche Stücke in dieser **Spielzeit** laufen?

5. Seine **Spielsucht** hat ihn finanziell ruiniert.

6. Egal, wenn wir verlieren, es ist ja nur ein **Freundschaftsspiel**.

A etwas, das man leicht, ohne große Mühe tun kann

B der unwiderstehliche Drang zu spielen

C Spiel außerhalb eines Wettbewerbs

D die Möglichkeit, kreativ zu sein oder frei zu entscheiden

E Fläche, auf der ein Spiel stattfindet

F eine Saison im Theater, die normalerweise mit einer Premiere beginnt

 3 Lesen Sie das Interview „Warum spielt der Mensch?" im Lehrbuch noch einmal und bringen Sie die Zusammenfassung in die richtige Reihenfolge.

____ Dort werden neben den Spieleklassikern ständig neue Spiele angeboten. Beliebt sind heute natürlich auch Computerspiele.

_1_ Für eine normale Entwicklung ist es wichtig, dass Kinder spielen, denn dabei werden Wahrnehmung und Motorik trainiert.

____ Wichtig ist, dass man nicht zu viel Zeit damit verbringt und den Bezug zur Realität nicht verliert.

____ Durch die Interaktion mit anderen wird auch das Sozialverhalten der Kinder geschult.

____ Es gibt Spiele, die spielt man auf der ganzen Welt, andere sind typisch für eine bestimmte Kultur. Und der Spielemarkt entwickelt sich ständig weiter.

____ Dafür haben wir heute auch mehr Zeit als die Menschen früher. Was wir spielen, kann sich allerdings kulturell unterscheiden.

____ Aber nicht nur Kinder, sondern auch Erwachsene spielen gern, z. B. um sich zu entspannen.

Abenteuer im Paradies

1a Lesen Sie die drei Textanfänge zu einer Abenteuergeschichte. Welcher gefällt Ihnen am besten?

> **A** Sie erwachten von einem Geräusch. Martha sprang blitzschnell aus dem Bett. Aber leider zu spät. „Dieser blöde Affe hat schon wieder was geklaut. Ich drehe ihm den Hals um, wenn ich ihn erwische." Markus knurrte nur unter seiner Decke: „Mach das Licht aus, es kommen nur noch mehr Moskitos rein." – „Ich habe gerade mal eine Stunde geschlafen", maulte Martha, „und um fünf Uhr geht die Safari los." – „Dann sei doch endlich ruhig und schlaf." Markus gähnte und schon im nächsten Moment schnarchte er wieder leise und zufrieden. „Na prima!", dachte Martha …

> **B** *Es waren harte Zeiten in England. Wer Arbeit hatte, musste schwer schuften, um für die Familie Brot und das Dach über dem Kopf zahlen zu können. Wer keine Arbeit hatte, der konnte nicht ehrlich bleiben, wenn er nicht verhungern wollte. Ich gehörte zu der letzten Gruppe und trotzdem weinte meine Mutter, als ich diese elende Stadt verließ, um auf der „Black Panther" anzuheuern und als Matrose zur See zu fahren. Überall würde es besser sein als hier. Doch schon bald …*

> **C** Donnerstag: Ich mag Donnerstage nicht besonders. Warum? Das ist eine lange Geschichte, die ich hier nicht erzählen will. Ich erzähle lieber von Lotti, einem Mädchen mit langen roten Zöpfen, das ich ihr Leben lang kannte. Sie und ihre Eltern waren Nachbarn im selben Mietshaus. Jeden Tag haben Lotti und ich zusammen im Hof gespielt. Das heißt: Sie hat gespielt und ich habe ihr zugesehen. Denn ich konnte nur im Hof sitzen, sie konnte laufen und springen. Und ich habe Lotti dafür gehasst. Dann zogen Lottis Eltern fort aus unserem Haus, unserer Straße, unserer Stadt. Doch schon bald sollten wir uns wiedersehen …

b Schreiben Sie für „Ihre Geschichte" einen weiteren Absatz. Tauschen Sie Ihre Geschichten im Kurs und schreiben Sie einen weiteren Absatz. Tauschen Sie wieder … Lesen Sie am Ende gemeinsam alle Geschichten im Kurs.

 2 Diese Wörter passen zu einem Abenteuer. Ergänzen Sie die fehlenden Wörter. Sammeln Sie vier weitere Paare. Sie können auch das Wörterbuch verwenden.

Nomen	Adjektive	Nomen	Adjektive
die Spannung		die Hitze	
die Exotik	*exotisch*		glücklich
die Einsamkeit		die Überraschung	
	ängstlich		mutig
	heldenhaft	die Gefahr	

3 *deshalb* oder *trotzdem?* Ergänzen Sie die Konnektoren.

1. Ich liebe Inseln, ___*deshalb*___ fahren wir im April nach Island.

2. Der Flug ist ziemlich teuer, _____ haben wir gebucht.

3. Wir können am Anfang in Reykjavík bei Freunden wohnen, _____ ist es dort nicht ganz so teuer für uns.

4. Mein Freund fährt gerne durch die Natur, _____ mieten wir einen Jeep.

5. Ich bin eigentlich eher Fan von Urlaubszielen mit warmem Klima, _____ wollte ich schon immer nach Island.

4 Was passt? Markieren Sie das Verb im Satz mit Konnektor und kreuzen Sie dann den passenden Konnektor an.

1. Ich muss noch einkaufen gehen, ☐ weil ☐ denn ich fahre übermorgen in Urlaub.

2. Ich fahre nach Afrika, ☐ deshalb ☐ sodass ich hoffentlich endlich Löwen und Giraffen sehen kann.

3. ☐ Denn ☐ Weil ich sehr gerne fotografiere, freue ich mich sehr auf die Safari.

4. ☐ Trotzdem ☐ Obwohl es nicht die allerbeste Reisezeit ist, kann ich hoffentlich mit meiner neuen Kamera tolle Fotos machen.

5 Schreiben Sie die Sätze.

1. Luan: jedes Jahr mit dem Fahrrad in Urlaub fahren	deshalb	er: ein sehr stabiles Rad brauchen
2. er: letztes Jahr nur bis zum Bodensee fahren	weil	er: nur neun Tage Urlaub haben
3. er: dieses Jahr auch nur zwölf Tage Urlaub nehmen können	deshalb	er: „nur" von München bis Florenz fahren wollen
4. er: die Strecke im September fahren	denn	im August zu heiß sein
5. aber im September manchmal viel Regen	so … dass	er: letztes Jahr zwei Tage nicht weiterfahren können
6. Reisen oft sehr anstrengend	trotzdem	er: jedes Jahr wieder fahren wollen
7. er: seine Freundin schon oft zu einer Tour überredet	obwohl	sie: nicht so gerne Fahrrad fahren

1. Luan fährt jedes Jahr mit dem Fahrrad in Urlaub, deshalb braucht er ein sehr stabiles Rad.

6 Die Abenteuer von Herrn und Frau K. Was sie von ihrem Fenster aus alles sehen. Formulieren Sie die Sätze um.

1. Fast ein Unfall! Ein Auto muss bremsen, weil ein Mann bei Rot über die Straße geht. *(denn)*
2. Der Hund läuft weg, obwohl seine Besitzerin ihn ruft. *(trotzdem)*
3. Obwohl der Gemüseladen schon zu hat, klopft eine Frau an die Ladentür. *(trotzdem)*
4. Die Feuerwehr kommt, weil Rauch aus einer Wohnung aufsteigt. *(denn)*
5. Eine Frau stolpert und verletzt sich am Bein, sodass ein Mann einen Krankenwagen rufen muss. *(deswegen)*
6. Die verletzte Frau ist ungeduldig, denn der Krankenwagen ist immer noch nicht da. *(weil)*
7. Obwohl der Krankenwagen jetzt kommt, schimpft die Frau. *(trotzdem)*
8. Die Frau schimpft so laut, dass die Sanitäter nicht mit ihr sprechen können. *(deswegen)*

1. Ein Auto muss bremsen, denn ein Mann geht …

 7 Setzen Sie die passenden Konnektoren in die Lücken ein.

so … dass	weil	trotzdem	deshalb	so … dass	denn

Viele Menschen träumen von aufregenden Weltreisen. Allerdings ist das (1) _____ teuer,

_____ es sich viele nicht leisten können. Sie können keine Weltreisen machen,

(2) _____ geben sie Geld für teure Reiseausrüstungen aus – dann fühlen sie sich dem

Abenteuer Weltreise viel näher. Manche Menschen besuchen auch Diashows von Weltreisenden,

(3) _____ sie viel von der Welt sehen wollen, auch wenn sie selbst nicht überallhin reisen

können. A. Summer wollte das zusammenbringen und (4) _____ hat er ein Geschäft

eröffnet: Er verbindet Café, Buchladen mit Reise-Bildbänden und Reiseausstattung mit Präsentations-

veranstaltungen von Abenteuerreisen. Mittlerweile ist sein Geschäft „Welt-Café" (5) _____

beliebt, _____ er das Geschäft erweitern möchte. Ab August kann er die Geschäftsräume

nebenan dazumieten, (6) _____ der jetzige Mieter zieht aus. Hier kann er dann Spezialitäten

aus aller Welt anbieten.

8 Ergänzen Sie die Sätze.

1. Ich suche ein abenteuerliches Reiseziel, weil …
2. In dieser Gegend ist es so einsam, dass …
3. Obwohl …, hat Herr Knöller einen Kredit für die Reise aufgenommen.
4. Familie Schneider muss die Weltreise abbrechen, denn …
5. Das Abenteuer war sehr anstrengend, trotzdem …
6. Luan zeigt heute die Bilder von seiner letzten Radreise, darum …
7. Da …, will Claudia keinen Abenteuerurlaub mehr machen.

1 Lesen Sie noch einmal die Mail im Lehrbuch. Schreiben Sie eine Antwort an Gabi. Vergessen Sie nicht Datum und Anrede, und schreiben Sie auch eine passende Einleitung und einen passenden Schluss.

Schreiben Sie ein bis zwei Sätze zu folgenden Punkten:
- Dank für die Mail und die vielen Vorschläge
- welchen Vorschlag Sie interessant finden und warum
- was Sie davon halten, zu Hause zu bleiben
- warum Sie gerne eine Stadtführung machen würden

> *Liebe Gabi,*
> *vielen Dank für deine Mail, ich habe mich sehr darüber gefreut! Das ist ja toll, dass du ...*

2 Welche Adjektive beschreiben einen Film positiv, welche negativ?

> ~~interessant~~   langweilig   einzigartig   eintönig   unvergessen   humorvoll   fesselnd
> spannend   überwältigend   monoton   unterhaltsam   langatmig   geschmacklos   umwerfend
> vielversprechend   ergreifend   ~~unrealistisch~~   sehenswert   fantastisch   originell   bemerkenswert   erfolgreich   humorlos

positiv	negativ
interessant,	*unrealistisch,*

3 Lesen Sie die Aufgaben 1–7 und hören Sie das Gespräch einmal. Wählen Sie: Sind die Aussagen Richtig oder Falsch ?

Sie warten auf die U-Bahn und hören, wie sich ein Mann und eine Frau über einen Überraschungsabend unterhalten.

1. Rana hatte an dem Überraschungsabend Geburtstag. — Richtig | Falsch
2. Simon kennt das neue Lokal an der Hauptpost. — Richtig | Falsch
3. Amelie studiert Germanistik in Paris. — Richtig | Falsch
4. Rana sieht sehr gerne Filme mit viel Action. — Richtig | Falsch
5. Rana geht selten ins Kino. — Richtig | Falsch
6. Nach dem Kino sind sie auf ein Konzert gegangen. — Richtig | Falsch
7. Simon möchte mit Rana einen Tanzkurs machen. — Richtig | Falsch

15

4 Lösen Sie das Kreuzworträtsel. Das senkrechte Wort ergibt einen Begriff aus dem Theater. Welchen?

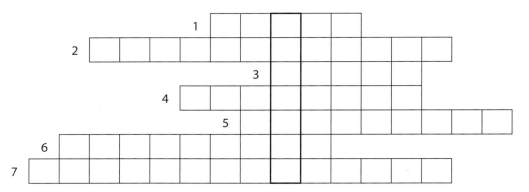

1. ein Trauerspiel
2. jemand, der auf der Bühne eine Person darstellt
3. die kurze Zeit, in der man das Theaterstück unterbricht
4. die Menschen, die im Theater zuschauen
5. Ort, an dem man im Theater Mäntel und Jacken abgeben kann
6. eine Person, die den Schauspielern sagt, wie sie spielen müssen
7. Ticket, mit dem man ins Theater gehen kann

Das Lösungswort: _____

Aussprache: Satzakzent

16

a Hören Sie die Sätze und sprechen Sie nach. Markieren Sie die betonten Wörter und kreuzen Sie die Regel an.

1. Er geht gern ins Theater.

2. Ich habe Lust auf Kino.

3. Wir gehen abends essen.

Regel: Wenn der Sprecher kein Wort besonders hervorheben will, ist der Satzakzent meist
am Anfang des Satzes. ☐
in der Mitte des Satzes. ☐
am Ende des Satzes. ☐

17

b Achten Sie auf die Betonung. Welche Information ist dem Sprecher wichtig? Markieren Sie und ordnen Sie die passende Antwort zu.

1. Hat Martin die Nachtwächtertour in Zürich gemacht?

2. Hat Martin die Nachtwächtertour in Zürich gemacht?

3. Hat Martin die Nachtwächtertour in Zürich gemacht?

4. Hat Martin die Nachtwächtertour in Zürich gemacht?

A Nein, er hat die Tour in Schaffhausen gemacht.

B Nein, er hatte keine Lust.

C Nein, er hat eine normale Stadtbesichtigung gemacht.

D Nein, Thomas hat die Tour gemacht.

c Arbeiten Sie zu zweit. Schreiben Sie Fragen und Antworten wie in b. Fragen Sie dann Ihren Partner / Ihre Partnerin. Richtig betont? Richtige Antwort gefunden? Tauschen Sie dann die Rollen.

So schätze ich mich nach Kapitel 4 ein: Ich kann …	+	○	−
… einen Radiobeitrag über Freizeitgestaltung verstehen. ▶M1, A1b–d	☐	☐	☐
… Informationen bei einer Stadtführung verstehen. ▶M4, A5b, c	☐	☐	☐
… ein Gespräch zwischen zwei Personen verstehen. ▶AB M4, Ü3	☐	☐	☐
… in einem Interview zum Thema „Spielen" die wesentlichen Informationen verstehen. ▶M2, A2	☐	☐	☐
… einen Blog zum Thema „Freizeitstress" verstehen. ▶AB M1, Ü1a	☐	☐	☐
… eine kurze Abenteuergeschichte verstehen. ▶M3, A1a, b	☐	☐	☐
… Kritiken zu Filmen und Theaterstücken verstehen. ▶M4, A3b, A4b	☐	☐	☐
… über Informationen aus Statistiken zum Thema „Freizeitbeschäftigungen" sprechen. ▶M1, A1a	☐	☐	☐
… über mein Freizeitverhalten sprechen. ▶M1, A2b	☐	☐	☐
… über Freizeitangebote berichten. ▶M1, A3, M4, A2	☐	☐	☐
… ein Spiel beschreiben und erklären. ▶M2, A3	☐	☐	☐
… andere Personen zu einem Theaterbesuch überreden. ▶M4, A4b	☐	☐	☐
… wesentliche Aussagen aus einem Interview notieren. ▶M1, A1d	☐	☐	☐
… einen Kommentar zum Thema „Freizeitstress" schreiben. ▶AB M1, Ü1b	☐	☐	☐
… eine kurze Abenteuergeschichte schreiben. ▶M3, A3a, AB M3, Ü1b	☐	☐	☐
… eine kurze Filmbesprechung schreiben. ▶M4, A3c	☐	☐	☐
… eine E-Mail mit Vorschlägen für gemeinsame Freizeitveranstaltungen schreiben. ▶M4, A6b, AB M4, Ü1	☐	☐	☐

Das habe ich zusätzlich zum Buch auf Deutsch gemacht (Projekte, Internet, Filme, Lesetexte, …):

Datum: Aktivität:

_____   _____

_____   _____

_____   _____

_____   _____

_____   _____

Grammatik und Wortschatz weiterüben: interaktive Übungen unter www.aspekte.biz/online-uebungen1

Wortschatz

Modul 1 Meine Freizeit

der Durchschnitt, -e _____ sich kümmern um _____

faulenzen _____ die Pflege _____

die Freizeit _____ der Ruheständler, - _____

Modul 2 Spiele ohne Grenzen

angeboren sein _____ der Skat _____

das Backgammon _____ das Sozialverhalten _____

das Brettspiel, -e _____ der Spieltrieb, -e _____

dran sein _____ der Stapel, - _____

sich entwickeln _____ die Tradition, -en _____

die Epoche, -n _____ jdn. verantwortlich _____

die Fähigkeit, -en _____ machen für

die Geselligkeit _____ verfügen über _____

das Gesellschaftsspiel, -e _____ verurteilen _____

mischen _____ die Wahrnehmung, -en _____

die Motorik _____ der Wettbewerbs- _____

das Onlinespiel, -e _____ charakter

das Puzzle, -s _____ sich widmen _____

das Schach _____ der Wohlstand _____

jdn. schulen _____

Modul 3 Abenteuer im Paradies

anstrengend _____ das Paradies, -e _____

aufbrechen (bricht auf, _____ sich runterbeugen _____

brach auf, schlagen (schlägt, schlug, _____

ist aufgebrochen) hat geschlagen)

erschrecken vor _____ stechen (sticht, stach, _____

(erschrickt, erschrak, hat gestochen)

ist erschrocken) verschwinden _____

das Geräusch, -e _____ (verschwindet,

gerettet sein _____ verschwand,

lächerlich _____ ist verschwunden)

die Panik _____ verzweifeln _____

Modul 4   Unterwegs in Zürich

bekannt sein für   _____

die Bühne, -n   _____

der Club, -s   _____

drohen   _____

die Dokumentation, -en   _____

das Drama, -en   _____

geistreich   _____

der Horrorfilm, -e   _____

das Kabarett, -s   _____

die Komödie, -n   _____

Lust haben auf (hat, hatte,   _____
    hat gehabt)

das Mittelalter   _____

mühsam   _____

der Nachtwächter, -   _____

plaudern   _____

das Publikum   _____

der/die Regisseur/in, -e/-nen   _____

die Romanze, -n   _____

etwas schätzen   _____

der/die Schauspieler/in,   _____
    -/-nen

der Science-Fiction, -   _____

die Spannung, -en   _____

stören   _____

überzeugen   _____

der Western, -   _____

der Zeichentrickfilm, -e   _____

das Zeitgeschehen   _____

Wichtige Wortverbindungen:

ein Feld vorrücken/zurückgehen   _____

den Gedanken nachgehen   _____

Karten ziehen/ablegen   _____

in der Kritik sein   _____

etw. laufend neu machen/entwickeln   _____

eine Runde aussetzen   _____

Zeit verbringen mit   _____

sich die Zeit vertreiben   _____

Wörter, die für mich wichtig sind:

_____   _____   _____   _____

_____   _____   _____   _____

_____   _____   _____   _____

_____   _____   _____   _____

Alles will gelernt sein

Vor dem Start: Erinnern Sie sich? Diese Übungen bereiten Sie auf das Kapitel vor.

1 Bilden Sie zusammengesetzte Wörter zum Thema „Schule". Wie viele Wörter finden Sie? Schreiben Sie die Wörter mit Artikel.

Unterricht Stunde Vertretung Klasse Sport Mathematik Abitur Schule

Hof Arbeit Zimmer Unterricht Plan Direktor/in Prüfung Raum Buch Fach Stoff Halle Lehrer/in

das Unterrichtsfach, der Klassenraum, der Sportlehrer, _____

_____

_____

_____

_____

2 Wo kann man lernen? Lösen Sie das Rätsel.

(_ä, ö, ü_ = ein Buchstabe)

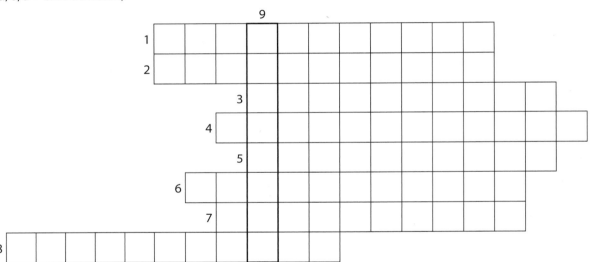

waagrecht:
1. Hier kann man ein Instrument lernen.
2. Neben dem Beruf kann man abends weiterlernen.
3. Hier lernt man Tänze wie Rumba, Walzer oder Tango.
4. Wer eine Ausbildung macht, lernt in der Firma und in der …
5. Wenn Sie reiten lernen wollen, sind Sie hier richtig.
6. Ihr Hund soll etwas lernen? Dann geht er mit Ihnen in die …
7. Hier lernen Sie, wie man Auto oder Motorrad fährt.
8. Die Studenten lernen in einer …

senkrecht:
9. Eine Schule, wo die Schüler auch wohnen und ihre Freizeit verbringen.

3 Welche Wörter passen? Markieren Sie.

1. Morgen üben/verstehen wir Wortschatz.
   Bitte wiederholen/lernen Sie die Wörter
   auswendig.

2. Für den Test muss ich die Vokabeln noch
   einmal behalten/lernen. Ich kenne sie
   eigentlich, aber ich kann sie mir nicht
   merken/erinnern.

3. Im Internet habe ich mein Deutsch getestet/
   gemerkt. Das Ergebnis war ganz okay.

4. ○ Kannst du dich an Herrn Motz erinnern/
   vergessen?
   ● Natürlich, der hatte immer so lustige
   Übungen, um uns die Aussprache
   einzuprägen/beizubringen.

5. Wenn Sie die Vokabeln bis in die Nacht
   verstehen/pauken, dann ist das nicht
   besonders effektiv!

6. Merken/Studieren Sie sich die Lerntipps aus dem Buch!

7. Sie behalten/testen die Wörter am besten, wenn Sie sie regelmäßig verstehen/wiederholen.

8. Können Sie die Grammatik noch einmal testen/erklären? Ich habe sie noch nicht ganz verstanden/
   erinnert.

> pauken   etwas behalten   **üben**
>
> **lernen**   sich etwas merken
>
> sich erinnern

 4a Im Sprachkurs. Ergänzen Sie die Verben. Für manche Ausdrücke gibt es mehrere Lösungen.

> wiederholen   antworten   schreiben   bekommen
>
> machen   üben   halten   bestehen   aufschreiben   vorbereiten

1. die neuen Wörter *aufschreiben,* _____

2. die Hausaufgaben _____

3. einen Kurzvortrag _____

4. auf die Fragen des Lehrers _____

5. einen Dialog _____

6. eine Prüfung _____

7. einen Kurs _____

8. ein gutes Zeugnis _____

9. einen Test _____

10. im Diktat viele Fehler _____

b Schreiben Sie mit fünf Ausdrücken aus 4a je einen Satz.

1a Lesen Sie die Aufgabe. Markieren Sie, an wen Sie schreiben sollen und warum.

> Sie wollen einen Deutschkurs besuchen und haben sich von der Fachbereichsleiterin für Deutsch als Fremdsprache, Frau Linda König, beraten lassen. Sie hat Ihnen heute einen Termin zum Einstufungstest geschickt. Zu dem Termin können Sie aber nicht kommen.
>
> Schreiben Sie an Frau König. Entschuldigen Sie sich höflich und berichten Sie, warum Sie nicht kommen können.
>
> • Schreiben Sie eine E-Mail (circa 40 Wörter).
> • Vergessen Sie nicht die Anrede und den Gruß am Schluss.

b Welche Anrede und welcher Gruß am Ende passen?

- ☐ Liebe Linda,
- ☐ Liebe Linda König,
- ☐ Sehr geehrte Frau Linda König,
- ☐ Sehr geehrte Frau König,

- ☐ Tschüss
- ☐ Mit freundlichen Grüßen
- ☐ Mit lieben Grüßen
- ☐ Liebe Grüße

c Lesen Sie die Sätze. Markieren Sie die Redemittel, die besonders höflich sind.

1. ☐ Ich teile Ihnen mit, dass …
2. ☒ Bedauerlicherweise muss ich Ihnen mitteilen, dass …

3. ☐ Leider kann ich nicht zu dem Termin kommen.
4. ☐ Ich komme nicht zu dem Termin.

5. ☐ Informieren Sie mich über einen neuen Termin.
6. ☐ Vielleicht könnten Sie mir einen neuen Termin geben.

7. ☐ Ich würde mich sehr freuen, wenn Sie mir möglichst bald Bescheid geben könnten.
8. ☐ Ich warte auf eine schnelle Antwort.

9. ☐ Vielen Dank im Voraus.
10. ☐ Danke und bis bald.

d Schreiben Sie die E-Mail.

2 Infinitiv mit oder ohne *zu*? Ergänzen Sie den Dialog.

○ Hast du Lust, nachher einen Kaffee mit mir (1) _____ trinken?

● Das geht leider nicht. Nach dem Unterricht gehe ich noch (2) _____ schwimmen. Und dann muss ich Hausaufgaben (3) _____ machen.

○ Schade. Hast du vielleicht morgen Zeit, mit mir die Grammatik (4) _____ wiederholen?

● Ja super, dann können wir uns auf den Test am Freitag (5) vor_____bereiten. Es macht einfach mehr Spaß, zusammen (6) _____ lernen. Ich werde Janis Bescheid (7) _____ sagen, dass er auch (8) _____ kommen soll.

○ Gute Idee. Ich hatte auch schon vor, ihn (9) an_____rufen. Wann sollen wir uns (10) _____ treffen?

3 Wie kann man sich am besten auf eine Prüfung vorbereiten? Geben Sie Tipps.

~~Es ist wichtig, …~~   Versuchen Sie, …   Man sollte am besten …   Nehmen Sie sich Zeit, …

Es ist notwendig, …   Es ist empfehlenswert, …   Ich rate allen Kandidaten, …

Vergessen Sie nicht, …

Man muss …   …

~~rechtzeitig mit dem Lernen anfangen~~   einen Zeitplan erstellen   Pausen beim Lernen einbauen

den Lernstoff in sinnvolle Abschnitte einteilen   Karteikarten mit den wichtigsten Informationen anlegen

einen ruhigen und ungestörten Arbeitsplatz haben   sich gründlich über die Prüfung informieren

den Lernstoff in regelmäßigen Abständen wiederholen   mit anderen zusammen lernen   …

Es ist wichtig, rechtzeitig mit dem Lernen anzufangen.

 4 Welche zwei Verben passen? Kreuzen Sie an.

1. Ich ☐ beginne ☐ beabsichtige ☐ beende, eine weitere Fremdsprache zu lernen.
2. Es ☐ ärgert ☐ freut ☐ stört mich, unpünktlich zu sein.
3. Ich ☐ höre auf ☐ rate dir ab ☐ biete an, so intensiv zu trainieren.
4. Ich ☐ verbiete ☐ empfehle ☐ rate euch, im Kurs mehr zu sprechen.

5 Ergänzen Sie die Sätze frei.

1. Leider habe ich keine Zeit, …
2. Es freut mich sehr, …
3. Es ist wirklich schön, …
4. Ich habe beschlossen, …
5. Es macht mir Spaß, …
6. Ich habe (keine) Lust, …

6 Lebenslanges Lernen. Was möchten Sie unbedingt noch lernen? Wie stellen Sie sich Ihr lebenslanges Lernen vor? Schreiben Sie einen kurzen Text.

Surfst du noch oder lernst du schon?

1 Wie heißen die Teile des Computers?

die Lautsprecher

die Maus

der Rechner / der Computer

3

der Monitor

das Headset

der Stick

die Kamera / die Web-Cam

die Tastatur

der Kopfhörer

das Kabel

das Mikrofon

die (externe) Festplatte

1. _____
2. _____
3. _____
4. _____

5. _____
5a _____
5b _____
6. _____

7. _____
8. _____
9. _____
10. _____

2 Sortieren Sie die Verben in die Tabelle.

kopieren   löschen   ~~chatten~~   neue Leute kennenlernen   speichern

programmieren   beantworten   kaufen   bekommen   bedienen   schreiben

posten   einschalten   anklicken   surfen   senden   weiterleiten   lesen

downloaden   sich einloggen   runterfahren   bloggen   Informationen suchen

den Computer …	im Internet …	eine Nachricht …
	chatten,	

3a Argumente einleiten. Ergänzen Sie die Lücken.

> Ein weiterer Aspekt ist ...   ~~Für mich ist es wichtig ...~~   ... zwar nicht ersetzen, aber ...
>
> Meiner Meinung nach ...   Es ist doch bekannt ...   ... spricht auch ...

> **Lernen mit dem Smartphone? Ich bin dafür!**
>
> Ich möchte eine neue Sprache lernen. Aber ich habe einfach keine Zeit, regelmäßig einen Kurs zu besuchen.
> Da finde ich die Nutzung von Medien sinnvoll.
> (1) _Für mich ist es wichtig_, dass ich meine Zeit flexibel nutzen kann. (2) _____,
> dass die meisten Menschen heute wenig Zeit zum Lernen und Üben haben. Auf dem Smartphone kann man
> Dateien mit Vokabeln schnell speichern oder die Aussprache anhören und nachsprechen.
> (3) _____ ist das Gerät deshalb eine sehr gute Ergänzung zum Unterricht.
> (4) _____, dass ich mein Lernen selbst organisieren kann. Wann mache ich
> was und wo? Für das Lernen mit dem Smartphone (5) _____, dass ich damit schnell
> ins Internet gehen kann. Da finde ich viele Übungen und Hilfen. Das Smartphone wird den Unterricht
> (6) _____ für das Üben und Wiederholen ist es eine gute
> Alternative. Besonders, wenn man ab und zu im Kurs fehlt.

b Redemittel zur Argumentation. Formulieren Sie das Gegenteil wie im Beispiel.

1. Einer der wichtigsten Gründe für den Computer ist ...

   Einer der wichtigsten Gründe gegen den Computer ist ...

2. Viele Lehrer halten es für richtig, dass ...

   _____

3. Ein weiteres Argument dagegen ist, dass ...

   _____

4. Befürworter einer solchen Lösung meinen, dass ...

   _____

5. Viele Eltern lehnen es ab, dass ...

   _____

4a Pro oder contra? Schreiben Sie zu vier Themen eine Pro- oder Contra-Aussage.

Ich bin für autofreie Innenstädte.   *Es ist wichtig, viel Sport zu treiben.*
Noten halte ich für falsch.   *...*

b Arbeiten Sie zu zweit. A liest den ersten Satz vor. B sagt das Gegenteil. Dann liest B vor.

> *Ich bin für autofreie
> Innenstädte.*

> *Ich bin gegen autofreie
> Innenstädte.*

 1 Sehen Sie das Bild an und schreiben Sie eine Geschichte. Verwenden Sie die Satzanfänge.

Der Montag hatte so gut angefangen, bis ...
Es war einfach unglaublich, aber ...
Dann allerdings ...
Zum Glück ...
Am Ende ...

2a Lesen Sie den Artikel und unterstreichen Sie alle Tipps.

Keine Panik – Das hilft bei Prüfungsangst

Fast alle kennen es: weiche Knie, klopfendes Herz, Schweißausbrüche. Typische Symptome bei Prüfungsangst. Nervosität ist gut und normal. Angst muss aber niemand haben. Hier einige Tipps für weniger
5 Stress bei Tests:

Denken Sie daran, dass Sie viel gelernt haben. Die Mühe soll sich lohnen! Zeigen Sie, was Sie können und wissen. Wenn Sie die Fähigkeit haben, eine positive Einstellung zu Ihrer Prüfung zu entwickeln, dann
10 ist viel gewonnen. Vermeiden Sie negative Gedanken: statt „Ich bin gezwungen, die Prüfung abzulegen." lieber denken „Ich bin in der Lage, die Prüfung zu schaffen.". Schreiben Sie angenehme Aussagen auf und lesen Sie sie immer wieder durch. Nutzen Sie die
15 Prüfung auch als Anlass, sich danach zu belohnen: ein Treffen mit Freunden, ein fauler Tag. Hier sind alle Ideen erlaubt, die Ihrer Psyche gut tun und die realistisch sind. Verboten sind dagegen Szenarien der Angst: „Was passiert, wenn ich durchfalle?", „Was sa-
20 gen die anderen?", „Wie viel Zeit verliere ich?". Diese Fragen stärken Sie nicht. Mit etwas Fantasie können

Sie das positive Denken unterstützen. Gedanken wie „Es ist erlaubt, die Prüfung zu wiederholen." oder „Ich habe gar nicht vor, durchzufallen." helfen Ihnen,
25 die Angst zu reduzieren.

Auch wenn Sie eine positive Einstellung haben, kann Sie in der Prüfung ein Blackout überraschen und Ihnen fällt nichts mehr ein. In mündlichen Prüfungen sollten Sie Ihre Prüfer dann über Ihren Zustand
30 informieren. Bitten Sie um Wiederholung der Fragen und nehmen Sie sich Zeit für die Antwort. Die Prüfer haben ja nicht die Absicht, Sie durchfallen zu lassen. Sie interessieren sich viel mehr dafür, was Sie wissen, und werden Sie bei einem Blackout unterstützen.
35 Wenn in schriftlichen Prüfungen das Herz rast, dann hilft eine gute Atmung. Atmen Sie mehrere Minuten ruhig und tief. So können Sie von ganz alleine wieder ruhiger werden. Lesen Sie alle Aufgaben und erstellen Sie Notizen. Dann beginnen Sie mit der Auf-
40 gabe, bei der Sie sich sicher fühlen.

Fazit: Sie haben die Möglichkeit, etwas zu tun. Aber es ist wichtig, dass Sie es selbst tun.

b Notieren Sie zwei Aussagen oder Tipps, die Sie wichtig finden, und vergleichen Sie mit Ihrem Partner / Ihrer Partnerin.

 c Wie kann man es anders sagen? Lesen Sie den Text in 2a nochmals und ergänzen Sie die Modalverben in den folgenden Sätzen.

1. Wenn Sie eine positive Einstellung entwickeln _____, ist viel gewonnen.

2. Ich _____ die Prüfung ablegen.

3. Ich _____ die Prüfung schaffen.

4. Alle Ideen, die der Psyche gut tun, _____ man nutzen.

5. Szenarien der Angst _____ man nicht zulassen.

6. Ich _____ die Prüfung wiederholen.

7. Ich _____ gar nicht durchfallen.

8. Die Prüfer _____ Sie nicht durchfallen lassen.

9. Sie _____ etwas tun.

d Lesen Sie Tonjas Blog-Eintrag. Schreiben Sie eine Antwort und geben Sie mindestens zwei Tipps.

TONJA 25.09. | 16:30 Uhr
In zwei Wochen schreibe ich meine Fachklausuren an der Uni. Ich pauke Tag und Nacht. Aber ich habe schon voll die Panik! In Prüfungen fällt mir nichts mehr ein und ich sitze nur mit rotem Kopf da. Total peinlich! Wer hat gute Tipps für mich?

25.09. | 19:00 Uhr
Hi Tonja!
Du bist ja sehr motiviert. …

3 Ergänzen Sie das Modalverb. Manchmal gibt es mehrere Möglichkeiten. Achten Sie auf die Zeitformen.

1. ○ Stimmt es, dass Leon krank war und im Bett bleiben __*musste*__ ?
   ● Ja. Schade, dass er am Samstag nicht zur Kursparty kommen _____.

2. ○ Wir gehen jetzt noch ins Kino. Hast du Lust? _____ du auch mitkommen?
   ● Geht leider nicht. Ich _____ noch ein Referat vorbereiten.
   ○ Damit _____ du doch schon letzte Woche fertig sein.
   ● Stimmt, aber ich _____ nicht früher anfangen _____. Mist!

3. ○ Ich habe noch gar nicht gelernt. Ich _____ letzte Woche so viel arbeiten.
   ● Wieso? Der Test ist doch erst am Montag. Da _____ wir noch jede Menge lernen.

4. ○ _____ man eigentlich während der Prüfung ein Grammatikbuch benutzen?
   ● Nee, wir _____ aber im Wörterbuch unbekannte Wörter nachschauen, glaube ich.

5. ○ Was hast du eigentlich vor, wenn dieser Kurs beendet ist?
   ● Ich _____ einen Sprachkurs in Berlin machen.

6. ○ Ich _____ dir von Sven ausrichten, dass er heute nicht zum Kurs kommen _____.
   ● Na toll! Und ich _____ ihm sicher wieder die Arbeitsblätter mitnehmen.

4a Sagen Sie es einfacher mithilfe der Modalverben.

1. Ich war nicht imstande, mich bei diesem Lärm zu konzentrieren.
2. Es ist nicht erlaubt, während des Unterrichts zu essen.
3. Marie beabsichtigt, in einem halben Jahr die B2-Prüfung zu machen.
4. Wenn ich hier bleiben will, bin ich gezwungen, ein neues Visum zu beantragen.

1. Ich konnte mich bei diesem Lärm nicht konzentrieren.

b Sagen Sie es anders. Ordnen Sie zu und schreiben Sie Sätze wie im Beispiel.

keine Lust haben	die Absicht haben	in der Lage sein	~~es ist nicht gestattet~~

1. Man darf während der Prüfung nicht mit seinem Nachbarn sprechen.
2. Kannst du wirklich in der Prüfung von deinem Nachbarn abschreiben? Ich bin nicht so cool.
3. Ich möchte diesen Film jetzt nicht sehen.
4. Ich will mir einen deutschen Tandempartner suchen, mit dem ich viel Deutsch sprechen kann.

1. Es ist nicht gestattet, während der Prüfung mit seinem Nachbarn zu sprechen.

5 Lesen Sie die Aufgaben 1 bis 4 und den Text dazu. Wählen Sie bei jeder Aufgabe die richtige Lösung a, b oder c.

Sie informieren sich über die Prüfungsordnung des Sprachenzentrums SDW, wo Sie eine Prüfung ablegen möchten.

1. Die Prüfungsergebnisse ...
   - a kann man telefonisch erfahren.
   - b können über die Zentrale erfragt werden.
   - c werden schriftlich mitgeteilt.

2. Bei der Prüfung ...
   - a kann man ein Wörterbuch benutzen.
   - b darf man kein Handy dabeihaben.
   - c kann man der Aufsicht Fragen stellen.

3. Die Anmeldung zur Prüfung ...
   - a muss bis zu einem bestimmten Termin erfolgen.
   - b ist nur über das Internet möglich.
   - c geht ausschließlich über das Sekretariat.

4. Man bekommt die Prüfungsgebühr zurück, wenn man ...
   - a nicht zur Prüfung kommt.
   - b eine Bescheinigung vom Arzt hat.
   - c sich im Sekretariat abgemeldet hat.

Prüfungsordnung

Anmeldung
Die Anmeldung für alle angebotenen Prüfungen erfolgt online über unsere Webseite. Es besteht außerdem die Möglichkeit, sich über das Sekretariat anzumelden. Zu beachten ist, dass die Anmeldefrist spätestens vier Wochen vor dem jeweiligen Prüfungstermin endet.

Termine
Die aktuellen Termine sind auf unserer Webseite oder im Sekretariat einsehbar. In der Regel werden die Termine für das laufende Jahr angezeigt. Die Anmeldung ist verpflichtend. Bei Nichterscheinen kann die Prüfungsgebühr nicht zurückgezahlt werden. Dies gilt auch, wenn das Sekretariat vorher informiert wurde. Ausnahmen werden nur im Krankheitsfall gemacht. In diesem Fall muss bis spätestens zwei Tage nach dem Prüfungstermin ein ärztliches Attest vorliegen, damit die Prüfungsgebühr zurücküberwiesen bzw. gutgeschrieben werden kann.

Ausweispflicht
Um die Identität der Prüfungsteilnehmenden zweifelsfrei feststellen zu können, muss sich jeder Prüfungsteilnehmer durch ein offizielles Dokument mit Foto (Personalausweis, Pass, Führerschein) ausweisen können.

Hilfsmittel
Während der Prüfung ist es nicht gestattet, auf Hilfsmittel jeder Art zurückzugreifen. Das Mitbringen von Wörterbüchern, Grammatikbüchern oder eigenem Konzeptpapier ist nicht erlaubt. Mobiltelefone müssen in den Schließfächern am Eingang gelassen werden. Fragen zu den Prüfungsinhalten werden nicht beantwortet. Bei Nichtbeachten wird der Teilnehmer von der Prüfung ausgeschlossen.

Prüfungsergebnisse
Die Mitteilung der Prüfungsergebnisse erfolgt in der Regel sechs Wochen nach Ablegen der Prüfung. Alle Prüfungsteilnehmer erhalten ihre Ergebnisse per Post. Telefonische Auskünfte zu den Prüfungsergebnissen sind nicht möglich. Eine individuelle Ergebnismitteilung über unsere Zentrale ist ebenfalls ausgeschlossen. Es wird darum gebeten, auf entsprechende Anfragen zu verzichten.

1 Bilden Sie zusammengesetzte Nomen wie im Beispiel.

Training	Vermögen	Zahlen	Schwäche	Konkurrenz

Profit **– G E D Ä C H T N I S –** **– D E N K E N –** Leistung

Personen	Vorgang	Prestige	Störung	Aufgabe

das Denken + das Vermögen = das Denkvermögen

2 Rund ums Gedächtnis. Was bedeuten die Ausdrücke? Ordnen Sie zu.

1. __b__ etw. fällt jmd. ein   a nicht mehr da sein

2. ____ etw. vergessen   b eine Idee haben, sich spontan an etwas erinnern

3. ____ etw. im Kopf haben   c mit seinen Ideen/Gedanken nicht flexibel sein

4. ____ verschwinden   d sich an etw. nicht erinnern

5. ____ in den Hintergrund treten   e Wissen miteinander verbinden

6. ____ Leistung steigern   f etw. wissen / schlau sein

7. ____ Informationen verknüpfen   g immer besser werden

8. ____ nur in eine Richtung denken   h etw. ist nicht mehr so wichtig

3a Hören Sie den Beginn einer Radiosendung. Machen Sie zu folgenden Punkten Notizen.

18

1. Thema der Sendung: _____

2. Fragestellung: _____

3. Ort, an dem die Interviews gemacht wurden: _____

4. Sprachniveau der Lernenden: _____

b Hören Sie den zweiten Teil. Wer sagt das? Markieren Sie. Beachten Sie, dass die Aussagen nicht der Reihenfolge im Interview entsprechen.
19-21

	Dario (Kroatien)	Laura (Italien)	Marta (Spanien)
1. Die Verben bekommen durch Präfixe eine andere Bedeutung.			
2. Die deutsche Aussprache machte mir am Anfang Probleme.			
3. Das Sprechen wird durch die Stellung der Verbteile erschwert.			
4. Für visuelle Lerntypen eignen sich Farben.			
5. Man muss sich beim Sprechen sehr konzentrieren.			
6. Regelmäßiges Üben ist wichtig.			
7. Viele Wörter haben in der Fremdsprache einen anderen Artikel.			
8. Viele Wörter sind wie im Englischen.			

4 Lesen Sie die folgende Situation und schreiben Sie die E-Mail.

In Ihrer Sprachschule wurde letzte Woche das große Sommerfest gefeiert.

Ein Freund / Eine Freundin, der/die mit Ihnen dort einen Sprachkurs besucht hat, konnte nicht zu dem Fest kommen.

Schreiben Sie Ihrem Freund / Ihrer Freundin eine Antwort. Gehen Sie auf folgende Punkte ein:
- Beschreiben Sie: Wie war das Fest?
- Begründen Sie: Welcher Programm-punkt hat Ihnen am besten gefallen und warum?
- Machen Sie einen Vorschlag für ein Treffen.

Schreiben Sie eine E-Mail (circa 80 Wörter).
Schreiben Sie etwas zu allen drei Punkten.
Achten Sie auf den Textaufbau (Anrede, Einleitung, Reihenfolge der Inhaltspunkte, Schluss).

Aussprache: lange und kurze Vokale

22

a Lesen Sie die Wortpaare leise. Hören Sie dann zu und markieren Sie: kurz (ạ) oder lang (a̲).

1. Mi̲ete – Mịtte
2. Bett – Beet
3. fühlen – füllen
4. Ofen – offen
5. Stadt – Staat
6. Teller – Täler
7. Höhle – Hölle

23

b Hören Sie und sprechen Sie nach. Zuerst das Wort, dann den Vokal und dann noch einmal das Wort.

c Wann sind die Vokale lang? Kreuzen Sie die passenden Regeln an.

Ein Vokal wird lang gesprochen, wenn …

1. ☐ ein *h* folgt, z. B. *kühl, (er) geht*
2. ☐ ein *ng* oder *ck* folgt, z. B. *jung, Rock*
3. ☐ ein doppelter Konsonant folgt, z. B. *Knall*
4. ☐ der Vokal doppelt ist, z. B. *Paar, Leere*
5. ☐ bei *ie* oder *ieh*, z. B. *liegen, (sie) sieht*

24

d Hören Sie die Wörter und schreiben Sie eine Liste. Welche Vokale sind lang, welche kurz?

Lange Vokale	Kurze Vokale
Haare	*Wange*

So schätze ich mich nach Kapitel 5 ein: Ich kann …	+	○	−
🔊 … in einem Interview mit verschiedenen Personen die Argumente für ihren Besuch von Kursen verstehen. ▶M1, A2a	☐	☐	☐
… ein Lied zum Thema „Prüfungen" verstehen. ▶M3, A1b	☐	☐	☐
… Informationen in einem Radiobeitrag zum Thema „Gedächtnistraining" verstehen. ▶M4, A2	☐	☐	☐
… in Interviews Aussagen zu Schwierigkeiten beim Deutschlernen verstehen. ▶AB M4, Ü3	☐	☐	☐
📖 … Stellungnahmen von Medienexperten verstehen. ▶M2, A2b	☐	☐	☐
… Texte zu Denkaufgaben und Lerntechniken verstehen. ▶M4, A1a, A4	☐	☐	☐
… die Informationen in einer Prüfungsordnung eines Sprachenzentrums verstehen. ▶AB M3, Ü5	☐	☐	☐
💬 … anhand von Kurstiteln Vermutungen zu den Kursinhalten äußern. ▶M1, A1a	☐	☐	☐
… über Wünsche und Ziele bei Lernangeboten sprechen. ▶M1, A4	☐	☐	☐
… Ratschläge zum Thema „Prüfungsangst" geben. ▶M3, A1d	☐	☐	☐
… Vorschläge zur Lösung von Aufgaben und bei Lernproblemen machen. ▶M4, A5b	☐	☐	☐
✏️ … Hauptaussagen aus einem Interview notieren. ▶M1, A2a, M4, A2b	☐	☐	☐
… eine Stellungnahme schreiben. ▶M2, A4	☐	☐	☐
… einen Beitrag zu einem Kursratgeber mit dem Thema „Deutsch lernen" schreiben. ▶M4, A6	☐	☐	☐
… eine E-Mail zur Terminklärung an eine Sprachenschule schreiben. ▶AB M1, Ü1	☐	☐	☐
… eine E-Mail an einen Freund, der nicht am Sommerfest der Sprachschule teilnehmen konnte, schreiben. ▶AB M4, Ü4	☐	☐	☐

Das habe ich zusätzlich zum Buch auf Deutsch gemacht (Projekte, Internet, Filme, Texte, …):

Datum: Aktivität:

_____   _____

_____   _____

_____   _____

Grammatik und Wortschatz weiterüben: interaktive Übungen unter www.aspekte.biz/online-uebungen1

Wortschatz

Modul 1 Lebenslanges Lernen

die Absicht, -en _____ sich selbstständig machen _____

sich anmelden _____ das Seminar, -e _____

der Babysitter, - _____ die Steuer, -n _____

das Benehmen _____ das Unternehmen, - _____

die Buchführung _____ die Umgangsformen (Pl.) _____

der/die Existenzgründer/in, _____ die Versicherung, -en _____

   -/-nen vorhaben (hat vor, hatte _____

der/die Heimwerker/in, _____   vor, hat vorgehabt)

   -/-nen die Vorsorge _____

die Renovierung, -en _____ das Werkzeug, -e _____

die Reparatur, -en _____ der Virenschutz _____

Modul 2 Surfst du noch oder lernst du schon?

die Ausrede, -n _____ das Lernmaterial, -ien _____

sich austauschen _____ die Motivation _____

benötigen _____ das Netzwerk, -e _____

digital _____ präsentieren _____

die Generation, -en _____ das Smartphone, -s _____

googeln _____ das Tablet, -s _____

die Handschrift, -en _____ die Verantwortung _____

die Kompetenz, -en _____ verlernen _____

sich etw. leisten _____ voraussetzen _____

Modul 3 Können kann man lernen

abwarten _____ imstande sein _____

der Auftrag, -"e _____ notwendig _____

beabsichtigen _____ planen _____

bestehen (besteht, _____ teilnehmen (nimmt teil, _____

   bestand, hat bestanden)   nahm teil, hat teil-

einfallen (fällt ein, fiel ein, _____   genommen)

   ist eingefallen) verbieten (verbietet, _____

erlauben _____   verbot, hat verboten)

fähig _____ verpflichtet sein _____

die Gelegenheit, -en _____ versuchen _____

gestattet sein _____

Modul 4   Lernen und Behalten

auswendig lernen	_____	die Lernmethode, -n	_____
behalten (behält, behielt,	_____	der Lernstoff	_____
hat behalten)		die Reihenfolge, -n	_____
das Boot, -e	_____	stecken	_____
dauerhaft	_____	überqueren	_____
das Fach, -"er	_____	die Vergesslichkeit	_____
fressen (frisst, fraß,	_____	verknüpfen mit	_____
hat gefressen)		vernetzt	_____
das Gedächtnis, -se	_____	zusätzlich	_____
kombinieren	_____	das Zertifikat, -e	_____

Wichtige Wortverbindungen:

ab und an   _____

sich ablenken lassen von   _____

die Absicht haben zu   _____

im Alltag   _____

der berufliche Aufstieg   _____

der Blick ins Internet   _____

auf Dauer   _____

im Gedächtnis bleiben   _____

auf etw. kommen   _____

in der Lage sein   _____

seine Meinung ändern   _____

süchtig sein nach   _____

etw. als Unsinn betrachten   _____

Wörter, die für mich wichtig sind:

_____   _____   _____   _____

_____   _____   _____   _____

_____   _____   _____   _____

_____   _____   _____   _____

Berufsbilder

Vor dem Start: Erinnern Sie sich? Diese Übungen bereiten Sie auf das Kapitel vor.

1 Welche Tätigkeiten passen zu wem? Sortieren Sie.

in Geldangelegenheiten beraten   eine Spritze geben   Gebäude planen   einen Verband anlegen

föhnen   über Online-Banking informieren   programmieren   bei Problemen unterstützen

Familien beraten   Haare schneiden   Software entwickeln

ein Modell bauen   eine Datenbank entwickeln   Haare färben   Fieber messen

mit Jugendlichen arbeiten   ein Bankkonto eröffnen   ein Bauprojekt betreuen

Beruf	Tätigkeiten
1. Informatiker/in	
2. Friseur/in	
3. Krankenschwester/-pfleger	
4. Bankangestellte/r	
5. Sozialpädagoge/-in	
6. Architekt/in	

2 Wie heißen die Berufe? Ergänzen Sie die Berufsbezeichnungen und dann das Lösungswort.

(*ä, ö, ü* = ein Buchstabe)

1. Sie baut Maschinen: _I_ _n_ _g_ _e_ _n_ _i_ _e_ _u_ _r_ _i_ _n_
                                              7
2. Er gestaltet eine Werbeanzeige: _G_ _ _ _ _ _ _ _ _
                                                    10   2
3. Sie berät bei juristischen Problemen: _ _ _ _ _ _ _ _ _ _ _ _
                                                          1
4. Er übersetzt bei Gesprächen in eine andere Sprache: _ _ _ _ _ _ _ _ _
                                                                        5
5. Sie hilft bei der Geburt: _ _ _ _ _ _ _
                                          6
6. Er steht im Theater auf der Bühne: _ _ _ _ _ _ _ _ _ _
                                                      3 4
7. Sie schreibt Artikel für eine Zeitung: _ _ _ _ _ _ _ _ _
                                                    9
8. Er berät beim Kauf von Medikamenten: _ _ _ _ _ _ _ _ _
                                                              8

Lösungswort: _ _ _ _ _ _ _e_ _ _ _
               1   2   3   4   5   6   7   8   9   10

3 Welches Verb passt zu welchem Nomen? Manchmal gibt es mehrere Möglichkeiten.

1. ein Telefonat _a_____
2. eine Besprechung _____
3. eine E-Mail _____
4. eine Idee _____
5. einen Vertrag _____
6. Angebote _____
7. eine Anfrage _____
8. ein Protokoll _____

a führen
b organisieren
c vergleichen
d schicken
e beantworten
f unterschreiben
g schreiben
h verwirklichen

4 Was passt wo? Ergänzen Sie.

Beruf	Job	Arbeit	Stelle

1. Ich habe mich um eine _____ als Industriekaufmann beworben.
2. Ich bin krank, ich kann heute nicht zur _____ gehen.
3. Als Studentin hatte ich mal einen _____ bei einer Event-Agentur.
4. Schulabgänger wissen oft noch nicht, welchen _____ sie lernen wollen.

5a Welche Beschreibung passt zu welchem Nomen? Zwei Erklärungen passen nicht.

1. _____ das Stellenangebot   3. _____ die Bewerbung   5. _____ das Vorstellungsgespräch
2. _____ das Gehalt   4. _____ die Beförderung   6. _____ die Berufserfahrung

a Gespräch, bei dem man sich persönlich um eine Stelle bewirbt
b berufliches Wissen/Können, das man aus der Praxis hat
c festgelegte Anzahl von Stunden, die man pro Tag/Woche/Monat arbeiten muss
d das Geld, das man monatlich/jährlich verdient
e Ausschreibung für eine freie Stelle
f Zeit, in der man nicht arbeiten muss
g Schreiben, in dem man sich um eine Stelle bemüht
h eine besser bezahlte oder anspruchsvollere Stelle innerhalb der Firma bekommen

b Wie heißen die Nomen zu den restlichen Erklärungen aus 5a?

6 Bilden Sie zwei Gruppen. Jede Gruppe notiert zehn Berufe auf zehn Zetteln und gibt sie dem Kursleiter / der Kursleiterin. Er/Sie zeigt einer Person aus der anderen Gruppe einen Zettel. Der Kursteilnehmer / Die Kursteilnehmerin spielt den Beruf pantomimisch vor oder zeichnet ihn an die Tafel. Die anderen aus seiner/ihrer Gruppe raten. Dann rät die andere Gruppe. Gewonnen hat die Gruppe, die die meisten Berufe erraten hat.

Wünsche an den Beruf

 1a Markieren Sie die passenden Wörter in den Kurztexten.

1. Von meinem zukünftigen Beruf wünsche ich mir vor allem, dass ich kreativ sein kann. Ich möchte gerne meine eigenen Ideale/Ideen/Aufträge entwickeln können und mit anderen einsam/gesamt/gemeinsam Probleme lösen. 2. Und ich möchte auf keinen Fall an langen/langanhaltenden/ langweiligen Aufgaben arbeiten.

3. Ich will in meinem Beruf vor allem Karriere/Kontakte/Kriterien machen und viel Geld verarbeiten/verdienen/verrichten. 4. Mir ist auch wichtig, dass der Beruf interessant ist und ich eine vorwurfsvolle/verantwortungsvolle/verhängnisvolle Aufgabe habe. 5. Dafür wäre ich auch bereit, Stundenzahl/Überarbeitung/Überstunden zu machen. 6. Und natürlich möchte ich einen Beruf, der für mich eine Aufforderung/Forderung/Herausforderung ist.

 b Ergänzen Sie die passenden Wörter in den Kurztexten.

Gehalt	Arbeitszeit	freiberuflich	anbieten	Betriebsklima	Teilzeitjob	Kontakt	Interessen

Ich träume davon, einen (1) _____ zu haben, denn ich möchte eigentlich nicht 40 Stunden in der Woche in einem Büro arbeiten. Lieber bekomme ich ein geringeres (2) _____ und habe dann auch noch Zeit nebenher (3) _____ zu arbeiten. Ich würde gerne Computerkurse (4) _____.

Ich habe schon viele Jobs gemacht und dabei eines gelernt:
Für mich ist das (5) _____ sehr wichtig. Ich finde den guten (6) _____ zu den Kollegen und eine geregelte (7) _____ das Wichtigste im Job. Ich möchte neben der Arbeit noch genug Zeit für meine Hobbys und (8) _____ haben.

c Schreiben Sie einen kurzen Text über Ihre Wünsche an den Beruf.

2 Im nächsten Job wird alles besser! Schreiben Sie gute Vorsätze.

Ich werde immer pünktlich sein und ...

3a Sie haben eine Vermutung. Antworten Sie auf die Fragen mit Futur I.

1. ○ Entschuldigung, wissen Sie, wo Herr Braun ist? (→ Besprechung)

   ● *Er wird in einer Besprechung sein.* _____

2. ○ Ich suche einen dringenden Auftrag, den er für mich kopiert hat. Wissen Sie, wo er liegt?
   (→ auf dem Schreibtisch)

   ● _____.

3. ○ Nein, da habe ich schon nachgesehen. Wo könnte er denn noch sein? (→ im Kopierer)

   ● *Dann* _____.

4. ○ Aber, wenn er da auch nicht ist? (→ im Postfach)

   ● Wenn er da auch nicht ist, _____.

b Das chaotische Büro! Schreiben Sie die Aufforderungen des Chefs mit Futur I.

1. Der Papiermüll ist schon wieder voll!

2. Der Drucker geht nicht!

7. Warum ist das Angebot noch nicht fertig?!

3. Unglaublich, er hat die Füße auf dem Tisch!

6. Herr Huber muss sofort in mein Büro!

5. Warum liegt die Post noch hier?!

4. Der Kunde wartet auf einen Anruf!

1. Sie werden sofort den Papiermüll ausleeren!

c Bitte recht freundlich. Formulieren Sie die Aufforderungen aus 3b höflicher.

1. Könnten/Würden Sie bitte den Papiermüll ausleeren?

TIPP Aufforderungen mit Futur I klingen meistens unhöflich und sind sehr direkt. Sagen Sie es lieber freundlicher.

1a Guter Service. Wie heißen die zehn Adjektive? Notieren Sie.

ber – tisch – preis – kom – lässig – dern – prak – mo – sau – wert – unkom – persön – viduell – profess – zuver – pliziert – petent – lich – ionell – indi

_____

_____

_____

b Wählen Sie fünf Adjektive aus 1a und schreiben Sie Beispielsätze.

Das Produkt ist sehr preiswert.

2 Welches Verb passt nicht? Streichen Sie durch.

1. eine Idee entwickeln – erreichen – formulieren
2. ein Talent erfüllen – haben – nutzen
3. einen Service anbieten – herstellen – beurteilen
4. ein Produkt verwenden – verkaufen – vereinbaren
5. ein Angebot ausdrücken – vergleichen – wählen

3a Sich mit einer Geschäftsidee selbstständig machen. Hören Sie das Interview. In welcher Reihenfolge wird über die Themen gesprochen? Nummerieren Sie.

____ Werbung

____ Geld

____ Beratung und Austausch

____ der eigene Chef sein

____ Plan

b Hören Sie noch einmal. Was sagt Karen Müller zu den Themen aus 3a? Notieren Sie zu jedem Thema Stichpunkte.

der eigene Chef sein	Geld	Plan	Werbung	Beratung und Austausch

c Ein Freund / Eine Freundin von Ihnen möchte sich mit einer Geschäftsidee selbstständig machen. Schreiben Sie ihm/ihr eine E-Mail mit den Tipps aus der Radiosendung.

1 Bringen Sie die Aktivitäten in die richtige Reihenfolge.

_____ den Arbeitsvertrag unterschreiben

_____ eine Bewerbung schreiben

_____ ein interessantes Stellenangebot sehen

_____ zum Vorstellungsgespräch eingeladen werden

_____ sich genauer über die Firma und die Stelle informieren

2 Was passt zusammen? Ordnen Sie zu.

1. __e__ Ich freue mich riesig

2. _____ Steffi interessiert sich

3. _____ Erinnerst du dich noch

4. _____ Achten Sie bei einem Vorstellungsgespräch

5. _____ Bitte senden Sie Ihre Bewerbung

6. _____ Denk bei der Bewerbung auch

a an unsere Personalabteilung.

b auf gepflegte Kleidung.

c an deine erste Bewerbung?

d an ein aktuelles Foto.

e auf meinen neuen Job.

f für die Stelle bei Olpe KG.

3 Ergänzen Sie die Präpositionen in den Dialogen.

○ Nimmst du auch (1) _an_ der Besprechung um elf Uhr teil?

● Ich weiß nicht. Der Chef hat noch nicht (2) _____ meine E-Mail geantwortet.

○ Hat Silvio dich gefragt, ob du ihm (3) _____ seinem Bewerbungsschreiben helfen kannst?

● Ja, ich treffe mich heute nach der Arbeit (4) _____ ihm. Wenn er dann noch Fragen hat, soll er sich (5) _____ Sabine wenden, die arbeitet doch in der Personalabteilung.

○ Sag mal, hat der Chef schon (6) _____ dir (7) _____ das neue Projekt gesprochen?

● Nein, aber ich habe von der Sekretärin (8) _____ dem Projekt erfahren.

4a Person oder Sache? Wie heißen die Fragewörter?

1. Lisa hat sich beim Betriebsrat über die vielen Überstunden beschwert. → _Worüber?_

2. Alfred versteht sich ziemlich gut mit seinem Chef. → _____

3. Ich habe lange auf so ein interessantes Stellenangebot gewartet. → _____

4. Die Personalchefin hat Pablo nach seinem aktuellsten Zeugnis gefragt. → _____

5. Ich habe mit einem Bewerbungsberater gesprochen. → _____

b Formulieren Sie passende Fragen zu den Antworten.

sich unterhalten über
sich entschuldigen für
denken an
sich treffen mit
sich freuen auf

An meine Familie.
Mit meinen Kollegen.
Auf das Wochenende.
Für meinen Fehler.
Über das neue Projekt.

Worüber habt ihr euch unterhalten?

Über das neue Projekt.

5 Die richtige Bewerbung. Ergänzen Sie.

zu	für	darauf	bei	darauf	zu	bei	darüber	darauf	zu	vom	über

Sie möchten sich gern (1) _____ einer Firma bewerben? Es hängt viel (2) _____

ersten Eindruck ab. Deshalb sollten Sie sich für Ihre Bewerbung genug Zeit nehmen. Achten Sie

(3) _____, dass Ihre Bewerbungsunterlagen vollständig sind. (4) _____ einer

Bewerbung gehören: ein Anschreiben, ein Lebenslauf, ein Foto und die aktuellsten Zeugnisse. Informieren

Sie sich vorab (5) _____ den Arbeitgeber und rufen Sie am besten (6) _____ der

Firma an, um noch mehr (7) _____ zu erfahren, was bei der Stelle besonders wichtig ist.

Gehen Sie im Anschreiben (8) _____ ein, was Sie an der Stelle und dem Unternehmen

interessant finden, und zeigen Sie, warum gerade Sie so gut (9) _____ dieser Firma passen und

sich (10) _____ die Stelle bestens eignen. Sollten Sie (11) _____ einem Vorstellungs-

gespräch eingeladen werden, bereiten Sie sich (12) _____ gut vor.

6 Ergänzen Sie die Sätze.

1. Kann ich mich _darauf_ verlassen, dass du _pünktlich kommst?_

2. Ich habe lange _____ nachgedacht, ob _____

3. Was hältst du _____, wenn _____

4. Ich kann mich nicht _____ gewöhnen, dass _____

5. Wir freuen uns sehr _____, zu _____

7 Lesen Sie die Situationen 1–7 und die Anzeigen A–J auf der nächsten Seite. Wählen Sie: Welche Anzeige passt zu welcher Situation? Sie können jede Anzeige nur einmal verwenden. Die Anzeige aus dem Beispiel können Sie nicht mehr verwenden. Für eine Situation gibt es keine passende Anzeige. In diesem Fall schreiben Sie 0 oder X.

Einige Leute aus Ihrem Bekanntenkreis suchen eine neue Stelle oder eine Weiterbildungsmöglichkeit.

Beispiel

0. Selma sucht einen Bürojob am Vormittag, damit sie sich am Nachmittag um ihre Kinder kümmern kann.
   Anzeige _J_

1. Martin hat Informatik studiert und ist zeitlich sehr flexibel. _____

2. Tina kennt sich gut mit Computerprogrammen aus und sucht eine Vollzeitstelle. _____

3. Lucy studiert noch und sucht einen Job als Babysitter. _____

4. In seiner neuen Firma muss Paul viel Englisch sprechen, deshalb möchte er einen Englischkurs besuchen. _____

5. Anke möchte gerne einen Computerkurs besuchen, um sich besser zu qualifizieren. _____

6. Jonas hat gerade seine Ausbildung beendet und würde gern im Ausland arbeiten. _____

7. Gabi macht gern Sport und sucht einen Nebenjob für abends oder am Wochenende. _____

A
★★★ Europa ruft! ★★★
Wir bieten Jobangebote in ganz Europa.
Jede Branche – ab 3 Monate Aufenthalt
Englisch-Kenntnisse werden vorausgesetzt.
Abgeschlossene Ausbildung von Vorteil
Weitere Informationen: www.europaruft.net

B
..... Professionelle Babysitter ......
Sie suchen eine professionelle und zuverlässige
Betreuung für Ihr Kind? Bei uns werden Sie
fündig – alle Städte, alle Sprachen.

Die Babysitter-Agentur www.insicherenHaenden.de

C

Sprachschule Aktiv sucht engagierte Englischtrainer
– *ca. 25 Unterrichtsstunden pro Woche*
– *Kurszeiten von 8–20 Uhr*
– *auch Firmenkurse*
– *allgemeine Sprachkurse und Wirtschaftsenglisch*
Bewerbungen an: office@spaktiv.de

D
WIR SUCHEN VERSTÄRKUNG
Zum nächstmöglichen Termin suchen wir eine
Bürofachkraft in Vollzeit.
Wir bieten ein gutes Gehalt und ein nettes Team
und erwarten fundierte Computerkenntnisse und viel
Engagement.
Ihre Bewerbungsunterlagen senden Sie an:
1-2-3 Baumarkt, Moltkestraße 10, 87600 Kaufbeuren

E

Verbessern Sie Ihre Chancen
Wer sich weiterbilden möchte, ist bei uns
richtig. Sie lernen den Umgang mit den
neuesten Computerprogrammen. Außerdem
bieten wir Präsentations- und Rhetorikkurse.
Rufen Sie uns noch heute an:
Institut Kaiser ☎ 0821 – 45 30 5001

F
Sportfachgeschäft Schmidtburg
sucht erfahrene/n
Verkäufer/in für Mo–Mi 10–19 Uhr.

Bei Interesse bitte direkt im Laden melden:
Sportgeschäft Schmidtburg
Keltenstraße 1a–c, 86150 Augsburg

G

Böblinger – die IT-Adresse in Augsburg
Sie sind Profi am Computer?
Sie haben Spaß am Umgang mit Kunden?
Sie können auch mal abends und am
Wochenende arbeiten?
Sie suchen in jeder Situation nach Lösungen?
Dann suchen wir Sie! Bewerben Sie sich noch
heute: bewerbung@ita_personal.de

H
Gute Bezahlung – nettes Team
*Wir suchen für das Café in unserem
Fitnessstudio Unterstützung.
Arbeitszeiten: Samstag 9–14 Uhr,
Sonntag 14–20 Uhr
Stundenlohn 8 Euro plus kostenloses Training in
unserem Studio.*

I
Kinderliebe Schülerin/Studentin gesucht
Für unsere fünfjährige Tochter suchen wir eine
liebevolle und zuverlässige Schülerin oder Studentin, die an drei Nachmittagen pro Woche Zeit hat.

✓ Stundenlohn 10 Euro,
Marta Miller 0170 – 19492043

J
🚗 AUTOHAUS MAYR
Zur Ergänzung unseres Teams suchen wir für leichte
Büroarbeiten noch **eine/n Mitarbeiter/in in Teilzeit.**
Die Arbeitszeiten sind flexibel (Vormittag oder Nach-
mittag), auch Home-Office möglich.

*Bitte senden Sie Ihre Bewerbungsunterlagen per E-Mail an
info@automayr.de*

Mehr als ein Beruf

1a Lesen Sie die Sprüche und erklären Sie sie. Was bedeutet „Arbeit" für Sie? Welcher Spruch gefällt Ihnen am besten?

> **Erst die Arbeit, dann das Vergnügen.**

> *Arbeit macht Spaß. Spaß beiseite!*

> Wir leben, um zu arbeiten.

> Arbeitswut tut selten gut.

> Arbeitszeit = Unterbrechung der Freizeit

b Kennen Sie Sprüche zum Thema „Arbeit und Freizeit" in Ihrer Sprache? Notieren Sie sie und stellen Sie sie im Kurs vor.

2a Betrachten Sie die Zeichnungen und ergänzen Sie die Informationen zu Klara Mangold. Lassen Sie Ihrer Fantasie freien Lauf.

Name:	Klara Mangold
Alter:	37 Jahre
Familienstand:	_____
Kinder:	zwei, Mädchen (12 Jahre) und Junge (8 Jahre)
Beruf:	_____
Hobbys:	_____
Erfolge:	_____
Probleme:	_____
Träume/Ziele:	_____

b Schreiben Sie ein kurzes Porträt über Klara Mangold.

3 Lesen Sie noch einmal die Texte über Rudolf Helbling und Manfred Studer in Aufgabe 1c im Lehrbuch. Beantworten Sie die Fragen.

1. Warum hat Rudolf Helbling zwei Berufe?
2. Aus welchen Gründen hat Manfred Studer zwei Berufe?
3. Welche Schwierigkeiten haben die beiden Personen mit zwei Berufen?

4a Ordnen Sie den Smileys die Erklärungen zu.

| traurig sein | ~~cool sein~~ | weinen | schweigen | krank sein |
| überrascht sein | wütend sein | laut lachen | zwinkern | glücklich sein |

1.	😎	*cool sein*
2.	🙂	
3.	🙁	
4.	😊	
5.	😕	

6.	😮	
7.	😠	
8.	😣	
9.	😆	
10.	🤐	

b Was bedeuten die Abkürzungen? Ergänzen Sie.

(ä, ö, ü = ein Buchstabe)

1. hdl   _h a b   d i c h   l i e b_
2. kgw   k o m m e   g _ _ _ _ _ _   w i _ _ _ _ r
3. LG   L _ _ b _   G _ _ _ _ _
4. wil   W a s   i _ _   l _ _ ?
5. bs   B _ _   s p _ _ _ _ !
6. gn8   G u _ _   N _ _ _ _ _ !
7. mfg   M _ _   f _ _ _ _ _ _ _ _ _ _   G _ _ _ _ _

5 Lesen Sie den folgenden Text. Welches Wort aus dem Kasten A–O passt in die Lücken 1–10 der E-Mail? Schreiben Sie den richtigen Buchstaben A–O hinter die Nummern 1–10 unten. Sie können jedes Wort nur einmal verwenden. Nicht alle Wörter passen in den Text.

Zweitjob gesucht?

Wir bieten interessanten Sommerjob für zuverlässige Personen. Wenn Sie Erfahrung mit Nutztierhaltung haben und Zeit und Lust haben, im Sommer (mindestens 2 Monate) auf unserem Bauernhof in Niederbayern mitzuhelfen, melden Sie sich bitte. Rudi und Gerti Hofer (mail: rudiundgerti@hofer.de)

A) AUF	E) ~~GEEHRTE~~	I) NÄCHSTEN	M) VIEL
B) BEI	F) GERNE	J) SICH	N) WAS
C) DAHER	G) IHRE	K) SO	O) WENN
D) DASS	H) NACHDEM	L) ÜBER	P) WÜRDE

Beispiel: Sehr (0) Frau Hofer und …, 0. _E_

1. ___ 3. ___ 5. ___ 7. ___ 9. ___

2. ___ 4. ___ 6. ___ 8. ___ 10. ___

Sehr (0) Frau Hofer und sehr geehrter Herr Hofer,

mit großem Interesse habe ich (1) Anzeige vom 8. April dieses Jahres gelesen.

(2) ich letzten Sommer zwei Monate auf einer Alm ausgeholfen habe, möchte ich dieses Jahr gerne (3) einem Hof arbeiten. Umso mehr freue ich mich (4) Ihre Anzeige. Da ich Niederbayern noch nicht kenne – und (5) Neues kennenlerne –, (6) ich sehr gerne den Sommer bei Ihnen verbringen.

Ich könnte von Juli bis September (7) Ihnen auf dem Hof helfen. Ich habe im letzten Jahr (8) Erfahrung im Umgang mit Kühen gesammelt und kenne mich auch gut mit Ziegen, Schafen und Hühnern aus.

Ich würde mich sehr freuen, (9) wir bald alles Weitere in einem persönlichen Gespräch besprechen könnten. Ich komme gern an einem der (10) Wochenenden zu Ihnen.

Mit freundlichen Grüßen
Hans Hauser

Aussprache: *-e, -en* und *-er* am Wortende

a Hören Sie und achten Sie auf die markierten Buchstaben am Wortende. Was hören Sie? Kreuzen Sie an. Es können zwei Antworten je Zeile stimmen.

26

	[ə]	[ɐ]	[ən]	[n]
Beispiel:	Tage	Bruder	hören	lesen
1. an manchen Tagen; mitten in einem kleinen Bach	☐	☐	☐	☐
2. ein schöner Sommer; ein guter Autofahrer	☐	☐	☐	☐
3. mein Kollege macht Mittagspause; eine hohe Welle	☐	☐	☐	☐

b Hören Sie noch einmal und sprechen Sie nach.

c Arbeiten Sie zu zweit. Markieren Sie in der Anzeige von Übung 5 die Buchstaben *-e, -en* und *-er* am Wortende. Lesen Sie sich den Text dann gegenseitig vor. Hören Sie zur Kontrolle.

27

So schätze ich mich nach Kapitel 6 ein: Ich kann …	+	◯	—
… eine Umfrage zu beruflichen Wünschen verstehen. ▶M1, A2a	☐	☐	☐
… ein Interview zum Thema „Geschäftsideen" verstehen. ▶AB M2, Ü3	☐	☐	☐
… ein Interview zu beruflichen Stationen einer Tauchlehrerin verstehen. ▶M4, A3a, b	☐	☐	☐
… Aushänge mit verschiedenen Dienstleistungsangeboten verstehen. ▶M2, A1b	☐	☐	☐
… Bewerbungstipps in einem Ratgeber verstehen. ▶M3, A1b	☐	☐	☐
… passende Anzeigen für verschiedene Personen finden. ▶AB M3, Ü7	☐	☐	☐
… Texte über Personen mit zwei Berufen verstehen. ▶M4, A1c, AB M4, Ü3	☐	☐	☐
… über mögliche Geschäftsideen sprechen. ▶M2, A2a–c	☐	☐	☐
… Bewerbungstipps zusammenfassen und sagen, was daran für mich interessant ist. ▶M3, A1c	☐	☐	☐
… über Bewerbungen in meinem Heimatland berichten. ▶M3, A2	☐	☐	☐
… Vermutungen über berufliche Tätigkeiten von Personen anstellen. ▶M4, A1b	☐	☐	☐
… über Vor- und Nachteile vom Leben mit zwei Jobs sprechen. ▶M4, A2	☐	☐	☐
… Meinungen über Sprüche zum Thema „Arbeit" austauschen. ▶AB M4, Ü1	☐	☐	☐
… Notizen zu Hauptaussagen in einer Straßenumfrage zum Thema „Berufsleben" machen. ▶M1, A2a	☐	☐	☐
… einen Aushang für eine Dienstleistung schreiben. ▶M2, A2d	☐	☐	☐
… kurze Beiträge in einem Chat schreiben. ▶M4, A4b	☐	☐	☐
… einen kurzen Text über eine Person schreiben. ▶AB M4, Ü2b	☐	☐	☐

Das habe ich zusätzlich zum Buch auf Deutsch gemacht (Projekte, Internet, Filme, Texte, …):

Datum: Aktivität:

_____   _____

_____   _____

_____   _____

_____   _____

▸ **Grammatik und Wortschatz weiterüben: interaktive Übungen unter www.aspekte.biz/online-uebungen1**

Wortschatz

Modul 1   Wünsche an den Beruf

die Anerkennung	_____	das Gehalt, -"er	_____
das Arbeitsklima	_____	die Herausforderung, -en	_____
die Aufforderung, -en	_____	jammern	_____
die Aufstiegschance, -n	_____	die Kenntnisse (Pl.)	_____
beruflich	_____	die Sicherheit	_____
das Einkommen, -	_____	die Voraussetzung, -en	_____

Modul 2   Ideen gesucht

anbieten (bietet an, bot an, hat angeboten)	_____	innovativ	_____
		kompetent	_____
das Angebot, -e	_____	der Mut	_____
die Dienstleistung, -en	_____	persönlich	_____
der Erfolg, -e	_____	die Pleite, -n	_____
erreichen	_____	praktisch	_____
handwerklich	_____	ruckzuck	_____
harmonisch	_____	der Service, -s	_____
die Idee, -n	_____	stressfrei	_____
der Impuls, -e	_____	das Talent, -e	_____
individuell	_____	zuverlässig	_____

Modul 3   Darauf kommt's an

das Anschreiben, -	_____	der Lebenslauf, -"e	_____
das Arbeitszeugnis, -se	_____	lückenlos	_____
sich bewerben um (bewirbt sich, bewarb sich, hat sich beworben)	_____	der/die Personalchef/in, -s/-nen	_____
		der Ratgeber, -	_____
die Bewerbung, -en	_____	selbstverständlich	_____
der Eindruck, -"e	_____	die Tätigkeit, -en	_____
das Engagement	_____	übertreiben (übertreibt, übertrieb, hat übertrieben)	_____
erwähnen	_____		
das Fachwissen	_____	vertraut sein mit	_____
die Gehaltsvorstellung, -en	_____	vollständig	_____
gepflegt	_____	das Vorstellungsgespräch, -e	_____

Modul 4 Mehr als ein Beruf

der Abschied, -e _____

der Aktenkoffer, - _____

der Alltag _____

der/die Angestellte, -n _____

sich auskennen mit (kennt _____

   sich aus, kannte sich aus,

   hat sich ausgekannt)

behandeln _____

bereuen _____

die Besprechung, -en _____

der Chat, -s _____

denkbar _____

einschätzen _____

der Entschluss, -"e _____

die Erfahrung, -en _____

insgesamt _____

die Konferenz, -en _____

die Konkurrenz _____

massieren _____

ökologisch _____

ökonomisch _____

organisieren _____

der Stammgast, -"e _____

das Standbein, -e _____

teilweise _____

vermutlich _____

vorstellbar _____

sich etw. vorstellen _____

wahrscheinlich _____

Wichtige Wortverbindungen:

frei Haus _____

im Grunde _____

sein eigener Herr sein _____

ein Hobby zum Beruf machen _____

eine Idee wird geboren _____

Interesse zeigen _____

etwas Neues anpacken _____

eine Rolle übernehmen _____

seine Ruhe haben _____

bei der Wahrheit bleiben _____

etw. kommt jmd. zugute _____

Wörter, die für mich wichtig sind:

_____ _____ _____ _____

_____ _____ _____ _____

_____ _____ _____ _____

_____ _____ _____ _____

Für immer und ewig

Vor dem Start: Erinnern Sie sich? Diese Übungen bereiten Sie auf das Kapitel vor.

1a Ordnen Sie die Definitionen den Verwandtschaftsbezeichnungen zu.

1. _f_ der Schwiegervater
2. ____ die Nichte
3. ____ das Enkelkind
4. ____ der Schwiegersohn
5. ____ der Großonkel
6. ____ die Cousine
7. ____ die Schwägerin

a Ehemann meiner Tochter
b Onkel meiner Mutter / meines Vaters
c Tochter meiner Tante / meines Onkels
d Kind meiner Tochter / meines Sohnes
e Ehefrau meines Bruders / Schwester meines Ehepartners
f Vater meines Ehepartners / meiner Ehepartnerin
g Tochter meiner Schwester / meines Bruders

b Welche anderen Verwandtschaftsbezeichnungen kennen Sie? Notieren Sie.

_____

c Wie heißen die Bezeichnungen aus 1a in Ihrer Sprache? Welche Unterschiede gibt es?

2 Ergänzen Sie den Text.

sich kennenlernen	zur Welt kommen	Witwe sein	heiraten sterben
~~zusammen sein~~		sich scheiden lassen	schwanger sein

Ulla und Bernd (1) _sind_ schon sehr lange
zusammen. Sie haben (2) _____
in einem Café _____. Vor
einem Monat haben die beiden (3) _____.
Bernds Eltern leben nicht mehr zusammen. Sie haben
(4) _____ nach zehn Jahren Ehe
_____. Ullas Mutter
(5) _____, denn ihr Mann (6) _____
bei einem Autounfall _____.
Ulla (7) _____, sie erwartet ein Kind.
Das Kind soll im August (8) _____.

3 Welches Wort passt nicht in die Reihe?

1. jmd. verlassen – sich scheiden lassen – ~~sich kennenlernen~~ – sich trennen
2. die Hochzeit – die Familie – die Taufe – die Beerdigung
3. der Neid – das Misstrauen – die Eifersucht – die Liebe
4. das Verständnis – das Misstrauen – der Respekt – die Toleranz
5. die Familie – die Geschwister – die Verwandtschaft – der Freundeskreis
6. schimpfen – sich versöhnen – sich streiten – jmd. enttäuschen
7. die Krise – der Konflikt – das Gespräch – der Krach
8. ledig – verliebt – geschieden – verheiratet

4 In dem Suchrätsel sind sechs Wörter versteckt: Markieren Sie sie und ergänzen Sie dann die Sätze mit den Wörtern.

B	E	Z	I	E	H	U	N	G	S
I	T	W	A	Q	U	O	I	D	I
S	C	H	E	I	D	U	N	G	N
X	P	A	T	B	L	P	K	M	G
P	A	R	T	N	E	R	O	A	L
S	A	Z	E	S	R	I	Z	V	E
T	R	H	O	C	H	Z	E	I	T

1. Es ist nicht so einfach, den _____ fürs Leben zu finden.

2. Nächste Woche heiratet meine Cousine. Das wird bestimmt eine tolle _____.

3. Paula und Yves sind wirklich ein schönes _____.

4. In jeder _____ gibt es manchmal Probleme und Streit.

5. Seit ihrer _____ lebt Maria allein mit ihrer Tochter.

6. Luca hat sich von seiner Freundin getrennt und ist jetzt wieder _____.

5a Was passt zusammen? Notieren Sie mit Artikel. Bei einigen Wörtern gibt es mehrere Möglichkeiten.

Lebens-	Partner-	Patchwork-	Familien-	Kinder-	Liebes-	Hochzeits-	Beziehungs-

Problem	Kummer	Familie	Feier	Suche	Geschichte	Lachen	Mitglied	Form

die Lebensform, _____

_____

_____

_____

b Welche Erklärung gehört zu welchem Begriff? Verbinden Sie.

1. die Patchworkfamilie

2. die Senioren-WG

3. die Fernbeziehung

4. der Lebensgefährte / die Lebensgefährtin

5. die Scheidungsrate

a Zusammenleben von mehreren älteren Menschen in einer Wohnung

b Person, mit der man wie in einer Ehe lebt

c Familie, in der Kinder mit unterschiedlichen Elternteilen leben

d Prozentzahl, die angibt, wie viele Ehen pro Jahr geschieden werden

e Partnerschaft, bei der das Paar nicht am gleichen Ort wohnt

Lebensformen

1 Arbeiten Sie zweit. Jeder wählt ein Bild.
In einer Zeitschrift haben Sie eine Umfrage zum Thema „Familie" gelesen. Berichten Sie Ihrem Partner / Ihrer Partnerin kurz, welche Informationen Sie hier bekommen. Danach berichtet Ihr Partner / Ihre Partnerin über seine/ihre Informationen.
Sie sollen auch von Ihren persönlichen Erfahrungen erzählen und Ihrem Partner / Ihrer Partnerin Fragen stellen. Auf seine/ihre Fragen sollen Sie reagieren, sodass ein Gespräch entsteht.

> Ich habe noch keine Familie und ehrlich gesagt genieße ich auch meine Unabhängigkeit. Ich bin frei und kann machen, was ich will. Am Wochenende gehe ich gern aus und schlafe lange. Das geht ja mit kleinen Kindern nicht mehr. Die meisten Leute mit Kindern, die ich kenne, sind oft gestresst. Aber trotzdem wünsche ich mir irgendwann eine eigene Familie, aber erst in ein paar Jahren.

Moritz Holzmann, 28 Jahre, Informatiker

> Wir haben drei Kinder, deshalb ist bei uns immer was los. Natürlich ist es oft laut und chaotisch, aber ich mag das. Ohne Kinder wäre das Leben doch langweilig. Oft ist es natürlich schwer, Beruf und Familie zu vereinbaren. Und manchmal hätte ich auch gern mehr Zeit für mich, dann könnte ich zum Beispiel öfter zum Sport gehen.

Corinna Moltke, 35 Jahre, Journalistin

2 Reflexivpronomen. Ergänzen Sie die Tabelle.

	ich	du	er/es/sie	wir	ihr	sie/Sie
Akkusativ	*mich*					
Dativ						

 3 Akkusativ oder Dativ? Kreuzen Sie an.

1. Als ich Ben zum ersten Mal gesehen habe, habe ich ☐ mich ☐ mir sofort in ihn verliebt.
2. Ich habe ☐ mich ☐ mir dann jeden Tag mit ihm getroffen. Das war eine schöne Zeit.
3. So einen Mann wie ihn hatte ich ☐ mich ☐ mir schon immer gewünscht.
4. Damals konnte ich ☐ mich ☐ mir nicht vorstellen, dass wir uns jemals streiten.
5. Aber bald gab es jeden Tag Streit und nach einem Jahr trennte ich ☐ mich ☐ mir von ihm.
6. Diese Entscheidung war sehr schwer, aber ich hatte ☐ mich ☐ mir das gut überlegt.
7. Jetzt habe ich ☐ mich ☐ mir wieder an das Singleleben gewöhnt.

4 Familienalltag. Schreiben Sie Sätze im Imperativ.

1. Mir ist kalt. (sich einen Pulli anziehen)

   Dann zieh dir einen Pulli an.

2. Meine Hände kleben so. (sich die Hände waschen)

   _____

3. Hier ist kein Joghurt. (sich einen Joghurt aus dem Kühlschrank holen)

   _____

4. Meine Haare sehen so schrecklich aus. (sich die Haare kämmen)

   _____

5. Ich brauche noch ein Matheheft. (sich ein Heft kaufen)

   _____

6. Es ist so heiß hier. (sich die Jacke ausziehen)

   _____

5 Ergänzen Sie die Reflexivpronomen.

Hallo Thomas,

ich muss dir jetzt einfach schreiben, weil ich (1) _____ seit Tagen frage, was

ich machen soll. Ich kann (2) _____ einfach nicht entscheiden, ob ich wegen

Monika ein tolles Jobangebot ablehnen soll oder nicht. Wir sind ja schon seit vier Jahren

zusammen und wir lieben (3) _____ wirklich sehr. Aber jetzt hätte ich die

Möglichkeit, für meine Firma nach Südamerika zu gehen. So eine Chance habe ich

(4) _____ schon immer gewünscht – aber Monika möchte nicht mitkommen.

Sie hat vor einem halben Jahr hier eine super Arbeit gefunden und sie kann

(5) _____ jetzt nicht vorstellen, ins Ausland zu gehen. Soll ich allein für zwei Jahre

weggehen? Ich habe (6) _____ so über dieses Angebot gefreut ... In der Zeit

würden wir (7) _____ aber nur alle paar Monate sehen. Aber ich verstehe auch,

wenn Monika dann enttäuscht von mir ist. Was meinst du? Wie würdest du (8) _____

entscheiden?

Bis bald

Holger

---

 6 Hier fehlen die Reflexivpronomen. Markieren Sie die Stelle und ergänzen Sie das richtige
Pronomen.

1. ○ Ich wollte noch dafür bedanken, dass du das ↓ *mich*

   Geschenk für Peter und Sofia besorgt hast.

2. ● Kein Problem. Hast du schon erkundigt, wann

   die Hochzeit beginnt?

3. ○ Um 13 Uhr. Ich habe auch schon gewundert,

   dass das nicht auf der Einladung stand.

4. ● Ah, gut. Wir freuen sehr auf das Fest. Kommt Georg

   eigentlich auch?

5. ○ Georg hat keine Zeit. Er muss doch immer um seine

   kranken Eltern kümmern.

6. ● Aber er beschwert nie. Unglaublich!

7. ○ Oh, schon so spät! Ich muss beeilen, sonst regt mein Chef wieder auf.

8. ● Okay, dann melde doch heute Abend, dann können wir weiterunterhalten.

Klick dich zum Glück

1a Hören Sie den ersten Teil einer Radiosendung. Machen Sie zu folgenden Punkten Notizen.

28

1. Was für eine Sendung? _____

2. Welches Thema? _____

3. Aufforderung an die Zuhörer? _____

b Hören Sie den zweiten Teil und notieren Sie: Woher kommen die Anrufer und wer von ihnen hat

29-31   einen Partner / eine Partnerin in einer Online-Partnerbörse gefunden?

1. Mike	*aus Hannover*
2. Rüdiger	
3. Julia	

c Hören Sie die drei Anrufer noch einmal.
Wer sagt das? Markieren Sie.

	Mike	Rüdiger	Julia
1. Das Internet bietet kostenlose Möglichkeiten für die Partnersuche.			
2. Viele ältere Menschen halten diese Art des Kennenlernens für zu anonym.			
3. Eine Mitgliedschaft in einer Partnerbörse ist oft recht teuer.			
4. Partnerbörsen, die einen Mitgliedsbeitrag verlangen, sind effektiver.			
5. Wenn man viele Partnervorschläge bekommt, kommt man oft nicht weiter.			
6. Partnervorschläge werden absichtlich am Ende einer Mitgliedschaft verschickt.			
7. In sozialen Netzwerken kann man immer neue Leute kennenlernen.			
8. Am besten ist es, Mitgliedschaften für ein Vierteljahr abzuschließen.			
9. Wenn man aufrichtig und offen ist, findet man auch passende Partner.			
10. Soziale Netzwerke gibt es für jedes Alter und für viele Hobbys.			

2a Lesen Sie die Reaktion einer Hörerin auf die Ratgebersendung aus 1. Bringen Sie die Sätze in die richtige Reihenfolge.

> **TIPP** **Textzusammenhänge verstehen**
> Um die logischen Zusammenhänge in Texten besser zu verstehen, achten Sie besonders auf Konnektoren (z. B. *deswegen, darum*), Pronomen (z. B. *er, es, man*) und Adverbien (z. B. *dort, dahin, darüber*).

	Das kann ich nur bestätigen, denn ich war selbst sehr lange Single,		Wie Sie am Anfang Ihrer Sendung feststellen, suchen und finden viele Menschen ihr Glück im Internet.
	Abschließend möchte ich sagen, dass ich im Internet einen sehr netten Mann kennengelernt habe.		Simone Lerchner
	Für solche Menschen ist diese Art der Partnersuche sehr effektiv und hilfreich.		dass man in Kontaktbörsen Menschen treffen kann, die alle nicht mehr allein sein wollen.
	bis mir die Idee kam, Mitglied in einer Kontaktbörse zu werden.		Dort habe ich nur gute Erfahrungen gemacht und ich denke, das Kennenlernen auf so einer Plattform hat viele Vorteile.
	Darüber bin ich sehr glücklich. Deshalb bereue ich meine Anmeldung in der Kontaktbörse nicht	1	Sehr geehrte Damen und Herren,
	mit großem Interesse habe ich Ihre Sendung zum Thema „Partnervermittlungen im Internet" verfolgt.		Auf diese Weise erhält man eine Auswahl an möglichen Partnern, die aufgrund ihrer Eigenschaften und Interessen zu einem passen, und hat gute Chancen, einen Partner zu finden.
	Mit freundlichen Grüßen		und möchte diese Art des Kennenlernens allen suchenden Menschen empfehlen.
	Besonders, wenn man eine Kontaktbörse wählt, die ein detailliertes Profil der Mitglieder erstellt, wie Rüdiger das in Ihrem Beitrag empfiehlt.		Der wichtigste Vorteil für mich ist,

b Schreiben nun Sie eine Reaktion auf die Sendung an den Radiosender. Schreiben Sie zu folgenden Punkten:

- wie Ihnen die Sendung gefallen hat
- welche Meinung Sie interessant fanden und warum
- wie man Ihrer Meinung nach Leute kennenlernen kann

> *Sehr geehrte Damen und Herren,*
>
> *ich habe vor Kurzem Ihre Sendung „Partnervermittlung im Internet" gehört und möchte Ihnen unbedingt meine Meinung dazu schreiben. ...*

Die große Liebe

1 Welche Adjektive beschreiben das Aussehen eines Menschen und welche den Charakter? Sortieren Sie in einer Tabelle. Welche Adjektive kennen Sie noch? Ergänzen Sie jeweils drei.

| ~~aufrichtig~~ modern tolerant sportlich temperamentvoll gepflegt zuverlässig |
| mollig egoistisch warmherzig schick ehrlich sensibel begeisterungsfähig |
| elegant ernst ~~trainiert~~ geduldig hübsch liebenswert schlank gesprächig |

Aussehen	Charakter
trainiert	aufrichtig

2a Menschen, die für mich wichtig sind. Bilden Sie Relativsätze.

1. Das ist mein Freund, …
a Er lebt leider ganz weit weg.
b Du würdest ihn sicher nett finden.
c Ich verzeihe ihm immer alles.
d Ich würde alles für ihn tun.
e Sein Humor ist toll.

2. Das ist das Kind, …
a Es wohnt neben mir.
b Man sieht es oft draußen spielen.
c Dieses Spielzeug gehört ihm.
d Ich habe dir schon oft von ihm erzählt.
e Sein Lachen hört man oft.

3. Das ist meine beste Freundin, …
a Sie versteht mich immer.
b Ich sehe sie fast jeden Tag.
c Ich helfe ihr immer bei ihren Seminararbeiten.
d Ich bin mit ihr aufgewachsen.
e Ihre Familie kenne ich auch gut.

4. Das sind meine Eltern, …
a Sie sind immer für mich da.
b Heute habe ich sie eingeladen.
c Ihnen verdanke ich viel.
d Mit ihnen streite ich mich auch manchmal.
e Ihre Hilfe ist oft wichtig für mich.

1.a Das ist mein Freund, der leider ganz weit weg lebt.

b Bilden Sie eigene Sätze.

1. Das ist mein Freund, der _____

2. Das ist meine Freundin, die _____

3. Das ist mein Nachbar, den _____

4. Das ist meine Kollegin, deren _____

5. Das ist das Baby von meiner Schwester, _____

6. Das sind meine Freunde, _____

3 Wenn die große Liebe nervt. Lesen Sie die Kommentare und ergänzen Sie die Relativpronomen.

ROSALIE 13.4. | 17:55

Mein Freund ist ein Mensch, mit (1) _____ ich über alles reden kann und

(2) _____ immer versucht, mir zu helfen. Außerdem hat er so eine Art,

(3) _____ mich oft zum Lachen bringt. Aber gleichzeitig nervt er mich

manchmal total, z. B. wenn er ewig über Fußball redet. Geht euch das auch so in

eurer Beziehung?

MAX2000 13.4. | 19:03

Das ist ganz normal. Die ewige Harmonie, von (4) _____ viele Leute

träumen, gibt es doch gar nicht. Ich liebe meine Freundin, aber es nervt mich, wenn

sie stundenlang mit ihren Freundinnen telefoniert, (5) _____ sie doch eh

jeden Tag sieht. Oder wenn ich nach einem langen Arbeitstag, (6) _____

echt stressig war, noch mit ihr ausgehen soll. Aber niemand ist perfekt, an jedem

Menschen gibt es Dinge, (7) _____ man anstrengend findet.

BELINDA 13.4. | 20:16

Mein Freund, mit (8) _____ ich seit einem Jahr zusammenwohne, und ich

streiten uns oft. Zum Beispiel, weil er nie aufräumt. Aber andererseits ist er der

Mensch, (9) _____ immer für mich da ist, und ihn nervt bestimmt auch

vieles an mir.

ROBI 13.4. | 20:44

Wenn der Mensch, mit (10) _____ man so viel Zeit verbringt, nur noch

nervt, dann stimmt etwas nicht! Meine letzte Beziehung, (11) _____

drei Jahre gedauert hat, war schön, aber am Ende gab es nur noch Stress wegen

Kleinigkeiten. Die Hochzeit, (12) _____ nächsten Mai stattfinden sollte,

haben wir abgesagt ☹.

---

4 Ergänzen Sie die Sätze mit den Relativpronomen *wo*, *wohin*, *woher* und *was*.

1. Meine beste Freundin heiratet bald, _____ mich sehr freut.

2. Wir fahren dieses Jahr nach Polen, _____ mein Mann kommt.

3. Alles, _____ mich beschäftigt, bespreche ich mit meinem Freund.

4. Wir suchen noch den richtigen Ort, _____ wir langfristig leben möchten.

5. Das, _____ er gesagt hat, ist nicht wahr.

6. Mit meinen Freundinnen kann ich viel lachen, _____ für mich sehr wichtig ist.

7. Hier gibt es nichts, _____ ihr gefällt.

8. Berlin, _____ ich letzten Monat mit meinem Freund geflogen bin, gefällt mir sehr.

9. Du hast mich an etwas erinnert, _____ ich schon lange vergessen hatte.

10. Meine Freundin spricht nur noch über ihre Beziehung, _____ ich echt schrecklich finde.

Eine virtuelle Romanze ——————— Modul 4 · 7

1a Die Wortfamilie „Liebe". Ordnen Sie die Wörter in die Tabelle ein. Schreiben Sie die Nomen mit bestimmtem Artikel.

JUGENDLIEBE|KINDERLIEBLIEBHABERLIEBLICHNÄCHSTENLIEBELIEBESGESCHICHTEVERLIEBTVORLIEBE
ORDNUNGSLIEBENDLIEBLOSRUHELIEBENDLIEBEVOLLLIEBESERKLÄRUNGLIEBESPAARUNBELIEBTLIEBESKRANK

Nomen	Adjektive
die Jugendliebe, …	

b Ergänzen Sie Wörter aus 1a.

1. Unter _____ versteht man die Bereitschaft, anderen Menschen zu helfen.

2. Wenn man besonders gerne klassische Musik hört, hat man eine _____ für diese Musik.

3. Zwei Menschen, die sich lieben, sind ein _____.

4. Wer großen Wert darauf legt, Ordnung zu halten, ist ein _____ Mensch.

5. Wenn man jemanden liebt, macht man ihm eine _____.

6. Eine Person, die keiner mag, ist eine _____ Person.

7. Wenn man Erzieherin werden möchte, sollte man _____ sein.

8. Der Film „Titanic" erzählt eine _____, die tragisch endet.

2 Rund ums Herz. Welche Redewendung passt zu den Bildern? Ordnen Sie zu.

> 1. Er hat sein Herz für die Musik entdeckt.   2. Sie sind ein Herz und eine Seele.
>
> 3. Er hat ihr das Herz gebrochen.   4. Ein Bekannter hat mir sein Herz ausgeschüttet.

A ___   **B** ___   **C** ___   **D** ___

3a Lesen Sie den Text. Unterstreichen Sie beim Lesen die Hauptinformationen. Geben Sie anschließend den Inhalt des Textes mithilfe der Hauptinformationen wieder.

Liebesschlösser

Ein Liebesschloss ist nicht, wie der Name vermuten lässt, ein romantischer Ort für Verliebte. Es handelt sich hierbei um einen Brauch, Vorhängeschlösser an einer Brücke zu befestigen. Ein gemeinsames Liebesschloss gilt als großer Liebesbeweis, da durch das Verschließen des Schlosses die enge Zusammengehörigkeit und Treue des Paares symbolisiert wird.

Mit den Worten „für immer" werfen die Verliebten die passenden Schlüssel zum Schloss in den Fluss, der unter der Brücke fließt. Dies macht es nahezu unmöglich, die Schlüssel jemals wiederzufinden – das Schloss bleibt ewig verschlossen und man hofft, dass niemand die tiefe Liebe des Paares durchbrechen kann.

In vielen Ländern kennt man die Liebesschlösser. Auch in Deutschland ist dieser Brauch mittlerweile angekommen. An der Kölner Hohenzollernbrücke zum Beispiel wurden im Sommer 2008 die ersten Liebesschlösser gesichtet und Brücken mit Liebesschlössern gibt es seither in immer mehr Städten.

Über zehntausend Liebesschlösser hängen bereits an der Hohenzollernbrücke in Köln

b Gibt es diesen Brauch auch in Ihrem Land? Welche anderen Bräuche, seine Liebe zu zeigen, gibt es?

Aussprache: begeistert und ablehnend

Paul und Viola sind auf dem Weg nach Hause. Sie kommen von der Hochzeit von Sandra und Jörg. Paul hat die Feier gefallen. Viola ist ganz anderer Meinung.

32

a Hören Sie den Dialog und unterstreichen Sie die Wörter, die besonders betont sind.

○ Mann, war das ein tolles Fest!
● Was? Das war doch furchtbar!
○ Wieso? Die Leute waren doch total nett.
● Na ja. Du hast ja auch nicht neben Sandras Schwester gesessen. Die redet und redet und redet. Ohne Pause.
○ Aber ich habe ganz toll mit ihr getanzt.
● Toll. Und ich musste mit ihrem Mann tanzen. Der hat ja wirklich zwei linke Füße.
○ Ist aber so ein netter Typ. Und die Band war echt super. Und das Essen erst. Fantastisch!
● Ja, war ganz gut … Aber das Kleid von Sandra. Das geht ja gar nicht …
○ Du hast auch immer was zu meckern!
● Wenn es doch wahr ist!

33

b Hören Sie noch einmal und sprechen Sie nach.

c Sprechen Sie die Sätze. Achten Sie auf die Betonung.

1. Das nervt mich total.　　　　　　　　Das ist doch total klasse.
2. Mir hat das überhaupt nicht geschmeckt.　　Das Essen war einfach wunderbar.
3. Wieso soll ich das schon wieder machen?　　Na, das mache ich doch gerne für dich.

d Schreiben Sie selbst Sätze wie in c. Tauschen Sie mit Ihrem Partner / Ihrer Partnerin und sprechen Sie sie sich gegenseitig vor. Kontrollieren Sie Aussprache und Betonung.

So schätze ich mich nach Kapitel 7 ein: Ich kann …	+	○	−
… einen Radiobeitrag zu Alleinerziehenden und Patchworkfamilien verstehen. ▶M1, A2a-c	☐	☐	☐
… eine Radiosendung über Partnerbörsen verstehen. ▶AB M2, Ü1	☐	☐	☐
… einen Text zur Partnersuche im Internet verstehen. ▶M2, A2	☐	☐	☐
… Zeitschriftentexte über „Die große Liebe" verstehen. ▶M3, A2	☐	☐	☐
… Rezensionen zu einem Roman verstehen. ▶M4, A1	☐	☐	☐
… einen literarischen Text verstehen. ▶M4, A2, A3, A6, A7, A9	☐	☐	☐
… über verschiedene Lebensformen diskutieren. ▶M1, A1b	☐	☐	☐
… eine kurze Geschichte erzählen. ▶M1, A4	☐	☐	☐
… über eine Umfrage diskutieren. ▶AB M1, Ü1	☐	☐	☐
… meinen Traumpartner / meine Traumpartnerin beschreiben. ▶M3, A5	☐	☐	☐
… Vermutungen über die Fortsetzung und das Ende einer Geschichte anstellen. ▶M4, A5, A10	☐	☐	☐
… Notizen zu einem Radiobeitrag über Alleinerziehende und Patchworkfamilien machen und ein kurzes Porträt schreiben. ▶M1, A2c, d	☐	☐	☐
… meine Meinung zu Online-Partnerbörsen in einem Forum schreiben. ▶M2, A3, A4	☐	☐	☐
… eine Reaktion auf eine Radiosendung zum Thema „Kontaktbörsen" schreiben. ▶AB M2, Ü2b	☐	☐	☐
… einen Steckbrief über eine Person schreiben. ▶M4, A8	☐	☐	☐
… ein Ende zu einer Geschichte schreiben. ▶M4, A10	☐	☐	☐

Das habe ich zusätzlich zum Buch auf Deutsch gemacht (Projekte, Internet, Filme, Texte, …):

Datum: Aktivität:

_____ _____

_____ _____

_____ _____

_____ _____

_____ _____

_____ _____

Grammatik und Wortschatz weiterüben: interaktive Übungen unter www.aspekte.biz/online-uebungen1

Wortschatz

Modul 1   Lebensformen

alleinerziehend	_____
alleinlebend	_____
eifersüchtig	_____
die Enttäuschung, -en	_____
sich entschließen zu	_____
(entschließt sich,	
entschloss sich,	
hat sich entschlossen)	
die Fernbeziehung, -en	_____
sich gewöhnen an	_____
der Hort, -e	_____
kinderlos	_____

das Lebensziel, -e	_____
leiblich	_____
die Patchworkfamilie, -n	_____
sich etw. sagen lassen	_____
sich scheiden lassen	_____
die Scheidungsrate, -n	_____
der Single, -s	_____
der Unterhalt	_____
verkraften	_____
verwitwet	_____
zerbrechen (zerbricht,	_____
zerbrach, hat zerbrochen)	

Modul 2   Klick dich zum Glück

der Anbieter, -	_____
ansprechen (spricht an,	_____
sprach an, hat ange-	
sprochen)	
die Auswahl	_____
boomen	_____
der Dienst, -e	_____
flexibel	_____
gebührenpflichtig	_____
die Kontaktbörse, -n	_____
kostenpflichtig	_____

der/die Lebensgefährte/	_____
-in, -n/-nen	
online	_____
die Partnervermittlung, -en	_____
die Plattform, -en	_____
das Profil, -e	_____
die Suchmaschine, -n	_____
unpersönlich	_____
vermittelbar	_____
die Zielgruppe, -n	_____

Modul 3   Die große Liebe

der Altersunterschied, -e	_____
begeisterungsfähig	_____
erleben	_____
faszinierend	_____
grenzenlos	_____
das Heimweh	_____
die Kontaktanzeige, -n	_____
die Lebensart, -en	_____

die Mentalität, -en	_____
nachholen	_____
passen zu	_____
passieren	_____
plagen	_____
vermissen	_____
verpassen	_____
das Vorurteil, -e	_____

Modul 4   Eine virtuelle Romanze

das Abonnement, -s _____   der Mailwechsel, - _____

die Belästigung, -en _____   die Massenmail, -s _____

die Empfehlung, -en _____   sich näherkommen (kom- _____

genervt sein _____   men sich näher, kamen

das Happy End, -s _____   sich näher, sind sich

herausfordernd _____   näher gekommen)

ironisch _____   schlagfertig _____

irrtümlich _____   schüchtern _____

langatmig _____   die Wortspielerei, -en _____

lesenswert _____

Wichtige Wortverbindungen:

ein Abonnement abbestellen   _____

im Durchschnitt   _____

eine Familie gründen   _____

meine große Liebe   _____

Pläne schmieden   _____

süchtig sein nach   _____

ein Buch nicht mehr weglegen können _____

Wörter, die für mich wichtig sind:

_____ _____ _____ _____

_____ _____ _____ _____

_____ _____ _____ _____

_____ _____ _____ _____

Kaufen, kaufen, kaufen

Vor dem Start: Erinnern Sie sich? Diese Übungen bereiten Sie auf das Kapitel vor.

1 Was fällt Ihnen alles zum Thema „Kaufen" ein? Machen Sie eine Mindmap.

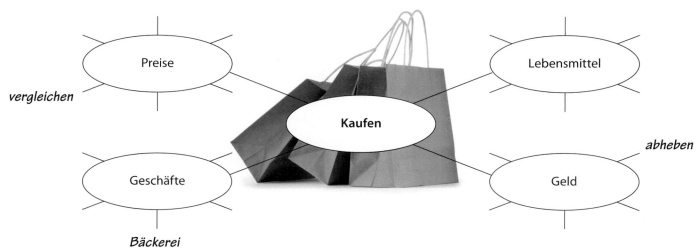

2a Wie heißen die neun Verben rund um das Thema „Einkaufen"?

1. S L E L B T E N E   b _e s t e l l e n_
2. L O A H E N B   a _ _ _ _ _ _ _
3. E A N P N K E I C   e _ _ _ _ _ _ _ _ _
4. T M N A U H S U E C   u _ _ _ _ _ _ _ _ _ _
5. C U Z Ü K E G N R B E   z _ _ _ _ _ _ _ _ _ _ _

6. B A E G E U S N   a _ _ _ _ _ _ _ _
7. E N L A H Z   z _ _ _ _ _ _
8. N K U E F E N A I   e _ _ _ _ _ _ _ _ _ _
9. F G L L E A E N   g _ _ _ _ _ _ _ _

b Ergänzen Sie die Verben aus 2a in der richtigen Form.

○ Ich gehe noch in die Stadt (1) _____, kommst du mit?

● Ja, warte, ich wollte sowieso ein Buch (2) _____, das ich gestern

(3) _____ habe. Und den Pulli hier nehme ich auch mit, er (4) _____

mir doch nicht, ich will ihn (5) _____. Ich nehme doch lieber einen blauen.

○ Na, hoffentlich haben sie den noch in Blau.

● Bestimmt. Und wenn nicht, kann ich den Pulli sicherlich (6) _____. Ich habe in dem

Geschäft schon so viel Geld für Kleidung (7) _____, die kennen mich schon.

▶ Guten Tag, was kann ich denn heute für Sie tun?

● Ich möchte den grauen Pulli gegen einen blauen umtauschen. Geht das?

▶ Ja, sicher. Den haben wir auch in Blau in der Größe da.

● Sehr schön. Und ich nehme diese Kette hier. Können Sie sie mir bitte als Geschenk

(8) _____? Und kann ich mit Karte (9) _____?

3a In welches Fachgeschäft gehen Sie, wenn Sie …

1. _____ Brötchen und Nusshörnchen einkaufen möchten?
2. _____ einen Hammer, eine Säge und Nägel brauchen?
3. _____ ein frisches Steak kaufen möchten?
4. _____ zwei Kästen Cola zu einem Fest mitbringen wollen?
5. _____ jemandem einen Roman schenken wollen?
6. _____ eine Tageszeitung kaufen wollen?
7. _____ Duschgel und Zahnpasta brauchen?

a Drogeriemarkt
b Buchhandlung
c Getränkemarkt
d Baumarkt
e Kiosk
f Metzgerei/Fleischerei
g Bäckerei

b Suchen Sie die Oberbegriffe und ergänzen Sie jeweils drei weitere Wörter.

BEL	DUNG	SCHREIB	MÖ	GE	~~KLEI~~	SCHIRR	WAREN

1. _Klei_ _____

   der Rock – die Socke – der Mantel – die Jacke – _____

2. _____

   der Stuhl – der Tisch – die Lampe – das Sofa – _____

3. _____

   der Teller – die Kanne – die Tasse – die Schüssel – _____

4. _____

   der Radiergummi – die Büroklammer – das Heft – der Füller – _____

c Schreiben Sie selbst Fragen wie in 3a zu vier Fachgeschäften und stellen Sie diese Ihrem Partner / Ihrer Partnerin. Er/Sie nennt das passende Geschäft.

Schuhladen, Gärtnerei, Juwelier, Haushaltswarenladen, Sportgeschäft, Zoogeschäft, Optiker, Schreibwarenladen, Möbelgeschäft, Obst- und Gemüsegeschäft, Parfümerie, …

4 Welche Beschreibung passt zu welchem Nomen? Ordnen Sie zu.

1. _____ die Werbung
2. _____ das Einkaufscenter
3. _____ die Reklamation
4. _____ die Sonderaktion
5. _____ das Schnäppchen
6. _____ der Preisnachlass
7. _____ die Bedienungsanleitung
8. _____ das Schaufenster
9. _____ die Umkleidekabine

a ein Angebot, das es ausnahmsweise und nur für eine bestimmte Zeit gibt
b ein großes Gebäude, in dem es viele unterschiedliche Geschäfte und Restaurants gibt
c hier sind Waren und Produkte dekoriert, die man von außen sehen kann
d etwas, das man sehr günstig eingekauft hat
e ein Zettel oder ein kleines Heft, in dem beschrieben ist, wie ein Gerät funktioniert
f Maßnahme (z. B. im Radio oder Fernsehen), mit der man versucht, Leute für ein Produkt zu interessieren
g ein Rabatt
h eine Beschwerde über ein fehlerhaftes Produkt
i ein kleiner abgetrennter Raum in einem Kaufhaus, in dem man Kleidung anprobieren kann

Dinge, die die Welt (nicht) braucht

1a Auf welche Erfindung möchten Sie auf keinen Fall verzichten? Sammeln Sie im Kurs.

Ich möchte auf Reisen auf keinen Fall auf meinen Trolley verzichten. Endlich nicht mehr so schwer tragen im Urlaub!

Für mich ist die wichtigste Erfindung der Geschirrspüler! Damit spare ich viel Zeit, in der ich schönere Dinge machen kann.

b Hören Sie eine Umfrage. Welche Dinge nennen die Personen und welche Gründe geben sie an? Machen Sie Notizen.

34-36

	Erfindung	Gründe
Mann 1		
Frau		
Mann 2		

c Hören Sie die Umfrage ein zweites Mal und ergänzen Sie Ihre Notizen zu den Gründen in 1b.

2 Schreiben Sie Sätze mit *um ... zu*.

> ständig erreichbar sein   fit bleiben   dir meine neueste Erfindung erklären
>
> sich vor plötzlichem Regen schützen   den Rücken beim Reisen schonen

1. Ich fahre viel mit dem Fahrrad, _____.

2. Der Klappschirm ist perfekt, _____.

3. Diese Rollenkoffer waren die beste Erfindung, _____.

4. Ich habe mein Handy immer dabei, _____.

5. Ich rufe dich nachher an, _____.

3 Ergänzen Sie die Sätze frei.

1. Ich habe viele Monate mein Geld gespart,

   damit _____

2. Ich mache diesen Deutschkurs,

   damit _____

3. Ich werde dich nächste Woche anrufen,

   damit _____

 4 *um … zu* oder *damit*? Bilden Sie die Sätze, wenn möglich, mit *um … zu*, sonst mit *damit*.

1. Ich will etwas Tolles erfinden. Ich will viel Geld verdienen.
2. Ich kaufe gern lustige Erfindungen. Meine Freunde haben Spaß.
3. Wir machen einen Spanischkurs. Wir können im Urlaub ein bisschen mit den Leuten reden.
4. Er hat einen Tanzkurs gemacht. Sie freut sich.

5 Was passt? Ordnen Sie zu und schreiben Sie die Sätze mit *um … zu* oder *damit*.

> sich am Buffet etwas aus einer Schüssel nehmen   die Gäste einen angenehmen Aufenthalt haben
>
> die Luft unter dem Schirm gut sein   nicht nass werden
>
> die Gäste in den Bach sehen konnten   die Gäste unterhalten

Hallo Robert,

letzte Woche war ich in einem verrückten Hotel und habe viele lustige Dinge gesehen. Der Frühstückraum war über einem Bach und im Boden waren Glasfenster, (1) _____
_____. Alles war sehr ruhig und gemütlich,
(2) _____.
In dem Hotel stehen lauter verrückte Sachen, (3) _____
_____. (4) _____
_____, konnte man eine Plastikhand verwenden. Bei
Regen konnte man sich natürlich einen Schirm ausleihen, (5) _____
_____. (6) _____
_____, hatte jeder Schirm einen kleinen Ventilator!
Und es gab noch viel mehr, das muss ich dir alles mal bei einem Kaffee erzählen.
Liebe Grüße
Tina

6 Formulieren Sie die Sätze mit *zum* + nominalisierten Infinitiv.

1. Die Waschmaschine ist eine tolle Erfindung, um Wäsche zu waschen.
2. Um zu arbeiten, brauche ich Ruhe und gute Ideen.
3. Benutzen Sie die Fernbedienung, um das Gerät einzuschalten.
4. Um das Ticket zu lösen, drücken Sie auf die grüne Taste.
5. Um in diesem Geschäft einzukaufen, benötigt man eine Kundenkarte.

   1. Die Waschmaschine ist eine tolle Erfindung zum Wäschewaschen.

> **TIPP** *zum* + nominalisierter Infinitiv
>
> Der Akkusativ im Satz mit *um … zu* wird oft zum Genitiv:
>
> *um das Buch zu lesen* →
> *zum Lesen des Buches*

Konsum heute

 1 Sortieren Sie die Wörter und Ausdrücke. Manche passen in mehrere Kategorien.

> eine Bestellung abschicken   billig   mit Kreditkarte zahlen   Ware anfassen   bar zahlen   gebrauchte Ware
> ein Formular ausfüllen   Ware im Paket   die Werbung   das Geschäft   die Neuware   das Sonderangebot
> der Trödelmarkt   Händler bewerten   der Verkaufsstand   Ware in der Tüte   die Kundenkarte
> nach Raritäten suchen   umtauschen   der Händler / die Händlerin   Fotos ansehen   um den Preis handeln

Flohmarkt	Online-Shopping	Einkaufszentrum

 2 Bilden Sie zusammengesetzte Nomen. Notieren Sie auch den Artikel.

KRAFT	WAREN	VERHALTEN	BETRAG	VERTRAG	AUTOMAT
FALSCH	**-KAUF-**	**-GELD-**		**-KONSUM-**	RATEN
BEUTEL	SCHEIN	HAUS	SORGEN	DENKEN SUMME	VERZICHT

die Geldraten, der Ratenkauf, …

 3a Lesen Sie, was die „Konsumrebellin" in Ihrem Blog schreibt, und ergänzen Sie die Aussagen.

1. Sie hat nichts gegen Konsum, weil sie selbst …
2. Sie sieht Konsum aber auch kritisch, weil man …
3. Während der „Shoppingdiät" will sie …

KONSUM-REBELLIN 24.7. | 18:55
Ich habe nichts gegen Konsum. Wirklich nicht.
Ich bin bekennende Genießerin und weiß eine reiche Angebotsvielfalt zu schätzen.
Ich kann mich echt begeistern für schönes Design und gutes Handwerk. Ich schätze
leckeres, ehrliches, regionales Essen und Trinken. Ach ja, und ein Buch-Junkie bin ich
sowieso.

Aber ich habe etwas dagegen, wie der Konsum unser Leben dominiert.
Wir verbringen so viel Zeit mit Geld verdienen, Geld ausgeben, gekauftes Zeug
lagern, pflegen, verkaufen, entsorgen …, dass uns am Ende kaum noch Zeit zum
Leben bleibt. Ein einfacheres Leben würde den meisten von uns gut tun. Außerdem
glaube ich, dass sich viele den Konsumrausch sowieso nicht mehr lange leisten
können.

Shoppingdiät!
Meine eigene ganz große Konsum-Achillesferse war immer die Mode. Ich habe
jahrelang viel zu viel gekauft. Und trotz eines übervollen Kleiderschranks nie genug
bekommen. Also war klar: Wenn ich was gegen meinen eigenen Konsumrausch tun
will, dann zuerst an dieser Front. Mit einer Shoppingdiät. Ein Jahr lang werde ich
weder Kleider noch Schuhe noch Accessoires kaufen. Niente.

b Schreiben Sie Ihre Reaktion an die „Konsumrebellin". Wie finden Sie die Idee mit der
Shoppingdiät? Welche Diät wäre für Sie gut (Essen, Medien, Musik …)? Oder möchten Sie lieber
etwas mehr konsumieren?

4 Der Lottogewinn: Familie Obermaier hat 1 Million Euro im Lotto gewonnen und freut sich sehr. Allerdings sind sich die Familienmitglieder nicht einig, was man am besten mit dem vielen Geld machen soll.

a Bilden Sie Sechser-Gruppen. Lesen Sie die Rollenkarten und verteilen Sie die Rollen.

b Suchen Sie Argumente für Ihren Vorschlag.

c Notieren Sie Redemittel, die Sie verwenden wollen.

d Diskutieren Sie und einigen Sie sich.

e Berichten Sie im Kurs, wie sich Ihre Gruppe geeinigt hat.

Vater Rolf, 60:
Er arbeitet seit vielen Jahren in einem kleinen Betrieb, dem die Pleite droht. Eine Finanzspritze würde die Arbeitsplätze von zehn Mitarbeitern retten.

Oma Olga, 81:
Der Haushalt wird ihr langsam zu schwer und sie würde am liebsten in das schicke Seniorenheim am See ziehen.

Mutter Ida, 59:
Sie spielt seit 25 Jahren Lotto mit den gleichen Zahlen und hat nun endlich gewonnen. Sie möchte ein großes Haus für die Familie kaufen und den Rest auf die Bank bringen.

Tochter Karin, 23:
Sie studiert an der Uni Gießen und träumt davon, an einer renommierten Uni in den USA ihr Studium fortzusetzen.

Sohn Benni, 27:
Er möchte am liebsten eine Weltreise machen und, solange es geht, nicht arbeiten, sondern nur das Leben genießen.

Tochter Melanie, 32:
Sie hat selbst schon zwei Kinder und möchte die Zukunft ihrer Söhne absichern.

Die Reklamation

1a Ergänzen Sie das Telefongespräch.

> A Könnten Sie mit der Lampe vorbeikommen? Dann tauschen wir sie um.
>
> B aber sie funktioniert irgendwie nicht.   C Aber nach ein paar Tagen hat sie angefangen zu flackern und noch ein paar Tage später war die Glühbirne kaputt.
>
> D Ja, nicht nur mit einer, aber die sind alle immer ganz schnell kaputt.
>
> E Könnten Sie ausprobieren, ob die Lampe funktioniert, wenn Sie sie an eine andere Steckdose anschließen?   F Die Lampe heißt „Sonnengruß".
>
> ~~G was kann ich für Sie tun?~~   H Könnten Sie mir das bitte genauer beschreiben?

Firma Lichtblick, Kundenabteilung, mein Name ist Ute Beer, (1) ___*G*___

            Hallo, mein Name ist Greta Koch. Ich habe letzten Monat eine Lampe bei Ihnen gekauft, (2) _____

Was ist denn das Problem mit der Lampe? (3) _____

            Am Anfang hat die Lampe prima funktioniert. (4) _____

Aha. Welches Modell ist es denn?

            (5) _____

Ah ja. Haben Sie es denn schon mit einer neuen Glühbirne versucht?

            (6) _____

Hm, das kann entweder an der Steckdose liegen oder es liegt am Schalter. (7) _____

            Das habe ich schon ausprobiert, das Problem bleibt das gleiche.

Dann ist vermutlich der Trafo kaputt. (8) _____

            Ja, das mache ich. Vielen Dank.

b Arbeiten Sie zu zweit und lesen Sie den Dialog. Tauschen Sie auch die Rollen.

2 Ergänzen Sie *können* im Konjunktiv II oder die Formen von *würde*.

○ Du, sag mal, ich habe mir letzte Woche einen neuen Drucker gekauft, aber er funktioniert nicht.

  (1) _____ ich bei dir ein paar Seiten ausdrucken?

● Ja, komm einfach vorbei. Aber ich habe kein Papier mehr. (2) _____ du welches

  mitbringen?

○ Mache ich. Ich (3) _____ dann auch gleich noch eine Druckerpatrone mitbringen. Was für

  einen Drucker hast du denn?

● Ach nein, lass das, das (4) _____ du von mir doch auch nicht erwarten, oder?

○ Nein, natürlich nicht, aber freuen (5) _____ ich mich schon …

● Du (6) _____ doch einen Kuchen mitbringen, dann mache ich uns Kaffee.

○ Okay. Gute Idee.

3 Schreiben Sie die Sätze und verwenden Sie den Konjunktiv II.

1. Ich weiß nicht, was kaputt ist. das Gerät / einen Wackelkontakt / haben können.
2. Ich an deiner Stelle das Gerät / ins Geschäft / zurückbringen.
3. Sie / bitte / hier / unterschreiben?
4. Ich möchte endlich gehen. du / dich / jetzt bitte / beeilen?
5. Ich fand den Service in diesem Geschäft sehr schlecht. Wenn ich du wäre, ich / dort / nicht mehr / einkaufen.

1. *Das Gerät könnte einen Wackelkontakt haben.*

4 Was hättest du nur ohne mich gemacht? Schreiben Sie Sätze.

1. Computer nie kaufen
2. kein Handy haben
3. den alten Stuhl nicht reparieren
4. wenig zu lachen haben
5. keine Reisen mehr machen

1. *Du hättest nie einen Computer gekauft.*
2. _____
3. _____
4. _____
5. _____

5 Was hätten die Personen besser machen können? Sehen Sie die Bilder an und schreiben Sie Sätze.

1. *Hätte er den Kassenzettel aufgehoben / nicht weggeworfen, könnte er das Gerät umtauschen.*

Kauf mich!

 1 Welche Erklärung passt? Ordnen Sie zu.

1. _____ die Werbeagentur   a große Werbeaktion mit verschiedenen Mitteln (Anzeigen, Filme, Radio …)

2. _____ das Werbegeschenk   b Unternehmen, das für die Produkte anderer Firmen die Werbung entwickelt

3. _____ der Werbeslogan   c Dinge, die Kunden und Geschäftsfreunde einer Firma geschenkt bekommen

4. _____ der Werbespot   d Werbung in einer Zeitung/Zeitschrift / im Internet

5. _____ die Werbekampagne   e einprägsamer Satz, der ein Produkt bekannt machen soll

6. _____ die Werbeanzeige   f kurzer Werbefilm, der im Fernsehen/Kino/Internet gezeigt wird

 2 Sehen Sie die Bilder an und beschreiben Sie sie. Welche Aspekte aus dem Text von Aufgabe 2 im Lehrbuch finden Sie hier wieder?

3a Ein Thema präsentieren.

Sie sollen Ihren Zuhörern ein aktuelles Thema präsentieren. Dazu finden Sie fünf Folien. Folgen Sie den Aufgaben links und notieren Sie rechts Ihre Ideen. Tipp: Stichworte genügen.

Stellen Sie Ihr Thema vor. Erklären Sie den Inhalt und die Struktur Ihrer Präsentation.

_____
_____
_____
_____
_____

Berichten Sie von Ihrer Situation oder einem Erlebnis im Zusammenhang mit dem Thema.

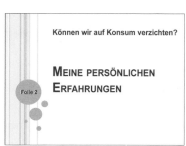

_____
_____
_____
_____
_____

Berichten Sie von der Situation in Ihrem Heimatland und geben Sie Beispiele.

_____
_____
_____
_____
_____

Nennen Sie die Vor- und Nachteile und sagen Sie dazu Ihre Meinung. Geben Sie auch Beispiele.

_____
_____
_____
_____
_____

Beenden Sie Ihre Präsentation und bedanken Sie sich bei den Zuhörern.

_____
_____
_____
_____
_____

b Arbeiten Sie in Gruppen und halten Sie Ihre Präsentationen.

c Über ein Thema sprechen. Arbeiten Sie zu zweit: Person A stellt Fragen und gibt eine Rückmeldung zu der Präsentation von Person B. Person B reagiert auf die Fragen und die Rückmeldung. Dann wechseln Sie.

Fragen
Warum glaubst/denkst du, dass …?
Was ist dir zu dem Thema in Deutschland / Österreich / der Schweiz aufgefallen?

Antworten
Zu deiner Frage kann ich sagen, dass …
Deine Frage / Deine Rückmeldung ist interessant, weil …
Du hast recht. Ich denke auch, dass …
Ich kann dazu nur sagen, dass …

Reaktionen
Deine Präsentation hat mir (sehr) gut gefallen, weil …
Das war interessant, weil …
… war neu für mich.
Ich wusste nicht, dass …

d Diskutieren Sie in Gruppen: Was war gut und leicht? Was möchten Sie beim Sprechen ändern? Sammeln Sie Ideen und Vorschläge.

Aussprache: wichtige Informationen betonen

a Lesen Sie die Sätze. Hören Sie zu und achten Sie auf die Pausen und die Betonung. Welche Aussage hören Sie? Kreuzen Sie an.

1. ☐ a Kommen Sie mit Frau Schulz?   ☐ b Kommen Sie mit, Frau Schulz?
2. ☐ a Das Plakat gefällt mir so super.   ☐ b Das Plakat gefällt mir so, super!
3. ☐ a Wir kaufen das jetzt, Maria.   ☐ b Wir kaufen das jetzt Maria.
4. ☐ a Mach mit beim Kinder-Gartenprojekt!   ☐ b Mach mit beim Kindergarten-Projekt!

b Hören Sie jetzt beide Versionen und sprechen Sie nach.

TIPP Mit Pausen und genauer Betonung kann man die Bedeutung in einem Satz ändern. Beim Lesen helfen Satzzeichen, z. B. ein Komma.

c Hören Sie zu und setzen Sie Satzzeichen.

a Sebastian will Christiane nicht   c Hanne sagt Franz wird nie klug
b Sebastian will Christiane nicht   d Hanne sagt Franz wird nie klug

d Arbeiten Sie zu zweit. Sprechen und kontrollieren Sie die Sätze mit der korrekten Sprechpause und Betonung.

1. a Gut haben Sie sich entschieden.   b Gut, haben Sie sich entschieden?
2. a <u>Du</u>, mein Mann und ich gehen shoppen.   b <u>Du</u>, <u>mein Mann</u> und <u>ich</u> gehen shoppen.
3. a Den Kaffee, nicht den Tee.   b Den Kaffee nicht, den Tee.

e Hören Sie die Sätze aus d zur Kontrolle.

So schätze ich mich nach Kapitel 8 ein: Ich kann …	+	○	–
🔊 … die Argumentation in einer Diskussion über Konsumverhalten verstehen. ▶M2, A3, A4a, b, A5b	☐	☐	☐
… ein Telefongespräch zu einer Reklamation verstehen. ▶M3, A1b	☐	☐	☐
… Radiowerbungen verstehen. ▶M4, A5	☐	☐	☐
… eine Umfrage zum Thema „Unverzichtbare Erfindungen" verstehen. ▶AB M1, Ü1b, c	☐	☐	☐
📖 … Produktbeschreibungen lesen und einem Produkt zuordnen. ▶M1, A1b	☐	☐	☐
… einen Sachtext über Werbung verstehen und in thematische Absätze gliedern. ▶M4, A2b	☐	☐	☐
💬 … ein Produkt beschreiben/präsentieren. ▶M1, A4	☐	☐	☐
… beim Tauschen für mein Produkt werben. ▶M2, A6	☐	☐	☐
… ein Produkt reklamieren. ▶M3, A3b	☐	☐	☐
… eine erfolgreiche Werbung aus meinem Land vorstellen. ▶M4, A3	☐	☐	☐
… über Werbungen sprechen. ▶M4, A4	☐	☐	☐
… eine eigene Werbung entwickeln und präsentieren. ▶M4, A6	☐	☐	☐
… über die sinnvolle Verwendung eines Lottogewinns diskutieren. ▶AB M2, Ü4	☐	☐	☐
… ein kurzes Referat zum Thema „Können wir auf Konsum verzichten?" halten. ▶AB M4, Ü3	☐	☐	☐
✏️ … eine Reklamation schreiben. ▶M3, A4	☐	☐	☐
… eine Werbeanzeige oder einen Radiospot entwerfen. ▶M4, A7a	☐	☐	☐

Das habe ich zusätzlich zum Buch auf Deutsch gemacht (Projekte, Internet, Filme, Texte, …):

Datum: Aktivität:

_____   _____

_____   _____

_____   _____

_____   _____

_____   _____

_____   _____

▶ **Grammatik und Wortschatz weiterüben: interaktive Übungen unter www.aspekte.biz/online-uebungen1**

Wortschatz

Modul 1 Dinge, die die Welt (nicht) braucht

anstecken	_____	nützlich	_____
der Dreck	_____	der Ring, -e	_____
der Durchblick	_____	sichtbar	_____
sich eignen für	_____	der Staub	_____
einschenken	_____	die Tastatur, -en	_____
das Fernglas, -"er	_____	unappetitlich	_____
der Fleck, -en	_____	unerwünscht	_____
der Kekskrümel, -	_____	unterwegs	_____
die Klingel, -n	_____	winzig	_____
die Lupe, -n	_____	zusammenrollen	_____

Modul 2 Konsum heute

die Abwechslung	_____	leiden (leidet, litt, hat gelitten)	_____
die Bequemlichkeit, -en	_____	naiv	_____
beurteilen nach	_____	die Rücksichtnahme	_____
der Besitz	_____	die Sichtweise, -n	_____
der Flohmarkt, -"e	_____	tauschen	_____
gebraucht	_____	verzichten auf	_____
sich etw. gönnen	_____	die Wirtschaft	_____
die Konsumgesellschaft, -en	_____	die Zufriedenheit	_____
kritisch	_____	zugunsten	_____

Modul 3 Die Reklamation

dringend	_____	hinweisen auf (weist hin, wies hin, hat hingewiesen)	_____
einstellen	_____		
das Elektrogeschäft, -e	_____	das Leihgerät, -e	_____
das Ersatzgerät, -e	_____	der Reklamationsgrund, -"e	_____
funktionieren	_____	die Rechnungsnummer, -n	_____
der/die Gesprächspartner/in, -/-nen	_____	der Reißverschluss, -"e	_____
die Gutschrift, -en	_____	schildern	_____
der/die Hersteller/in -/-nen	_____	verbinden (verbindet, verband, hat verbunden)	_____
		der Zoom	_____

Modul 4 Kauf mich!

begrenzt	_____	das Schnäppchen, -	_____
bildschön	_____	das Sonderangebot, -e	_____
die Botschaft, -en	_____	spektakulär	_____
die Distanz, -en	_____	streicheln	_____
der Duft, -"e	_____	voranbringen (bringt voran,	_____
einwickeln	_____	brachte voran, hat voran-	
der Gipfel, -	_____	gebracht)	
glatt	_____	der Vorrat, -"e	_____
das Kindchenschema	_____	die Werbefalle, -n	_____
das Klischee, -s	_____	wirken	_____
schleichen (schleicht,	_____		
schlich, ist geschlichen)			

Wichtige Wortverbindungen:

auf sich aufmerksam machen _____

einen Auftritt haben _____

in die (kleinsten) Ecken kommen _____

Druck machen _____

unter Druck setzen _____

Geld ausgeben _____

in Kauflaune sein _____

den Tisch decken _____

jmd. läuft das Wasser im Mund zusammen _____

Werte vermitteln _____

Wirkung zeigen _____

Wörter, die für mich wichtig sind:

_____ _____ _____ _____

_____ _____ _____ _____

_____ _____ _____ _____

_____ _____ _____ _____

Vor dem Start: Erinnern Sie sich? Diese Übungen bereiten Sie auf das Kapitel vor.

 1 Welche Arten von Reisen gibt es und was bedeuten sie? Ordnen Sie zu.

1. _d_ eine Städtereise	a eine Reise, die man aus beruflichen Gründen macht
2. ____ eine Sprachreise	b eine Reise mit Wohnwagen, Wohnmobil oder Zelt
3. ____ eine Weltreise	c eine Reise zum Entspannen und Ausruhen
4. ____ eine Fernreise	d eine Reise in eine Stadt
5. ____ eine Forschungsreise	e eine Reise um die Erde
6. ____ eine Flugreise	f eine Reise zum Verbessern einer Fremdsprache
7. ____ eine Campingreise	g eine Reise in ein weit entferntes Land
8. ____ eine Pauschalreise	h eine Reise zu wissenschaftlichen Zwecken
9. ____ eine Geschäftsreise	i eine Reise mit dem Flugzeug
10. ____ eine Wellnessreise	j eine Reise, in deren Preis An- und Abreise, Übernachtung, Essen etc. inklusive ist.

2 Was gehört in das Reisegepäck? Notieren Sie den bestimmten Artikel und den Plural. Ergänzen Sie die Liste.

1. _der_ Reisepass / _die Reisepässe_

2. _____ Nagelschere / _____

3. _____ Flugticket / _____

4. _____ Pflaster / _____

5. _____ Sonnenbrille / _____

6. _____ Kamera / _____

7. _____ Visum / _____

8. _____ Badehose / _____

9. _____ Kreditkarte / _____

10. _____ Waschbeutel / _____

11. _____ / _____

12. _____ / _____

13. _____ / _____

14. _____ / _____

15. _____ / _____

3 Ergänzen Sie den Text mit den Begriffen in der richtigen Form.

| Heimweh | Kontinent | per Anhalter fahren | Reisekrankenversicherung |
| einen Abstecher machen | Klima | Impfung |

Ich bin ein richtiger Reisemuffel. Hier zu Hause ist es doch auch schön. Dieser ganze Aufwand! Erst muss man die Reise planen. Auf welchen (1) _____ wollen wir fahren? Asien? Da ist mir das (2) _____ zu heiß! Australien? Viel zu weit! Da bekomme ich schon am Flughafen (3) _____. Und dann muss man eine teure Reise buchen. Nichts für mich. Ich mache lieber eine Fahrradtour oder (4) _____. Das kostet wenig und auf meinem Weg kann ich auch hier und da mal (5) _____ in Orte _____, die ich noch nicht kenne. Außerdem brauche ich auch keine teure (6) _____ oder (7) _____. Also: Ich bleibe lieber hier.

4 Bahn, Flugzeug oder Auto? Ordnen Sie die Begriffe zu und ergänzen Sie für jedes Verkehrsmittel zwei weitere Begriffe.

das Gleis   der Flughafen   die Garage   die Tankstelle   die Fahrkarte   die Sicherheitskontrolle
die Lok   die Autobahngebühr   der Duty-Free-Shop   der ICE   der Schaffner   die Landung
der Waggon   das Gate   der Speisewagen   der Stau   das Handgepäck   der Kofferraum
der Verkehrshinweis   die Fahrzeugkontrolle   die Flugbegleiterin

die Bahn	das Flugzeug	das Auto

5 Ergänzen Sie die Verben.

~~faulenzen~~   besichtigen   verbringen   übernachten   buchen
mieten   sonnen   wechseln   beantragen   probieren

1. am Strand _faulenzen_
2. sich im Park _____
3. eine Städtereise _____
4. eine Ferienwohnung _____
5. neues Essen _____
6. Sehenswürdigkeiten _____
7. ein Visum _____
8. in einem Hotel _____
9. Urlaub im Ausland _____
10. Geld _____

Einmal um die ganze Welt

 1 Axels Weltreise. Setzen Sie die Wörter in der richtigen Form ein.

| Urlaub | anstrengend | bereisen | Sand | Fernweh | klappen | Stadt |
| fühlen | Weltreise | verreisen | erfüllen | Stress | Plan |

Axel Franke hat sich einen Traum (1) _____:

Er hat eine (2) _____ gemacht. Er hat

fünf Kontinente (3) _____ und 118

(4) _____ besucht. Schon als kleiner Junge

(5) _____ er gern. Als er 25 war, bekam er

großes (6) _____. Er wollte in die Südsee,

um den feinen, weißen (7) _____ unter

seinen Füßen zu spüren. Aus diesem Wunsch entstand der

(8) _____ für die Weltreise. Aber eine Welt-

reise ist kein langer (9) _____. Axel hatte

auf der Weltreise mehr (10) _____ als im Job. Reisen ist (11) _____ und

kann frustrieren, wenn mal nicht alles (12) _____. Für Axel war am schönsten, sich weit weg

von zu Hause „zu Hause" zu (13) _____. Und das kommt nicht so oft vor.

 2 Kreuzen Sie den passenden Konnektor an. Markieren Sie die Wörter, die Ihnen bei der Entscheidung geholfen haben.

Normalerweise war ich immer ganz aufgeregt, (1) ☐ wenn ☐ als ich verreiste. Doch (2) ☐ wenn ☐ als ich das letzte Mal verreist bin, war das ganz anders. Diesmal saß ich total entspannt im Flugzeug, (3) ☐ wenn ☐ als es startete. (4) ☐ Wenn ☐ Als ich früher geflogen bin, wurde mir oft schlecht. Bei Nachtflügen esse ich normalerweise nichts. Aber beim letzten Flug hatte ich richtig Appetit, (5) ☐ wenn ☐ als mir die Stewardess das Essen brachte. Ich habe alles aufgegessen und dann sogar geschlafen. (6) ☐ Wenn ☐ Als das Flugzeug dann landete, war ich ausgeschlafen und fit. Der Urlaub konnte sofort beginnen, (7) ☐ wenn ☐ als ich im Hotel ankam.

3 Bilden Sie Sätze im Präsens mit *während* und *solange*.

Als Ilse Lehmann ihren 70. Geburtstag feierte, dachte sie sich:
1. ich / noch fit / sein, möchte ich viel reisen.
2. Ich lerne gern Land und Leute kennen, ich / reisen.
3. ich / auf Reisen / sein, habe ich keine Langeweile.
4. ich / unterwegs / sein, fotografiere ich viel.
5. ich / die Fotos / mit meinen Enkeln / anschauen, gibt es Kaffee und Kuchen.
6. ich / auf Reisen / sein können, bin ich glücklich.

1. Solange ich noch fit bin, möchte ich viel reisen.

4 Verbinden Sie die Sätze mit *während, bevor* oder *nachdem*. Es gibt mehrere Möglichkeiten.

1. Ich lese die Hotelbewertungen. Danach buche ich meine Reise.

2. Ich fahre los. Vorher packe ich meinen Koffer.

3. Ich lese den Reiseführer genau. Dabei höre ich Musik aus dem Urlaubsland.

4. Ich verlasse meine Wohnung. Vorher kontrolliere ich alle Zimmer.

5. Ich fahre mit dem Taxi zum Flughafen. Dabei überprüfe ich noch einmal, ob ich meinen Pass dabei habe.

6. Ich gebe mein Gepäck auf. Danach gehe ich zur Passkontrolle.

7. Ich sitze im Flugzeug. Dabei lese ich.

8. Ich gehe durch den Zoll. Vorher hole ich mein Gepäck.

1. Nachdem ich die Hotelbewertungen gelesen habe, buche ich meine Reise. / Bevor ich meine Reise buche, lese ich die Hotel-bewertungen.

5 Ergänzen Sie in den Sätzen die Konnektoren *bis* und *seit/seitdem*.

1. __*Bis*__ ich Urlaub habe, muss ich noch ein paar Wochen arbeiten.

2. Wir informieren uns so lange im Internet, _____ wir unser Traumziel gefunden haben.

3. _____ wir unser Urlaubsland ausgesucht haben, lese ich jeden Abend im Reiseführer darüber.

4. Ich zähle schon die Tage, _____ wir endlich losfliegen.

5. _____ ich meinem besten Freund von unserem Reiseziel erzählt habe, möchte er auch unbedingt dorthin fahren.

6. _____ wir die Reise gebucht haben, fragen uns unsere Kinder jeden Tag, wann es losgeht.

6 Markieren Sie den korrekten Temporalsatz.

1. Ich rufe dich an,
   - [a] bis wir da sind.
   - [b] wenn wir da sind.
   - [c] seit wir da sind.

2. Gestern traf ich Ingo,
   - [a] wenn ich im Reisebüro war.
   - [b] als ich im Reisebüro war.
   - [c] seitdem ich im Reisebüro war.

3. Ich höre Musik,
   - [a] als ich fliege.
   - [b] nachdem ich fliege.
   - [c] während ich fliege.

4. Inge bleibt zu Hause,
   - [a] nachdem sie krank war.
   - [b] als sie krank war.
   - [c] bis sie gesund ist.

5. Ich helfe dir,
   - [a] wenn ich fertig bin.
   - [b] während ich fertig bin.
   - [c] bis ich fertig bin.

6. Ich besuche ihn,
   - [a] als ich Ferien habe.
   - [b] wenn ich Ferien habe.
   - [c] bis ich Ferien habe.

7 Lesen Sie den Reisebericht und ergänzen Sie einen passenden temporalen Konnektor.

Immer (1) _____ wir verreisen, freut sich die ganze
Familie. So auch das letzte Mal. (2) _____ wir an
einem wunderschönen Tag im Mai mit dem Auto Richtung Ostsee aufbrachen, ahnten wir noch nicht, was uns erwartete. Zuerst
ging es Richtung Autobahn. (3) _____ wir ungefähr
eine Stunde gefahren waren, steckten wir zwei Stunden im Stau.

(4) _____ wir im Stau standen, kam im Radio eine Unwetterwarnung. Eine halbe Stunde
später rollte der Verkehr wieder, aber ein heftiges Gewitter begann. Wir mussten also eine Pause auf einem
Rasthof einlegen. (5) _____ wir die Reise fortsetzen konnten, vergingen gut zwei Stunden.
Nach einer weiteren Stunde Autofahrt erwartete uns das nächste Problem. Die Autobahn war wegen eines
Unfalls komplett gesperrt. (6) _____ wir weitere fünf Stunden im Stau verbracht hatten,
erreichten wir endlich das Meer. Doch (7) _____ wir aus dem Auto ausstiegen, begann es
schon wieder fürchterlich zu regnen. Dann endlich im Hotel! Aber (8) _____ wir aus dem
Fenster schauten, sahen wir nicht das Meer, sondern eine Großbaustelle.

8 Beschreiben Sie, wie Sie Ihren letzten Urlaub verbracht haben. Benutzen Sie dafür Temporalsätze.

Als ich im letzten Jahr Urlaub hatte, ...

9a Lesen Sie das Gedicht von Paul Maar und überlegen Sie, welches der Bilder die Situation im
Gedicht am besten trifft.

Ein Maulwurf und zwei Meisen
beschlossen zu verreisen
nach Salzburg oder Gießen.
Ob sie dabei zu Fuß gehen sollen
oder aber fliegen wollen –
das müssen sie noch beschließen!

1

2

3

b Überlegen Sie sich einen Titel für das Gedicht.

1a Arbeiten im Urlaub. Was macht man in einem Workcamp? Ergänzen Sie die Ausdrücke.

1. an einem Workcamp teil_____
2. in ein anderes Land rei_____
3. mit anderen Menschen koo_____
4. ein Umweltprojekt unt_____

5. sich für ein Projekt enga_____
6. andere Leute kenn_____
7. etwas gemeinsam aufb_____
8. etwas über eine Kultur le_____

b Wie heißen die Nomen zu den Verben ? Ergänzen Sie.

1. sich engagieren – das _____
2. unterstützen – die _____
3. teilnehmen – die _____
4. erfahren – die _____
5. sich erholen – die _____

6. sich begeistern – die _____
7. sich interessieren – das _____
8. helfen – die _____
9. organisieren – die _____
10. bezweifeln – der _____

2 Lesen Sie die E-Mail und wählen Sie unten das jeweils passende Wort aus. Tragen Sie die Buchstaben in der E-Mail ein.

Liebe Maike,

vor über einer Woche bin ich in Chile angekommen und es gibt viel zu (1) _____. Obwohl ich jetzt schon zum dritten Mal an einem Workcamp (2) _____, sammle ich dort jedes Mal wieder neue Erfahrungen. (3) _____ dem langen Flug war ich erst ziemlich müde, musste aber noch eine abenteuerliche achtstündige Busfahrt hinter mich (4) _____. Und gleich am nächsten Tag ging es mit der Arbeit los. In (5) _____ Camp gibt es zwei Projekte: Man kann den Bauern bei der Weinernte helfen oder an einem neuen Gemeindezentrum mitbauen. Ich habe mich für die Ernte entschieden. Das ist wirklich Knochenarbeit, aber wir haben (6) _____ eine Menge Spaß. Mit dem Campleiter habe ich mich erst nicht so gut verstanden, aber mittlerweile kommen wir ganz gut miteinander aus. Ich habe viele nette, lustige Leute aus der ganzen Welt kennengelernt und beim Abendessen gibt es (7) _____ zu erzählen. Mit einigen (8) _____ ich ganz sicher in Kontakt bleiben. So eine intensive Zeit, wie wir sie hier erleben, verbindet einfach. Jeder muss übrigens mal kochen, am besten etwas Typisches aus seinem Land. Und das bei meinen Kochkünsten! Ich habe noch keine Ahnung, (9) _____ ich für die anderen kochen soll. Eine Woche bleibe ich noch hier, dann ist mein Urlaub schon wieder (10) _____.

Lass mal von dir hören!

Viele Grüße aus der Ferne

dein Florian

1. A erzähle B erzählen C erzählt	3. A Auf B Bei C Nach	5. A diesem B diesen C dieser	7. A mehr B oft C viel	9. A was B wem C wen
2. A teilgenommen B teilnahm C teilnehme	4. A bringe B bringen C gebracht	6. A denn B obwohl C trotzdem	8. A werde B werden C wird	10. A voraus B vorbei C vorhin

3 Lesen Sie die folgenden Aussagen und die Kurztexte. Wer sagt was?

1. Die Arbeit in der Natur fand ich ziemlich anstrengend.	*Merle*
2. Obwohl ich erst nicht wollte, hat mir das Workcamp dann doch gut gefallen.	
3. Sonne im Urlaub? Ja, bitte. Arbeiten in der Hitze? Nein, danke.	
4. Ich will selbst entscheiden, was ich in meiner Freizeit mache.	
5. Im Workcamp sind neue Freundschaften anders als im normalen Urlaub.	
6. Die Leute in der Gruppe haben sich nicht gut verstanden.	
7. Wenn man seine Probleme selbst löst, wird man selbstständiger.	
8. Wenn alle zusammen arbeiten, kann man viel schaffen.	
9. Das Geld für das Workcamp war nicht gut investiert.	
10. Bei meiner Arbeit gab es auch Schwierigkeiten mit der Sprache.	

Merle, 18 Jahre: Ich war zum ersten Mal in einem Workcamp hier in Deutschland, am Bodensee. Neben einer Vermittlungsgebühr musste ich die Reisekosten selbst tragen. Unsere Aufgabe bestand hauptsächlich aus Waldarbeit. Das war ziemlich hart, besonders an den Regentagen. Manchmal habe ich mich schon gefragt: Was mache ich hier eigentlich? Warum liege ich nicht irgendwo mit meiner Familie am Strand? Aber alles in allem überwiegen die positiven Erfahrungen und ich habe einen Haufen netter Leute aus ganz verschiedenen Ländern kennengelernt. In den Herbstferien besuche ich zum Beispiel ein Mädchen in Finnland, das auch an dem Camp teilgenommen hat. Ich glaube, so intensive Freundschaften entwickeln sich nicht bei einem normalen Strandurlaub.

Samuel, 19 Jahre: Ich war in einem Camp in Südkorea. Dort habe ich in einem Kinderheim gearbeitet. Ich muss sagen, durch diesen Aufenthalt bin ich viel selbstständiger geworden. Zum einen musste ich schon die ganze Reise dorthin selbst organisieren und zum anderen fand ich die Arbeit im Kinderheim oft auch ganz schön schwierig. Es war kompliziert, hat mich aber auf jeden Fall weitergebracht. Dazu kam, dass wir kein Koreanisch sprechen oder lesen konnten. Wir haben es dann mit Händen und Füßen und Zeichnungen versucht. Das war manchmal sogar richtig lustig und hat meistens funktioniert. Für nächsten Sommer habe ich schon geplant, an einem Camp in Russland teilzunehmen.

Natascha, 28 Jahre: Ich war letztes Jahr in einem Workcamp in Spanien und es hat mir überhaupt nicht gefallen. Zum einen waren die Leute alle viel jünger als ich und zum anderen wurde immer erwartet, dass wir auch unsere Freizeit größtenteils zusammen verbringen. Auf so einen Gruppenzwang habe ich überhaupt keine Lust. Man muss doch mal Zeit für sich selbst haben. Ich werde das bestimmt nicht wieder machen. Das ist echt rausgeschmissenes Geld.

Carl, 23 Jahre: Ich verbringe meinen Urlaub eigentlich am liebsten irgendwo am Strand. Tagsüber Sonne und abends ausgehen. Aber meine Freundin hat mich zu einem Workcamp überredet. Sie wollte mal was anderes machen. Am Anfang war ich sehr skeptisch. Im Urlaub arbeiten und dazu noch die Reisekosten selbst bezahlen? Aber dann hat es sogar mir Spaß gemacht. Wir haben einen alten Bauernhof renoviert, der ein kulturelles Zentrum werden soll. Es war toll zu sehen, wie viel man mit nur einfachen Mitteln, aber durch gemeinsame Arbeit erreichen kann. Jede Ferien will ich das trotzdem nicht machen, aber so ab und zu, warum nicht?

Andy, 24 Jahre: Einmal und nie wieder. Ich habe keine Lust mehr, in meinem Urlaub bei vierzig Grad im Schatten den ganzen Tag zu schuften. Ich finde, da wird man ganz schön ausgenutzt. Die Stimmung in unserer Gruppe war nicht besonders gut. Irgendwie haben wir keinen Draht zueinander gefunden und uns einfach nicht richtig verstanden. Von Spaß kann also keine Rede sein. Im nächsten Sommer lege ich mich jedenfalls faul an den Strand und genieße die Sonne.

1 Ergänzen Sie die temporalen Präpositionen.

○ Wann fahrt ihr in den Urlaub?

● (1) _In_ drei Wochen?

○ Wann fahrt ihr denn genau?

● (2) _____ 28. Juli.

○ Und wie lange bleibt ihr?

● 14 Tage. Wir haben (3) _____ 27. Juli

(4) _____ 12. August Urlaub.

○ Seit wann fahrt ihr denn schon nach Spanien?

● Schon (5) _____ zehn Jahren. Uns gefällt es dort einfach so gut.

○ Und wie ist das Wetter da?

● (6) _____ Winter ist es mild,

(7) _____ Sommer heiß.

2 Eine Frage, viele Antworten. Ergänzen Sie die Präpositionen, wo nötig. Manchmal gibt es mehrere Möglichkeiten.

a _____ Montag   b _____ einer Woche   c _____ Mai

d _____ Herbst   **1. Wann hast du Urlaub?**   e _____ nächsten Monat

f _____ nächste Woche   g _____ Silvester   h _____ meinem Geburtstag

i _____ 5. September   j _____ 17. Juli _____ 25. Juli

b _____ der 2. Hälfte des 18. Jahrhunderts

a _____ 18. Jahrhundert   c _____ Jahr 1769

2. Wann wurde Alexander von Humboldt geboren?

d _____ 1769   f _____ etwa 250 Jahren

e _____ September 1769

b _____ eines Urlaubs

a _____ einem halben Jahr   c _____ ihres Studiums

3. Wann haben sich Fabian und Anna kennengelernt?

d _____ ein paar Tagen   f _____ Sommer

e _____ 2005

TIPP **Präpositionen nach Bedeutungsgruppen lernen**

Fragewort: *Wann?*

Antworten:	Wochentage und Datum	*an + D*
	bei Monatsnamen und Jahreszeiten	*in + D*
	bei Feiertagen	*an/zu + D*

3 Schreiben Sie eine Geschichte. Benutzen Sie möglichst viele temporale Präpositionen.

Endlich ist es so weit: Familie Meier hat Urlaub. <u>Am</u> Montagmorgen fahren sie mit dem Taxi ...

4a Sie waren mit Ihrem Aufenthalt im Hotel *Paradise Village* unzufrieden. Deshalb schreiben Sie an den Reiseveranstalter eine Beschwerde-E-Mail. Überlegen Sie zuerst, was Ihnen nicht gefallen hat. Notieren Sie die Kritikpunkte.

So steht es in den Reiseunterlagen:	So war die Realität:
1. schönes Doppelzimmer	*Das Zimmer war dunkel und klein.*
2. verkehrsgünstig, direkt am Meer, Naturstrand	
3. Vollpension	

b Lesen Sie die Formulierungen für eine schriftliche Beschwerde. Markieren Sie die Formulierungen, die Sie verwenden wollen.

- ☐ 1. Ich habe ... gebucht.
- ☐ 2. Es gab kein ...
- ☐ 3. Sehr geehrte Damen und Herren, ...
- ☐ 4. Es wäre sehr nett, ...
- ☐ 5. Aus diesen Gründen ...
- ☐ 6. Ich möchte mich über ... beschweren.
- ☐ 7. Über eine Antwort würde ich mich freuen.
- ☐ 8. Leider musste ich feststellen, ...
- ☐ 9. Mit freundlichen Grüßen
- ☐ 10. Ich fordere einen Teil des Reisepreises zurück.
- ☐ 11. Bitte informieren Sie mich über ...
- ☐ 12. Sollten Sie nicht innerhalb der nächsten Tage antworten, ...
- ☐ 13. Ich schicke Ihnen Fotos mit.
- ☐ 14. Beste Grüße
- ☐ 15. In Ihrer Hotelbeschreibung stand ...
- ☐ 16. Ich hänge zwei Fotos an.

c Schreiben Sie nun die Beschwerde. Schreiben Sie zu folgenden Punkten:

- warum Sie schreiben
- welche Reise Sie gemacht haben (Reisedaten und Hotel)
- womit Sie unzufrieden waren
- was Sie erwarten

1 Sie hören vier kurze Texte zum Thema „Reisen". Sie hören jeden Text zweimal. Zu jedem Text lösen Sie zwei Aufgaben. Wählen Sie bei jeder Aufgabe die richtige Lösung. Hören und lesen Sie zuerst das Beispiel.

41-45

Beispiel:
Text 0
1. Der Flug nach Mallorca fällt aus.   Richtig   ~~Falsch~~

2. Das Reisebüro fragt nach, ob Frau Lange …
     a ab Hannover fliegen möchte.
     b einen Flug von Hamburg wünscht.
     X auch ein anderer Termin passt.

Text 1
3. Der Zug nach Salzburg ist verspätet.   Richtig   Falsch

4. Die Reisenden sollen …
     a erst nach Rosenheim fahren.
     b Mitreisenden reservierte Plätze überlassen.
     c bis um 12:35 Uhr warten.

Text 2
5. Sie hören eine Wettervorhersage.   Richtig   Falsch

6. Welche Gefahr besteht an der Anschlussstelle Bispingen?
     a Gefahr durch Schnee.
     b Gefahr durch extreme Glätte.
     c Gefahr durch einen Unfall.

Text 3
7. Das Hotel Alster-Residenz fragt wegen einer Rechnung nach.   Richtig   Falsch

8. Herr Groß …
     a muss sofort 125,- Euro bezahlen.
     b soll zurückrufen.
     c muss die Buchung schriftlich bestätigen.

Text 4
9. Sie hören einen Hinweis im Flugzeug.   Richtig   Falsch

10. Es wird darauf hingewiesen, …
     a dass allen Gästen ein Essen serviert wird.
     b dass man für einen Kaffee 2,50 € bezahlt.
     c dass man für 6,50 € ein Sonderangebot erhält.

2 Etwas in Hamburg unternehmen – Informationen erfragen. Lesen Sie die Antworten und schreiben Sie passende Fragen.

1. Tut mir leid, in der Preisklasse bis 50 Euro ist für morgen kein Einzelzimmer im Zentrum mehr frei. Kann es auch ein Hotel außerhalb sein?
2. Am Samstag fährt nach 19 Uhr jede Stunde ein Intercity, z. B. um 19:46 Uhr, 20:46 Uhr usw. nach Bremen, der letzte fährt um 22:46 Uhr. Die Fahrt dauert eine knappe Stunde.
3. Ja, das klappt. Ein Tisch für zwei Personen für heute Abend. Auf welchen Namen, bitte?
4. Im Moment läuft „König der Löwen" im Theater am Hafen, „Phantom der Oper" in der Neuen Flora oder „Rocky – Das Musical" im Operettenhaus. Tickets und Uhrzeiten können Sie an den Spielstätten erfragen.

3 Ergänzen Sie die Mindmap mit passenden Begriffen. Suchen Sie im Modul 4 im Lehrbuch und auch im Wörterbuch.

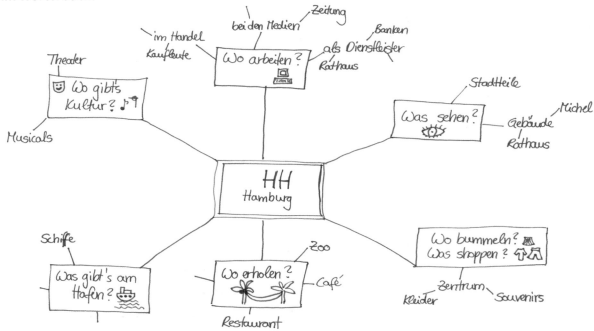

Aussprache: *kr, tr, pr, spr, str*

 a Hören Sie zu und sprechen Sie den Laut und das Wort nach.

46

 b Hören Sie das Gedicht und markieren Sie die Laute aus a. Sprechen Sie dann das Gedicht laut.

47

Im Haus, da bin ich nie allein,   sie springen und sprinten,
im Winter kommen Mäuse rein.   sie streiten und strampeln.
Sie trippeln und trappeln,   „Na, prima", schimpf´ ich in mich hinein
und kriechen und krabbeln,   und lad´ mir gleich ein Kätzchen ein.

c Suchen Sie noch je drei Wörter mit *kr, pr, tr, spr* und *str*, vergleichen Sie mit Ihrem Partner / Ihrer Partnerin und sprechen Sie zu zweit die gesammelten Wörter laut.

 d Hören Sie die Wörter und markieren Sie: Welche Wörter werden mit *sch* gesprochen?

48

Sprit|ze – As|tro|naut – ab|stram|peln – knus|prig – Stra|ße – Strom – As|trid – ver|spre|chen – Kas|per –
frus|triert – an|stren|gend

e Hören Sie noch einmal, sprechen Sie laut mit und klatschen Sie die Silben.

 f Wie heißen die Regeln? Ergänzen Sie *Silbe, s* und *sch.*

1. Steht *s* am Anfang eines Wortes vor *p* oder *t*, wird es wie _____ ausgesprochen.

2. *s* wird zu *sch*, wenn es am Anfang einer _____ vor *p* oder *t* steht.

3. Befinden sich *s* und *t* oder *s* und *p* in unterschiedlichen Silben, wird *s* wie _____ ausgesprochen.

So schätze ich mich nach Kapitel 9 ein: Ich kann …	+	○	−
… ein Interview über eine Weltreise verstehen. ▶M1, A2	☐	☐	☐
… ein Interview zum Thema „Workcamps" verstehen. ▶M2, A2a	☐	☐	☐
… ein Telefongespräch für eine Hotelbuchung verstehen. ▶M4, A2b	☐	☐	☐
… kurze Texte und Ansagen aus dem Themengebiet „Reisen" verstehen. ▶AB M4, Ü1	☐	☐	☐
… Inhalte von Blogs zum Thema „Workcamps" verstehen. ▶M2, A3a	☐	☐	☐
… kurze Erfahrungsberichte zu Workcamps verstehen. ▶AB M2, Ü3	☐	☐	☐
… ein Reiseangebot richtig verstehen. ▶M3, A2	☐	☐	☐
… einen Text aus einem Reiseführer verstehen. ▶M4, A1	☐	☐	☐
… über eigene Reiseerfahrungen berichten. ▶M1, A1	☐	☐	☐
… Vermutungen anstellen, wofür sich Menschen in Workcamps engagieren. ▶M2, A1a	☐	☐	☐
… zu Aussagen über Workcamps Zustimmung, Zweifel oder Ablehnung ausdrücken. ▶M2, A2b	☐	☐	☐
… mich auf einer Reise über Mängel beschweren. ▶M3, A4	☐	☐	☐
… ein Hotelzimmer telefonisch reservieren. ▶M4, A3b	☐	☐	☐
… auf einer Reise Informationen erfragen und geben. ▶M4, A4, A5	☐	☐	☐
… einen Blogbeitrag zum Thema „Workcamps" schreiben. ▶M2, A3b	☐	☐	☐
… eine Beschwerde-Mail an einen Reiseveranstalter schreiben. ▶AB M3, Ü4	☐	☐	☐
… einen Text über einen idealen Tag in meiner Stadt schreiben. ▶M4, A6b	☐	☐	☐

Das habe ich zusätzlich zum Buch auf Deutsch gemacht (Projekte, Internet, Filme, Texte, …):

Datum: Aktivität:

_____   _____

_____   _____

_____   _____

_____   _____

_____   _____

_____   _____

Grammatik und Wortschatz weiterüben: interaktive Übungen unter www.aspekte.biz/online-uebungen1

Wortschatz

Modul 1 Einmal um die ganze Welt

das Abenteuer, -	_____	das Internetzeitalter	_____
beneiden	_____	der Reiseführer, -	_____
die Beschaffung	_____	die Reisevorbereitung, -en	_____
die Dauer	_____	sparen	_____
die Eckdaten (Pl.)	_____	das Startkapital	_____
das Fernweh	_____	der Traumstrand, -"e	_____
finanzieren	_____	der Unsinn	_____
der Hausrat	_____	die Weltreise, -n	_____

Modul 2 Urlaub mal anders

anpacken	_____	die Pflanze, -n	_____
sich anfreunden mit	_____	das Projekt, -e	_____
aufbauen	_____	das Richtfest, -e	_____
der Betreuer, -	_____	schuften	_____
die Eigeninitiative	_____	teamfähig	_____
der/die Einheimische, -n	_____	die Tour, -en	_____
sich einschränken	_____	die Unterkunft, -"e	_____
sich engagieren für	_____	vermitteln	_____
das Gegenteil, -e	_____	das Visum, die Visa	_____
die Impfung, -en	_____	das Workcamp, -s	_____

Modul 3 Ärger an den schönsten Tagen

der Badestrand, -"e	_____	die Meerseite	_____
der Direktflug, -"e	_____	die Preisminderung, -en	_____
enttäuscht von	_____	das Reiseangebot, -e	_____
erheblich	_____	der Reisepreis, -e	_____
der Felsen, -	_____	der Reiseveranstalter, -	_____
der Fluglärm	_____	der Streitfall, -"e	_____
das Gericht, -e	_____	der Transfer, -s	_____
hinnehmen (nimmt hin, nahm hin, hat hinge-nommen)	_____	die Umgangssprache	_____
		die Unannehmlichkeit, -en	_____
		verkehrsgünstig	_____
der Katalog, -e	_____	die Verpflegung	_____
die Küste, -n	_____	die Vollpension	_____
der Lärm	_____	die Wartezeit, -en	_____
der Mangel, -"	_____	zurückfordern	_____
der Meerblick	_____		

Modul 4   Eine Reise nach Hamburg

beladen (belädt, belud, hat beladen)	_____	extravagant	_____
		der Hafen, -"	_____
die Börse, -n	_____	die Passage, -n	_____
bummeln	_____	das Schiff, -e	_____
das Dienstleistungs-zentrum, -zentren	_____	das Schmuddelwetter	_____
		der Seemann, -"er	_____
die Entdeckungstour, -en	_____	das Viertel, -	_____
entladen (entlädt, entlud, hat entladen)	_____	vornehm	_____
		sich wandeln	_____

Wichtige Wortverbindungen:

einen Abstecher machen nach   _____

per Anhalter fahren   _____

eine reine Illusion sein   _____

etw./nichts klappt   _____

Land und Leute kennenlernen   _____

eine Pause einlegen   _____

überbucht sein   _____

viel Zeit in Anspruch nehmen   _____

Wörter, die für mich wichtig sind:

_____	_____	_____	_____
_____	_____	_____	_____
_____	_____	_____	_____
_____	_____	_____	_____

Natürlich Natur!

Vor dem Start: Erinnern Sie sich? Diese Übungen bereiten Sie auf das Kapitel vor.

 1a Ordnen Sie die Wörter in die Tabelle ein.

| der Frost der Wald das Gewitter das Meer das Gras die Luft die Ziege die Trockenheit |
| das Insekt der Nebel das Getreide der Niederschlag die Wüste die Kuh der Orkan das Gebirge |
| das Vieh der Strand das Wildschwein der Vogel die Erwärmung das Moor der Sturm |
| die Rose das Reh die Wiese das Huhn die Wolke das Wetter der Hirsch das Glatteis |

Klima	Landschaft	Pflanzen	Tiere
der Frost			

b Schreiben Sie drei Sätze mit je möglichst vielen Wörtern aus der Tabelle.

Ein Vogel flog am dunklen Himmel über das Meer und suchte Insekten, als das Gewitter begann. ...

 2 Ergänzen Sie den Text.

| Umweltbewusstsein umweltfreundlich Umweltkatastrophe umweltschädlich |
| Umweltschutz Umweltverschmutzung Umweltzerstörung |

Die Ökis – eine Partei stellt sich vor

Ein wichtiges Anliegen unserer Partei ist der

(1) _____. Die rücksichts-

lose (2) _____ durch

(3) _____ Industrie- und

Autoabgase muss beendet werden. Durch

unsere Veranstaltungen möchten wir das

(4) _____ der Bürger stärken.

Unser großes Ziel ist es, die Nutzung alternativer Energiequellen und das Verwenden

(5) _____ Produkte zu fördern. So wollen wir es schaffen, die

fortschreitende (6) _____ zu stoppen, den Klimawandel zu verlang-

samen und die großen drohenden (7) _____ zu verhindern.

3a Bilden Sie die passenden Verben zu den Nomen. Das Wörterbuch hilft.

1. die Verschmutzung – *verschmutzen*
2. die Zerstörung – _____
3. der Schaden – _____
4. der Schutz – _____
5. die Produktion – _____
6. der Protest – _____
7. die Rettung – _____
8. das Verbot – _____
9. das Recycling – _____
10. die Gefahr – _____

b Wählen Sie fünf Verben aus 3a und bilden Sie je einen Satz.

1. _____
2. _____
3. _____
4. _____
5. _____

4 Hier finden Sie zehn Aktivitäten, um die Umwelt zu schonen. Notieren Sie sie. Was können Sie noch tun?

WASSERSPARENANDSABFALLTRENNENSBRAKEINSCHADSTOFFARMESAUTOFAHRENTELLANBÄUME
PFLANZENNABRUSTÖFFENTLICHEVERKEHRSMITTELBENUTZENDELSTRABASTANDBYAUSSCHALTEN
ANDRGENERGIESPARLAMPENBENUTZENTHALBÖKOSTROMNUTZENORIFAKNFAHRGEMEINSCHAFTEN
BILDENUNSORUMWELTFREUNDLICHHEIZENTERN

Wasser sparen, …

5 Lösen Sie das Kreuzworträtsel.

(ä, ö, ü = ein Buchstabe)

1. jemand, der sich aktiv für etwas einsetzt, zeigt …
2. Abfälle, die beim Auspacken von Gegenständen und Lebensmitteln anfallen
3. ein Behälter für Abfälle
4. eine andere Möglichkeit
5. umweltfreundlich produzierte Waren
6. schmutziges, gebrauchtes Wasser
7. Papier, das jetzt Abfall ist, z. B. alte Zeitungen
8. umweltfreundlich, umweltverträglich
9. Verpackungsmaterial (besonders Papier und Glas) wiederverwenden
10. Sammelbehälter für Biomüll
11. verschmutzte Luft, die z. B. durch Autos verursacht wird (Plural)

1. E _ _ _ _ _ M _ _ T
2. V _ _ _ _ _ _ _ G _ Ü
3. L _ _ _ R _ _
4. L _ _ _ A _ _ _ _
5. _ _ O P _ D _ _ _
6. _ _ W _ _ E _
7. _ P _ _ _ R _
8. Ö _ O _ _ _ S _
9. R _ _ _ N _
10. I _ T _ _ _ _
11. _ B _ _ E

Umweltproblem Single

1 **Welches Verb passt? Ergänzen Sie.**

> verbrauchen   vermehren   verhindern   fordern   produzieren   schaffen

1. Wohnungen für nur eine Person gibt es heute viel häufiger als früher und dadurch

   _____ sich auch die Probleme für die Umwelt.

2. Ein-Personen-Haushalte _____

   pro Kopf mehr Energie als Mehr-Personen-Haushalte.

3. Sie _____ vergleichsweise auch

   mehr Müll.

4. Um noch mehr Schaden für die Umwelt zu

   _____, sollte man schnell nach Lösungen suchen.

5. Architekten versuchen, ökologisch wertvolle Wohnmöglichkeiten zu _____.

6. Viele Leute _____ aber, man sollte sich lieber mit dringenderen Umwelt-

   problemen beschäftigen.

2 **Aktiv oder Passiv? Was passt in den folgenden Situationen besser? Kreuzen Sie an.**

1. Sie gehen mit einem Freund an einem großen Grundstück vorbei, auf dem früher eine schöne alte Villa stand, die Ihnen und Ihrem Freund sehr gefallen hat. Sie sagen:
   - a Eine Firma hat das Haus leider abgerissen.
   - b Das Haus wurde leider abgerissen.

2. Eine Freundin von Ihnen ist Ingenieurin und hat letztes Jahr ein umweltfreundliches Motorrad entwickelt. Sie sind stolz auf sie und erzählen:
   - a Anna Maria hat letztes Jahr ein umweltfreundliches Motorrad entwickelt.
   - b Letztes Jahr wurde ein umweltfreundliches Motorrad entwickelt.

3. Ein Kollege fragt, warum die Sekretärin nicht da ist. Sie sagen:
   - a Frau Müller ist krankgeschrieben. Der Arzt hat sie gestern operiert.
   - b Frau Müller ist krankgeschrieben. Sie wurde gestern operiert.

4. Sie sind umgezogen und fragen Ihre Nachbarin nach den Hausregeln. Sie fragen:
   - a Wann schließen die Hausbewohner abends die Haustür ab?
   - b Wann wird abends die Haustür abgeschlossen?

5. Ihr Cousin hat ein Buch geschrieben und die ganze Familie freut sich über diesen Erfolg. Sie wollen das Buch einer Freundin leihen. Sie sagen:
   - a Mein Cousin Peter hat dieses Buch vor Kurzem veröffentlicht.
   - b Dieses Buch wurde vor Kurzem veröffentlicht.

6. Ein wichtiger Geschäftsbrief von Ihnen soll heute noch verschickt werden. Sie fragen in der Poststelle nach den Zeiten. Sie fragen:
   - a Wann holt jemand die Post ab?
   - b Wann wird die Post abgeholt?

3a Umweltprobleme. Formulieren Sie Sätze im Passiv Präsens.

1. werden / heutzutage / produzieren / zu viel Verpackungsmüll

    Heutzutage _____

2. häufig / verschwenden / Ressourcen / werden

    _____

3. verpesten / durch Abgase / die Luft / werden

    _____

4. werden / informieren / über die Umweltprobleme / die Menschen

    _____

5. Lösungen für die Umweltprobleme / suchen / in vielen Projekten / werden

    _____

b Ein Öko-Haus wurde gebaut. Was wurde alles gemacht?
Schreiben Sie im Passiv Präteritum.

1. das Haus planen

    _____

2. die Finanzierung sichern

    _____

3. Interessenten informieren

    _____

4. eine energiesparende Heizung einbauen

    _____

5. die Solaranlage installieren

    _____

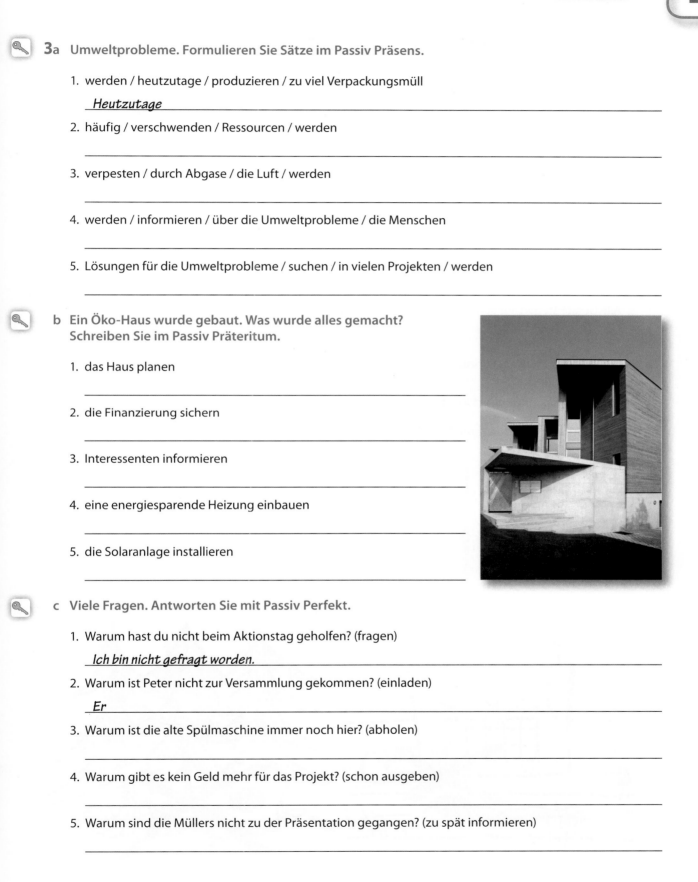

c Viele Fragen. Antworten Sie mit Passiv Perfekt.

1. Warum hast du nicht beim Aktionstag geholfen? (fragen)

    Ich bin nicht gefragt worden. _____

2. Warum ist Peter nicht zur Versammlung gekommen? (einladen)

    Er _____

3. Warum ist die alte Spülmaschine immer noch hier? (abholen)

    _____

4. Warum gibt es kein Geld mehr für das Projekt? (schon ausgeben)

    _____

5. Warum sind die Müllers nicht zu der Präsentation gegangen? (zu spät informieren)

    _____

4a Was sollte hier getan werden? Schreiben Sie Sätze im Passiv.

| reparieren | rausbringen | ausschalten | sortieren | ~~runterdrehen~~ |

1. Die Heizung ist total heiß!

   Sie sollte runtergedreht werden.

2. Der Mülleimer ist schon wieder ganz voll!

   _____

3. Glas, Papier, Plastik! Der ganze Müll ist durcheinander.

   _____

4. Der Wasserhahn tropft schon seit Wochen.

   _____

5. Alle Geräte stehen auf Stand-by.

   _____

b Sehen Sie sich in Ihrer Wohnung / Ihrem Zimmer um. Was sollte/muss hier getan werden? Schreiben Sie drei Sätze.

Die Fenster müssen geputzt werden.

5 Was darf nicht mehr passieren? Formulieren Sie Sätze wie im Beispiel.

STOPP!
→ Luft verpesten
→ Wasser verschwenden
→ Flüsse verschmutzen
→ Müll in die Natur werfen
→ die Erde vergiften
→ die Wälder abholzen

1. *Die Luft darf nicht mehr verpestet werden.*
2. _____
3. _____
4. _____
5. _____
6. _____

1 Welche Ausdrücke passen wo? Erstellen Sie eine Tabelle und tragen Sie die Ausdrücke in die passende Spalte ein.

> Ich finde es erstaunlich, dass …
>
> Ich finde es ganz besonders schön, wenn …
>
> Ich finde es wirklich schlimm, wenn …
>
> Ich freue mich, wenn ich … sehe.
>
> Ich habe den Eindruck, dass es sehr/etwas übertrieben ist, wenn …
>
> Ich finde es sehr gut, wenn jemand …
>
> Mich interessiert, wie/ob …
>
> Mich nervt es, wenn …
>
> Mich überrascht, wie …
>
> Mir scheint es richtig/wichtig, dass …
>
> Ich finde es wichtig, zu wissen, wie/ob …
>
> Ich finde es schockierend, wenn …
>
> Ich kann sehr gut verstehen, wenn …
>
> Ich kann überhaupt nicht nachvollziehen, wie jemand …

Missfallen ausdrücken	Interesse/Erstaunen ausdrücken	Gefallen ausdrücken

2 Ergänzen Sie die Wörter im Text.

> Anschaffungskosten   Futter   Halsband   Haustier   Hundebesitzer   Hundelebens
> Mietwohnung   Steuer   Tierarztbesuche   Versicherung

Wer sich in Deutschland ein (1) _____ – zum Beispiel
einen Hund – anschaffen möchte, muss vieles bedenken. Wohnt man in einer
(2) _____, muss man zunächst klären, ob man Haustiere
überhaupt halten darf. Neben den (3) _____ für
den Hund und den Kosten für das (4) _____, kommen
noch andere Ausgaben auf einen Hundebesitzer zu.

In Deutschland muss man für jeden Hund die sogenannte Hundesteuer zahlen.
Je nach Größe des Hundes und je nachdem, in welchem Ort man wohnt, ist die
(5) _____ unterschiedlich hoch. Sie liegt zwischen 20
und 250 Euro im Jahr. Jeder (6) _____ in Deutschland
bekommt für seinen Hund eine Hundemarke mit einer Steuernummer. Diese
Marke muss der Hund immer sichtbar am (7) _____ tragen.

Außerdem sollte man sich überlegen, ob man eine (8) _____ für den Hund
abschließt für den Fall, dass er etwas kaputt macht oder jemanden verletzt. Auch eine Tierkranken-
versicherung kann man abschließen – Kosten für (9) _____ werden aber in jedem
Fall anfallen, schon alleine für Impfungen.

Die Kosten für einen Hund betragen im Laufe eines (10) _____ mindestens
5.000 Euro – in vielen Fällen auch deutlich mehr.

3 Lesen Sie den Zeitungsartikel und lösen Sie dann die fünf Aufgaben zum Text. Kreuzen Sie die richtige Antwort an. Achtung: Die Reihenfolge der einzelnen Aufgaben folgt nicht immer der Reihenfolge des Textes.

Ein Tag als Tierpfleger

Jeden Morgen …

… fangen wir mit einem kurzen Teammeeting an. Wir sprechen über den Tagesablauf und darüber, was es an diesem Tag Besonderes zu tun gibt. Dann machen
5 die einen bei den Katzen sauber und kümmern sich um sie; die anderen reinigen die Ställe der Nagetiere wie Hasen, Meerschweinchen und Hamster und betreuen unsere „Gäste". Bei uns kann man nämlich sein Tier auch in Pflege geben, während man im Urlaub ist.
10 In der Küche wird dann das Futter für die Katzen und Hunde vorbereitet und auch die Medikamente für die kranken Tiere werden bereitgelegt. Einer von uns ist immer im Büro, denn das Telefon klingelt bei uns sehr oft. Dann gehen wir in jeden Käfig, holen
15 die alten Fressnäpfe zum Saubermachen und stellen frische – und gefüllte – Futternäpfe auf. Die schmutzigen Schüsseln werden alle gereinigt und desinfiziert.
Bevor wir Mittagspause machen, besprechen wir noch mal kurz, ob es Besonderheiten gab und worauf
20 wir besonders achten sollten. Das wird alles genau protokolliert.

Am Nachmittag …

… erledigen wir Büroarbeiten und andere organisatorische Dinge. Oft müssen wir auch noch mal den
25 einen oder anderen Käfig reinigen. Ab 14:00 Uhr kommen meistens Besucher. Das sind Leute, die sich ein Tier aussuchen möchten oder sich über unsere Arbeit informieren wollen. Manche Leute kommen auch, um regelmäßig mit einem der Hunde spazieren
30 zu gehen. Bis 16:00 Uhr nehmen wir uns meist viel Zeit für Beratungsgespräche. Da gibt es oft sehr viele Fragen von den Besuchern. Besonders an den Wochenenden ist immer viel los. Diese Besuchszeiten sind ein sehr zentraler Teil unserer Arbeit, denn es ist un-
35 ser wichtigstes Ziel, für möglichst viele Tiere ein neues Zuhause zu finden. Danach haben wir dann meist Zeit, Einkäufe zu erledigen oder zu Außeneinsätzen zu fahren. Wir werden oft gerufen, wenn jemand ein Tier gefunden hat. Dann fahren wir dorthin, holen
40 das Tier ab, bringen es zum Tierarzt und versorgen es.
Auch am Nachmittag ist das Telefon immer von jemandem aus unserem Team besetzt. Vor dem Abend werden die Tiere dann noch einmal gefüttert und alles wird aufgeräumt für den nächsten Arbeitstag.
45 Tierpfleger ist ein toller Beruf! Manche Leute denken, dass der Job total anstrengend ist, und mein Freund findet ihn auch langweilig, aber ich bin gerne Tierpfleger, denn ich lerne täglich etwas Neues dazu – und jeder Tag ist anders, weil jedes Tier anders ist.

1. Im Tierheim …
   [a] gibt es nur Tiere, die keinen Besitzer haben.
   [b] werden auch Tiere von Leuten versorgt, die verreist sind.
   [c] werden keine kranken Katzen und Hunde aufgenommen.

2. Der Autor des Textes findet seinen Beruf …
   [a] abwechslungsreich.
   [b] langweilig.
   [c] sehr ermüdend.

3. Am Morgen …
   [a] gehen die Tierpfleger Tierfutter kaufen.
   [b] werden die anstehenden Aufgaben besprochen.
   [c] werden als Erstes die Tiere gefüttert.

4. Die Tierpfleger …
   [a] können nur Tieren helfen, die im Tierheim sind.
   [b] sind auch außerhalb des Tierheims tätig, um Tieren zu helfen.
   [c] verlassen das Tierheim nur für dringende Besorgungen.

5. Die Tierpfleger …
   [a] finden die vielen Fragen der Besucher oft lästig.
   [b] empfangen die Besucher nicht jeden Tag.
   [c] kümmern sich nachmittags intensiv um Besucher.

1a Wechselpräpositionen. Was gehört zusammen?

1. _____ Wir nehmen den Weg
2. _____ Ich klebe die Briefmarken
3. _____ Die meisten Leute werfen den Müll immer gleich
4. _____ Das kaputte Glas liegt
5. _____ Da fehlt noch eine Briefmarke
6. _____ Eine dunkle Wolke steht genau
7. _____ Achtung, das Reh läuft
8. _____ Das Tier stand direkt

a auf dem Umschlag.
b über der Brücke.
c im Abfalleimer.
d vor das Auto!
e vor dem Auto!
f auf den Umschlag.
g über die Brücke.
h in den Abfalleimer.

b Schreiben Sie Sätze.

1. die Bürger Kassels / jedes Jahr / beim Aufräumtag / in / die Stadt / mitmachen.
2. sie / immer / ungefähr 10 Kilo Müll / auf / die Straße / finden / und / ihn / in / große Müllsäcke / stecken.
3. beim letzten Mal / sie / neben / ein Autobahnparkplatz / ein altes Fahrrad / gefunden / haben.
4. jetzt / das alte Fahrrad / neben / alte Autoteile / auf / Schrottplatz / liegen.

1. Die Bürger Kassels machen jedes Jahr beim ...

2a Lokale Präpositionen. Welche Präposition passt?

| ab | entlang | gegen | gegenüber | innerhalb | um ... herum |

1. Der Park ist _____ dem Bahnhof.

2. Im Park geht eine Ente den Bach _____.

3. _____ des Parks darf man nicht Fahrrad fahren.

4. Ein Mann ist _____ ein Schild gelaufen.

5. Ein Hund läuft _____ den Mann und das Schild _____.

6. Der Weg ist _____ der kleinen Brücke gesperrt.

b Ergänzen Sie und achten Sie auf den Kasus.

Lorenz joggt jeden Morgen (1) _____ (durch – der Park) immer

(2) _____ (entlang – der Bach). Aber heute sieht alles ganz anders aus:

Jemand hat einen bunten Schal (3) _____ (um – der Baum) gewickelt, der

(4) _____ (gegenüber – die Brücke) steht. (5) _____

(Bei – die Brücke) ist auch alles anders: (6) _____ (Durch – das Geländer)

hat jemand bunte Strickblumen gesteckt. (7) _____ (Von – die Brücke) ist es nicht

mehr weit (8) _____ (zu – der Ausgang) des Parks.

(9) _____ (Bei – die Fahrradständer) am Ausgang hat jemand bunte

Socken aufgehängt. (10) _____ (Außerhalb – der Park) ist alles wie

immer.

49

3 Sie hören nun eine Diskussion und ordnen acht Aussagen zu: Wer sagt was? Lesen Sie zuerst die Aussagen 1–8. Hören Sie sich den Hörtext anschließend zweimal an.

Der Moderator der Radiosendung „Jetzt bin ich dran!" diskutiert mit den beiden Vielfahrern Markus Raller und Hella Steger über das Thema „Grünbrücken – sinnvolle Investition oder Geldverschwendung?".

	Moderator	Markus Raller	Hella Steger
1. Grünbrücken hat man gebaut, damit Wildtiere große Straßen gefahrlos überqueren können.	a	b	c
2. Die meisten Wildunfälle passieren am frühen Abend und in den Morgenstunden.	a	b	c
3. Wer noch nie Probleme mit Wildtieren auf der Straße hatte, kann sich glücklich schätzen.	a	b	c
4. Wildunfälle lassen sich auch mit Grünbrücken nicht gänzlich vermeiden.	a	b	c
5. Wildtiere nutzen Grünbrücken tatsächlich.	a	b	c
6. Die Kosten für Grünbrücken sind günstiger, wenn diese in den Straßenbau integriert werden.	a	b	c
7. Die gesicherte Finanzierung eines guten Straßennetzes ist eine Grundvoraussetzung.	a	b	c
8. Die Autoindustrie entwickelt bereits Sicherheitssysteme, die Gefahren selbstständig erkennen.	a	b	c

1a Sehen Sie sich noch einmal die Fotos im Lehrbuch an. Welcher Text passt zu welchem Foto? Ordnen Sie zu.

Text A: Foto _____   Text B: Foto _____   Text C: Foto _____   Text D: Foto _____   Text E: Foto _____

A Die Trinkwasserqualität ist in Deutschland sehr gut und wird ständig kontrolliert. Das Trinkwasser muss absolut einwandfrei sein, was Geschmack, Geruch und Aussehen betrifft. Auch die Bevölkerung ist mit der Trinkwasserqualität zufrieden.

B Weltweit leben Millionen von Menschen ständig mit der Bedrohung durch Hochwasser. An Küsten entsteht Hochwasser oft durch hohe Wellen, die sich durch Wirbelstürme oder Seebeben bilden. Im Landesinneren entstehen Hochwasser und Überschwemmungen meist durch starke und lang anhaltende Regenfälle.

C Trockenperioden mit Regenmangel und hohen Temperaturen schädigen die Vegetation, da die Pflanzen keine Feuchtigkeit mehr aus dem Boden ziehen können. Die Folgen: ausgetrocknete Landschaften, Trinkwasserknappheit, Ernteausfälle und hungernde Menschen.

D Viele Bäche und Flüsse wurden jahrelang verschmutzt, bis kein Fisch mehr in ihnen gelebt hat. Mittlerweile hat sich die Lage bei vielen Gewässern gebessert. So sah es z. B. vor vielen Jahren so aus, als sei der Rhein tot. Seit hundert Jahren als Abwasserkanal missbraucht, kämpfte der Fluss ums Überleben. In der Nacht des 1. November 1986 färbte sich das Wasser blutrot. Mit Löschwasser aus einem Brand gelangten 30 Tonnen Chemikalien und Farbstoffe direkt in den Rhein. Das Gift tötete das Leben im Rhein. Nach diesem Schock begann man umzudenken. Dank zahlreicher Aktionen ist der Rhein wieder zu einem lebendigen Fluss geworden.

E Gesteine verwittern über Jahrmillionen zu Sand und Staub. Über den Regen, Bäche und Flüsse kommen diese kleinen Gesteinsteilchen ins Meer und werden dort weiter bearbeitet. Gesteinsüberreste mit einem Durchmesser zwischen zwei und 0,063 Millimetern werden als Sand bezeichnet. Dieser wird dann an der Küste von den Wellen als Strand abgelagert.

b Wählen Sie einen Aspekt aus und berichten Sie kurz über die Situation in Ihrem Land.

Bei uns / In meinem Land …
Im Gegensatz zu …

Ich glaube/denke, …
Ein Beispiel dafür ist …

2 Wasser. Was bedeuten die Redewendungen? Verbinden Sie.

1. jmd. steht das Wasser bis zum Hals _____
2. jmd. läuft das Wasser im Mund zusammen _____
3. etwas fällt ins Wasser _____
4. sich über Wasser halten können _____
5. jmd. nicht das Wasser reichen können _____
6. mit allen Wassern gewaschen sein _____

a nicht so gut sein wie ein anderer
b etwas Geplantes kann nicht stattfinden
c viele Tricks kennen
d jmd. bekommt großen Appetit auf etwas
e jmd. hat große (finanzielle) Probleme
f gerade noch genug Geld zum Leben haben

3 Lesen Sie den Text und notieren Sie die wichtigsten Informationen in Stichwörtern. Schließen Sie dann das Buch und tauschen Sie die Informationen mit Ihrem Partner / Ihrer Partnerin aus.

Die Ostsee in Gefahr

Die Ostsee – Das ist ein einmaliges Ökosystem. Sie zeichnet sich durch eine große biologische Vielfalt aus und ist für die Menschen in vielerlei Hinsicht wichtig, z. B. für die Ernährung und den Tourismus.

5 Es gibt zahlreiche Naturschutzgebiete und Nationalparks. Umweltschützer fordern jedoch, dass diese Schutzgebiete vergrößert werden.

Denn 25 Prozent des Meeresbodens gelten als biologisch tot. Die Ostsee gehört damit zu den am stärksten

10 verschmutzten Meeren der Welt. Abwässer, Industrieabfälle und Düngestoffe werden im Meer entsorgt. Es bilden sich immer wieder giftige Algenteppiche und viele Meeresbewohner sterben.

In vielen Ostseegebieten gibt es kaum noch Fische.
15 Außerdem ist die Ostsee ein Binnenmeer, so bleiben die Gifte auch sehr lange im Ostseewasser. Das Wasser kann sich nicht so schnell erneuern wie in anderen Meeren.

Ein weiteres Problem ist der Schiffsverkehr auf der
20 Ostsee, besonders der Tankerverkehr hat in den letzten Jahren stark zugenommen.

Es gibt zahlreiche Initiativen und Projekte, um die Ostsee zu schützen. Aber bis jetzt ist das nicht genug. Eine große Schwierigkeit dabei sind die unterschiedlichen
25 wirtschaftlichen Interessen der neun Staaten, die an der Ostsee liegen.

Aussprache: lautes Lesen üben

50

1. Hören Sie den Text aus Übung 3 und lesen Sie leise mit.
2. Hören Sie noch einmal und markieren Sie im Text die Pausen und unterstreichen Sie die Wörter oder Satzteile, die der Sprecher stärker betont.
3. Lesen Sie den Text noch einmal laut. Welche Wörter sind für Sie schwierig auszusprechen? Üben Sie diese noch einmal extra.
4. Lesen Sie den Text noch einmal laut. Beachten Sie die Pausen und die betonten Wörter/Satzteile. Kontrollieren Sie noch einmal mit der CD.

 TIPP Suchen Sie im Lehrbuch oder im Internet Texte, die Sie interessant finden, und üben Sie das laute Lesen regelmäßig.
Sie können sich dabei auch aufnehmen. So können Sie sich selbst immer wieder überprüfen.

Selbsteinschätzung

So schätze ich mich nach Kapitel 10 ein: Ich kann …	+	○	—
… ein Interview mit einem Tierschützer verstehen. ▶M2, A2b, c	☐	☐	☐
… Detailinformationen aus einem Referat zum Thema „Wasser" verstehen. ▶M4, A2a–c	☐	☐	☐
… ein Radiogespräch zu einem Umweltthema verstehen. ▶AB M3, Ü3	☐	☐	☐
… einen Sachtext zum Thema „Singles und Umweltprobleme" verstehen. ▶M1, A1b	☐	☐	☐
… Berichte über Umweltprojekte verstehen. ▶M3, A1a	☐	☐	☐
… einen Bericht über den Tagesablauf eines Tierpflegers verstehen. ▶AB M2, Ü3	☐	☐	☐
… einen Artikel über die Ostsee verstehen. ▶AB M4, Ü3	☐	☐	☐
… Vermutungen zum Thema „umweltfreundliches Wohnen" anstellen. ▶M1, A1a, c	☐	☐	☐
… mit Rollenkarten eine Talkshow zum Thema „Umgang mit Tieren" spielen. ▶M2, A4	☐	☐	☐
… über Umweltprojekte sprechen. ▶M3, A1b	☐	☐	☐
… über die Wassersituation in meinem Land sprechen. ▶M4, A2d	☐	☐	☐
… ein Referat zu einem Umweltthema halten. ▶M4, A3	☐	☐	☐
… Notizen zu einer Talkshow zum Thema „Umgang mit Tieren" machen. ▶M2, A2c	☐	☐	☐
… in einer Mail über ein Erlebnis mit einem Tier berichten. ▶M2, A3	☐	☐	☐
… ein Umweltprojekt beschreiben. ▶M3, A3	☐	☐	☐
… ein Referat schriftlich vorbereiten. ▶M4, A3	☐	☐	☐

Das habe ich zusätzlich zum Buch auf Deutsch gemacht (Projekte, Internet, Filme, Texte, …):

Datum: Aktivität:

_____   _____

_____   _____

_____   _____

_____   _____

_____   _____

_____   _____

Grammatik und Wortschatz weiterüben: interaktive Übungen unter www.aspekte.biz/online-uebungen1

Wortschatz

Modul 1 Umweltproblem Single

der Abfall, -"e	_____	das Umweltproblem, -e	_____
alternativ	_____	verantwortlich sein für	_____
appellieren an	_____	verbrennen (verbrennt,	_____
betrachten	_____	verbrannte, hat ver-	
die Energie, -n	_____	brannt)	_____
fordern	_____	sich vermehren	_____
konsumieren	_____	der Verpackungsmüll	_____
konsumorientiert	_____	wohlhabend	_____
die Krise, -n	_____	zunehmen (nimmt zu,	_____
produzieren	_____	nahm zu, hat zuge-	
die Ressource, -n	_____	nommen)	
schaffen (schafft, schuf,	_____	die Zeitbombe, -n	_____
hat geschaffen)		der Zuwachs, -"e	_____

Modul 2 Tierisch tierlieb?

aufnehmen (nimmt auf,	_____	die Tierhaltung	_____
nahm auf, hat aufge-		das Tierheim, -e	_____
nommen)		tierlieb	_____
aussetzen	_____	die Tierquälerei	_____
gereizt	_____	der Tierschützer, -	_____
herrenlos	_____	traumatisiert	_____
humorvoll	_____	verwahrlost	_____
die Leine, -n	_____		

Modul 3 Alles für die Umwelt?

aufmerksam machen auf	_____	erfolgreich	_____
aufräumen	_____	sammeln	_____
die Ausführung, -en	_____	der Stadtteil, -e	_____
benutzen	_____	stricken	_____
brauchbar	_____	der Trend, -s	_____
bunt	_____	der Umgang mit	_____
erfinden (erfindet, erfand,	_____	vermindern	_____
hat erfunden)			

Modul 4   Kostbares Nass

der Anteil, -e	_____	verschmutzen	_____
austrocknen	_____	verseucht	_____
die Dürre, -n	_____	vertrocknen	_____
durstig	_____	die Wasserknappheit	_____
fließend	_____	der Wassermangel	_____
der Flüssigkeitshaushalt	_____	der Wasserverbrauch	_____
knapp	_____	die Wasserverschmutzung	_____
das Salzwasser	_____	die Wüste, -n	_____
der Schlamm	_____	der Zugang, -"e	_____
das Süßwasser	_____	zugänglich	_____
das Trinkwasser	_____	zunehmend	_____
die Überschwemmung, -en	_____		

Wichtige Wortverbindungen:

den Alltag bunter machen   _____

ein Angebot nutzen   _____

eine Krise auslösen   _____

zum Problem werden   _____

ein Referat halten   _____

unter Schock stehen   _____

Wörter, die für mich wichtig sind:

_____   _____   _____   _____

_____   _____   _____   _____

_____   _____   _____   _____

_____   _____   _____   _____

Lösungen

Kapitel 1 — Leute heute

Wortschatz

Ü1a <u>Ausbildung/Arbeit</u>: die Fremdsprache, die Firma, lernen, der Job, die Fabrik, arbeiten als …, das Büro, Teilzeit, Vollzeit, die Arbeitsstelle, das Studium, die Kollegen, der Betrieb, die Schule
<u>Familie</u>: die Partnerin, geschieden, der Ehemann, getrennt, die Ehefrau, der Single, alleinerziehend, die Eltern, der Sohn, verheiratet, die Tochter, das Kind, der Partner
<u>Wohnen</u>: bauen, das Apartment, die Mietwohnung, das Haus, die Nachbarn, die Stadt, die WG (Wohngemeinschaft), das Dorf, der Garten
<u>Freizeit</u>: der Sport, reisen, die Fremdsprache, sammeln, der Verein, der Garten, fernsehen, ausgehen, lesen, die Musik, im Internet surfen, etwas im Internet posten, das Hobby, die Freunde, faulenzen, das Instrument

Ü2b 2. die Ruhe, 3. die Unsicherheit, 4. der Witz, 5. der Ehrgeiz, 6. die Ehrlichkeit, 7. die Schüchternheit, 8. das Selbstbewusstsein, 9. die Geduld, 10. die Freundlichkeit, 11. die Kreativität, 12. die Zuverlässigkeit, 13. die Offenheit, 14. die Hilfsbereitschaft, 15. die Zufriedenheit, 16. das Verantwortungsbewusstsein

Ü2c charmant – uncharmant, ruhig – unruhig, witzig – humorlos/langweilig, ehrgeizig – antriebslos, schüchtern – selbstbewusst, geduldig – ungeduldig, freundlich – unfreundlich, kreativ – unkreativ/fantasielos, zuverlässig – unzuverlässig, offen – verschlossen, hilfsbereit – egoistisch, zufrieden – unzufrieden, verantwortungsbewusst – verantwortungslos

Modul 1 — Gelebte Träume

Ü1a <u>Pia</u>: im Ausland leben und als Krankenschwester arbeiten, ein eigenes Café
<u>Max</u>: in Frankreich studieren, eigene Firma gründen

Ü1b 1. erfüllen, 2. realisieren, 3. verwirklichen, 4. aufgeben

Ü2a 2. eröffnen – eröffnete – hat eröffnet
3. aufwachsen – wuchs auf – ist aufgewachsen
4. träumen – träumte – hat geträumt 5. nehmen – nahm – hat genommen 6. werden – wurde – ist geworden 7. studieren – studierte – hat studiert
8. aufgeben – gab auf – hat aufgegeben
9. verdienen – verdiente – hat verdient
10. sein – war – ist gewesen

Ü2b 1. habe … studiert, habe … verdient, hat … angeboten, habe … gemacht, hat … gefallen, habe … entschlossen

2. habe … angefangen, bin … gegangen, habe … gearbeitet, habe … gesucht

Ü2c (1) passiert, (2) bestanden, (3) gemacht, (4) gefahren, (5) gesegelt, (6) verbracht, (7) erholt, (8) gelesen, (9) besichtigt, (10) geflogen

Ü3a <u>Christiane Paul</u>: waren, nahm … teil, jobbte, begann, spielte, studierte, promovierte, gab … auf
<u>Klaus Maria Brandauer</u>: wuchs … auf, lebte, ging, verließ, hatte, folgten, arbeitete, machte, gewann, führte

Modul 2 — In aller Freundschaft

Ü1a der entfernte Bekannte – der gute Bekannte – der Freund – der gute Freund – der dicke Freund / der enge Freund – der beste Freund

Ü2 2. Er sagt mir die Wahrheit. → Er ist ehrlich.
3. Eine gute Freundin teilt gerne mit anderen. → Sie ist großzügig. 4. Tom will seine Ziele erreichen. → Er ist ehrgeizig. 5. Sonja und Marion gehen oft zusammen ins Fitnessstudio. → Sie sind sportlich. 6. Partrick ist in seiner Freizeit sehr aktiv. → Er ist unternehmungslustig. 7. Du akzeptierst auch andere Meinungen. → Du bist tolerant. 8. Meine Freundin erzählt sehr lustige Geschichten. → Sie ist witzig. 9. Mein ältester Freund weiß sehr viele Dinge. → Er ist gebildet.

Ü3a 1 B, 2 D, 3 C, 4 A

Ü3b 1. richtig, 2. richtig, 3. falsch, 4. falsch, 5. falsch

Modul 3 — Heldenhaft

Ü2 (1) unglaublichen, (2) schneller, (3) Heldentaten, (4) Mut, (5) retten, (6) halten, (7) Aktion, (8) einsetzen, (9) Interessen, (10) Held

Ü3a <u>Verben mit Dativ</u>: schmecken: Die Suppe schmeckt wirklich gut. – zustimmen: Da kann ich dir leider nicht zustimmen. – zuhören: Hören Sie mir bitte zu. – schaden: Der Mensch schadet der Umwelt. – danken: Ich danke dir für deine Hilfe. – gratulieren: Ich gratuliere dir zur bestandenen Prüfung. – einfallen: Mir fällt die Telefonnummer einfach nicht ein. – gefallen: Diese dunkle Farbe gefällt mir nicht. – helfen: Er hilft seinem Nachbarn bei der Reparatur des Autos. – passen: Dieser Termin passt mir gut.
<u>Verben mit Akkusativ</u>: haben: Mein Nachbar hat viel Geld. – erziehen: Eltern müssen ihre Kinder erziehen. – erhalten: Ich habe Ihre Nachricht erhalten. – beantworten: Der Schüler beantwortet die Frage des Lehrers. – bekommen: Ich bekomme jeden Tag viele E-Mails. – essen: Ich esse gern Pizza. – lieben: Ich liebe klassische Musik. – hören: Hören Sie dieses Geräusch? – benutzen: In der Prüfung darf man

kein Wörterbuch benutzen. – lesen: Ich lese diese Zeitung täglich.

Ü4 1. ein, den, das, meiner, 2. das, einer, eine, meinen

Ü5 (2) die Polizei, (3) die Autobahn, (4) dem Verletzten, (5) den Unfallort, (6) den nachfolgenden Verkehr, (7) großes Glück

Ü6 2. Die Polizei verbietet dem leicht Verletzten die Weiterfahrt. 3. Der Radiosender teilte den Zuhörern die Straßensperrung mit. 4. Der Arzt erlaubte dem Patienten das Aufstehen. 5. Der Gerettete schenkte seinen Helfern einen Strauß Blumen. 6. Die Stadt schickte dem Unfallverursacher eine Rechnung.

Ü7 ich, mich mir; du, dich, dir; er, ihn, ihm; es, es, ihm; sie, sie, ihr; wir, uns, uns; ihr, euch, euch; sie, sie, ihnen

Ü8 2. Ja, er zeigte ihr seinen Ausweis. 3. Ja, sie gestatte ihm die Weiterfahrt. 4. Ja, sie nahm sie dem Autofahrer weg. 5. Ja, die Ärztin empfahl sie ihm. 6. Ja, der 30-jährige Fahrer gestand ihn ihr.

Ü9a 2. um + A, 3. für + A, 4. helfen bei + D, 5. auf + A, 6. um + A, 7. um + A, 8. auf + A, 9. vor + D

Modul 4   Vom Glücklichsein

Ü1a das Mutterglück, das Glücksgefühl, der Glücksmoment, das Eheglück, das Glücksspiel, das Familienglück, der Glückstag, die Glückszahl, das Glückssymbol, das Glückshormon, der Glückskeks, die Glückssträhne, der Glückspilz, das Anfängerglück, die Glücksfee

Ü1b 2 c, 3 a, 4 d, 5 b, 6 g, 7 f

Aussprache   Hauchlaut oder Vokalneueinsatz

Ü1a 1. Hände, 2. Ecke, 3. eilen, 4. heben, 5. herstellen, 6. aus

Ü2a 3. Jo/han/nes, 4. se/hen, 5. leb/haft, 6. er/he/ben, 7. Al/ko/hol, 8. un/halt/bar, 9. See/hund, 10. ehr/lich, 11. woh/nen, 12. Frech/heit, 13. Ge/hil/fe

Kapitel 2   Wohnwelten

Wortschatz

Ü1 (1) Wohnung, (2) Mietvertrag, (3) Stadtmitte, (4) Wohnblock, (5) Zimmer, (6) Schlafzimmer, (7) Küche, (8) Bad, (9) Dusche, (10) Stock, (11) Aufzug, (12) Balkon, (13) Quadratmeter, (14) Parkplatz, (15) Tiefgarage

Ü2 (1) Wo ist denn die Wohnung? / Wo liegt die Wohnung? (2) Fährst du mit dem Auto zur Arbeit? (3) Wie groß ist die Wohnung? (4) Wie

hoch ist die Miete? (5) Und wie hoch sind die Nebenkosten?

Ü3a 1 f, 2 e, 3 a, 4 b, 5 d, 6 c

Ü3b 2. c, 3. d/e/h, 4. b, 5. d/e/h, 6. j, 7. a, 8. g, 9. e/i, 10. d/e/h

Ü4 1. heizen, 2. kündigen, 3. mieten, 4. klingeln, 5. ausziehen, 6. putzen, 7. aufräumen, 8. dekorieren, 9. wohnen, 10. parken, 11. einziehen, 12. vermieten, 13. einrichten, 14. renovieren, Lösungswort: Traumwohnung

Modul 1   Eine Wohnung zum Wohlfühlen

Ü1 2. einpacken, 3. bezahlen, 4. einziehen, besorgen, 5. entscheiden, 6. auspacken, aufhängen

Ü2 (2) angesehen, (3) verglichen, (4) begonnen, (5) herumgelaufen, (6) kennengelernt, (7) entschieden, (8) angeschrieben, (9) umgezogen

Ü3 2. Pack bitte die Gläser und Teller ein. 3. Mach bitte die Tür auf! 4. Vergiss den Schlüssel nicht! 5. Bring bitte Pizza und Getränke mit. 6. Schließ das Auto ab!

Ü5 2. einfach zu verreisen. 3. in die neue Wohnung einzuziehen. 4. vorbeizukommen und zu helfen. 5. alles auszupacken und aufzubauen.

Ü6 (2) fühle … wohl, (3) entschieden, (4) umzuziehen, (5) genieße, (6) aufräumen/abwaschen, (7) abwaschen/aufräumen, (8) einteilen, (9) gieß … ein, (10) ruh … aus

Ü7 100 % D, 95 % H, 87 % G, 59 % A, 50 % I, 47 % E, 25 % B, 19 % F, 5 % C

Modul 2   Ohne Dach

Ü1a 1. f, 2. f, 3. r, 4. r, 5. r, 6. f

Ü1b 11: Ausgaben pro Jahr; 38.000: Auflagenhöhe; 2.400: wohnungslose Menschen in München; 2,20 €: Preis der Zeitung; 1,10 €: Anteil für Verkäufer; 100: BISS-Verkäufer; 36: festangestellte und sozialversicherte Verkäufer

Modul 3   Wie man sich bettet, …

Ü1 1. der Komfort, 2. das Angebot, 3. die Ausstattung, 4. die Gemütlichkeit, 5. die Übernachtung, 6. die Entspannung

Ü2a (1) -, (2) -, (3) -n, (4) -n, (5) -, (6) -, (7) -n, (8) -, (9) -, (10) -en, (11) -, (12) -en, (13) -, (14) -, (15) -en, (16) -n, (17) -n

Ü2b 2. seinen Namen, 3. einen älteren Herr(e)n, 4. dem Rezeptionisten / einen Chaoten, 5. einem Fotografen, 6. eines jungen Touristen

Lösungen

Modul 4 Hotel Mama

Ü1 (1) B zu Hause, (2) A genügend, (3) C und, (4) C zu übernehmen, (5) A ausgezogen, (6) C in, (7) A Meine, (8) B könnte, (9) B diesen, (10) A dass

Ü2 1. Ihre Kinder sind ausgezogen. 2. Marcel ist 30 und Lea ist 27. 3. Sandra wohnt in einem Haus mit Christian. Jetzt haben sie viel Platz. 4. Er hat sich verliebt. / Er hat eine Freundin gefunden. / Er hat eine nette Frau kennengelernt. 5. Sie ist beruflich / aus beruflichen Gründen nach Zürich gegangen.

Ü3 1. f, 2. r, 3. r, 4. f, 5. f, 6. r

Ü4a 2. interessante Anzeigen markieren, 3. anrufen und Besichtigungstermine vereinbaren, 4. die Wohnungen besichtigen, 5. sich für eine Wohnung entscheiden, 6. den Mietvertrag unterschreiben, 7. die Kaution bezahlen, 8. die Kisten packen, 9. zusammen mit Freunden alle Möbel und Kisten in die neue Wohnung bringen, 10. die alte Wohnung streichen, 11. eine Einweihungsparty geben

Aussprache trennbare Verben

Üa aufgeregt, angestellt, anhört, annehmen, aufzuräumen, herumliegen, dazugibt, vorgestellt, auszieht

Üb Betonung liegt nicht auf dem Verb, sondern auf dem Präfix: <u>auf</u>regen, <u>an</u>stellen, <u>an</u>hören, <u>an</u>nehmen, <u>auf</u>räumen, <u>vor</u>stellen, <u>aus</u>ziehen. Hat das Präfix zwei Silben, dann liegt die Betonung auf der 2. Silbe: her<u>um</u>liegen, da<u>zu</u>geben.

Kapitel 3 Wie geht's denn so?

Wortschatz

Ü1a 1. der Kopf, 2. das Auge, 3. die Nase, 4. das Ohr, 5. der Mund, 6. der Hals, 7. die Brust, 8. der Oberkörper, 9. der Arm, 10. der Bauch, 11. die Hand, 12. der Finger, 13. das Bein, 14. der Oberschenkel, 15. das Knie, 16. der Unterschenkel, 17. der Fuß, 18. der Zeh (die Zehe)

Ü2 <u>Arzt:</u> den Blutdruck messen, nach dem Befinden fragen, die Diagnose stellen, ein Medikament verschreiben, ein Rezept ausstellen, den Zahn ziehen
<u>Patient:</u> ein Rezept abholen, eine Spritze bekommen, ein Medikament einnehmen, sich auf die Waage stellen, den Oberkörper frei machen, einen Termin vereinbaren, seine

Schmerzen beschreiben, sich eine Überweisung geben lassen, die Versichertenkarte vorlegen

Ü3 1. F, 2. H, 3. D, 4. B, 5. A, 6. E, 7. C, 8. G

Ü4 (1) tut … weh, (2) schlapp, (3) Fieber, (4) Grippe, (5) Symptome, (6) Erkältungsmittel, (7) krankgemeldet, (8) Krankschreibung, (9) Besserung, (10) kurier … aus

Modul 1 Eine süße Versuchung

Ü1 <u>Bestandteile:</u> der Zucker, das Marzipan, das Fett, die Bitterschokolade, die Nüsse, der Geschmacksverbesserer, der Kakao, das Aroma, der/das Nougat, das Sahnepulver
<u>Gesundheit:</u> das Glückshormon, die Nervennahrung, die Psyche, die Kalorien,
<u>Süßigkeit:</u> das Marzipan, die Bitterschokolade, der Keks, der Schokoriegel, der Kaugummi, der/das Nougat

Ü2a 1 B, 2 C, 3 A

Ü2b <u>Mengenangaben:</u> die Kugel, der Milliliter, die Prise, das Stück(-chen)
<u>Zutaten/Lebensmittel:</u> der Ahornsirup, die Banane, die Butter, das (Vanille-)Eis, der Eiswürfel, der Honig, der Kaffee, die Mandel, das Mehl, die Milch, das Salz, die Schlagsahne, der Zitronensaft
<u>Zubereitung:</u> auflösen, backen, bestreichen, braten, erhitzen, garnieren, (hinein/hinzu/darauf)geben, (über)gießen, hacken, kaltstellen, kochen, legen, mixen, pressen, schälen, steif schlagen, verrühren, wenden, zerkleinern, zerlaufen lassen
<u>Geräte/Gegenstände:</u> das Glas, die Pfanne, der Teller, der Topf

Ü3a 2. das Ei – die Eier (Typ 4), 3. der Teller – die Teller (Typ 1), 4. die Zitrone – die Zitronen (Typ 2), 5. die Banane – die Bananen (Typ 2), 6. der Saft – die Säfte (Typ 3), 7. die Kugel – die Kugeln (Typ 2), 8. der Kühlschrank – die Kühlschränke (Typ 3), 9. das Glas – die Gläser (Typ 4), 10. die Pfanne – die Pfannen (Typ 2), 11. der Mixer – die Mixer (Typ 1), 12. die Mandel – die Mandeln (Typ 2), 13. die Schüssel – die Schüsseln (Typ 2), 14. der Eiswürfel – die Eiswürfel (Typ 1)

Ü3b die Kuchen – der Kuchen, die Formen – die Form / die Kuchenformen – die Kuchenform, die Gabeln – die Gabel, die Töpfe – der Topf, die Messer – das Messer, die Korkenzieher – der Korkenzieher, die Deckel – der Deckel, die Kannen – die Kanne, die Schalen – die Schale, die Untertassen – die Untertasse, die Papierrollen – die Papierrolle, die Eierbecher – der Eierbecher, die Flaschen – die Flasche, die Krüge – der Krug, die Schneidebretter – das Schneidebrett, die Schneebesen – der Schneebesen, die Flaschenöffner – der Flaschenöffner, die Dosen – die Dose, die Gewürze – das Gewürz, die Servietten – die Serviette, die Geschirrtücher – das Geschirrtuch

Ü4 (2) Restaurants, (3) Kugeln, (4) Nüssen, (5) Salaten, (6) Desserts

Modul 2 Frisch auf den Tisch?!

Ü1 2. Kunde, 3. Einkaufszettel, 4. Kalorien, 5. Fertiggerichte, 6. Etikett, 7. Haltbarkeitsdatum, 8. Haushalt

Ü2a 1. a, 2. b, 3. a, 4. b, 5. a, 6. a

Ü3 1 Marianne ja, 2 Horst nein, 3 Caroline ja, 4 Patrick nein, 5 Julia ja, 6 Heidi nein, 7 Marius nein

Modul 3 Lachen ist gesund

Ü1 2. f, 3. b, 4. a, 5. g, 6. d, 7. e

Ü2b

		Typ 1	Typ 2	Typ 3
	N	die meisten Kursteilnehmer, alle angemeldeten Teilnehmer, diese einfache Methode, der richtige Weg		junge Menschen
	A	das gute Gefühl, die innere Balance, den notwendigen Optimismus, die eigene Lebensfreude	einen positiven Nutzen, eine steigende Tendenz	
	D	der allgemeinen Heiterkeit, den unterschiedlichsten Gründen	einem intensiven Training	
	G		ihres gelockerten und entspannten Körpers, einer schweren Krankheit	

Ü3 1. Das sind die neuesten Sportarten, sehr anstrengende Sportübungen, alle kostenlosen Trainingsmöglichkeiten, zwei interessante Vorschläge für mehr Bewegung, keine positiven Auswirkungen auf den Körper.
2. Zeitungen berichten viel über eine gesunde Lebensweise, das wichtigste Sportereignis des Jahres, alle aktuellen Fußballspiele, ausgewählte Sportveranstaltungen, das neueste Sportprojekt.
3. Mein Arzt rät zu täglicher Bewegung, einem regelmäßigen Ausdauertraining, morgendlicher Gymnastik, einer vitaminreichen Kost, kalorienarmem Essen, mehr frischem Obst und Gemüse, weniger fettigem Essen.
4. Das ist das Programm der gesetzlichen Krankenkassen, unseres neuen Sportvereins, der regionalen Fußballliga, eines neuen Projektes für mehr Bewegung, meines wöchentlichen Gymnastikkurses.

Ü4 (1) positive, (2) kleinen, (3) regelmäßigen, (4) halbe, (5) intensiven, (6) ausreichende, (7) kaltem, (8) vitaminreiche

Ü6a 2. arbeitslos, 3. jugendlich, 4. neu, 5. betrunken, 6. fremd, 7. verwandt, 8. verlobt, 9. behindert, 10. deutsch

Ü6b 1. Behinderte Menschen …, Behinderte …, 2. Viele deutsche Frauen und Männer …, Viele Deutsche …, 3. Die Anzahl der arbeitslosen Menschen …, Die Anzahl der Arbeitslosen …, 4. Für erwachsene Kinobesucher …, Für Erwachsene …, 5. … mit einem fremden Mann …, … mit einem Fremden …, 6. Der betrunkene Fahrer …, Der Betrunkene …, 7. … den neuen Kollegen …, … den Neuen …

Modul 4 Bloß kein Stress!

Ü1 Ich bin entspannt: die Entspannung, die Höchstleistung, die Ruhe, normaler Puls, gelassen, konzentriert, schnell, leistungsfähig, organisiert
Ich bin gestresst: langsam, nervös, das Leistungstief, die Nervosität, schneller Puls, vergesslich, die Unruhe, überfordert, schwach

Ü2b 1. r, 2. f, 3. r, 4. f, 5. f, 6. f, 7. r

Ü3a Toni: halbe Stelle, aber Arbeit für ganze Stelle; kommt nicht pünktlich von der Arbeit; muss Kinder abholen, muss hetzen, muss viel tun bis seine Frau um fünf nach Hause kommt (einkaufen, kochen, aufräumen); immer schlechtes Gewissen – keine Zeit für Kinder; schnell genervt;
Maja: eigene Firma, viel Arbeit (Bestellungen, Homepage, Kunden, …), keine Freizeit; immer Sorgen um das Geld; Streit mit Lina; soll Werbung machen

Ü3b Freunde/Familie um Hilfe bitten: T, Arbeit im Haushalt planen und teilen: T, einen Firmenberater um Rat bitten: M, mit Chef über die Aufgaben sprechen: T, Probleme offen besprechen: B, einen Mitarbeiter/Praktikanten einstellen: M, freie Zeiten organisieren: B, mehr Sport machen: B, mehr Geduld haben: M

Aussprache *ü* oder *i*, *u* und *ü*

Ü1a 1. Kissen, 2. Kiel, 3. spülen, 4. liegen, 5. Münze, 6. fühlen, 7. Tier, 8. vier, 9. Bühne, 10. Kiste, 11. Züge

Ü2a 1. die Bücher, 2. die Strümpfe, 3. die Grüße, 4. die Tücher, 5. die Züge, 6. die Flüsse, 7. die Mütter, 8. die Hüte

Lösungen

Kapitel 4 Viel Spaß!

Wortschatz

Ü1 Spiele: das Kartenspiel, mischen, raten, die Spielregel, das Brettspiel
Fitness und Sport: joggen, das Schwimmbad, Rad fahren, trainieren, Ski fahren
Musik: das Instrument, die Bühne, die Oper, das Publikum, die Rolle, der Chor, die Band, die Disco, der Club, der Hit
Literatur und Theater: die Bühne, die Rolle, der Regisseur, der Roman, das Gedicht, das Publikum
Bildende Kunst: das Gemälde, die Galerie, die Malerei, die Ausstellung, die Zeichnung, das Museum

Ü2 2. Wenn ich klettern will, fahre ich ins Gebirge. 3. Wenn ich lesen will, gehe ich in die Bibliothek / setze ich mich an meinen Schreibtisch. 4. Wenn ich einen Film sehen will, gehe ich ins Kino. 5. Wenn ich tanzen will, gehe ich in die Disco. 6. Wenn ich Freunde treffen will, gehe ich in die Disco / in den Biergarten / in die Kneipe. 7. Wenn ich schwimmen will, gehe ich ins Freibad / an den See. 8. Wenn ich chatten will, gehe ich ins Internetcafé. 9. Wenn ich angeln will, gehe ich an den See. 10. Wenn ich Sport treiben will, gehe ins Fitnessstudio / auf den Sportplatz / auf den Tennisplatz. 11. Wenn ich Tennis spielen will, gehe ich auf den Tennisplatz. 12. Wenn ich entspannen will, gehe ich in die Sauna / in den Park.

Ü3a 2. vorbereiten, unternehmen, feiern, 3. verabreden, treffen, entspannen, 4. vertreiben, 5. ausleihen, ansehen, 6. vorbereiten, besuchen, feiern, 7. schicken, annehmen, 8. reservieren, besorgen, schicken, 9. erklären, vorbereiten, ansehen, 10. erleben, 11. besuchen, einladen, treffen

Ü3b 1. der Besuch, 2. die Entspannung, 3. das Erlebnis, 4. die Erklärung, 5. die Verabredung, 6. die Vorbereitung

Ü4 1. unternehmen, 2. verabreden, 3. beobachten, 4. besorgen, 5. erleben

Modul 1 Meine Freizeit

Ü1a 1. falsch, 2. richtig, 3. falsch, 4. richtig, 5. richtig, 6. falsch

Ü2a alt – älter – am ältesten, gesund – gesünder – am gesündesten, häufig – häufiger – am häufigsten, kurz – kürzer – am kürzesten, lang – länger – am längsten, nett – netter – am nettesten, süß – süßer – am süßesten, teuer – teurer – am teuersten, gern – lieber – am liebsten, gut – besser – am besten, viel – mehr – am meisten

Ü2b 1. lieber, 2. gesünder/besser, 3. mehr, häufiger, 4. länger, 5. besser, teurer, 6. netter

Ü3 (1) wie, (2) als, (3) wie, (4) als, (5) als, (6) wie

Ü4 1. größte, meisten, 2. langweiligste, 3. Am liebsten, 4. beste, 5. am wenigsten, 6. am erholsamsten

Ü5 1. am liebsten, jüngeren, 2. höchsten, schnellsten, gefährlichste, 3. ruhigeres, 4. neueste, besseres

Modul 2 Spiele ohne Grenzen

Ü2 1. E, 2. D, 3. A, 4. F, 5. B, 6. C

Ü3 2. Durch die Interaktion mit anderen wird auch das Sozialverhalten geschult. 3. Aber nicht nur Kinder, sondern auch Erwachsene spielen gern, z. B. um sich zu entspannen. 4. Dafür haben wir heute auch mehr Zeit als die Menschen früher. Was wir spielen, kann sich allerdings kulturell unterscheiden. 5. Es gibt Spiele, die spielt man auf der ganzen Welt, andere sind typisch für eine bestimmte Kultur. Und der Spielemarkt entwickelt sich ständig weiter. 6. Dort werden neben den Spieleklassikern ständig neue Spiele angeboten. Beliebt sind natürlich auch Computerspiele. 7. Wichtig ist, dass man nicht zu viel Zeit damit verbringt und den Bezug zur Realität nicht verliert.

Modul 3 Abenteuer im Paradies

Ü2 die Spannung – spannend, die Einsamkeit – einsam, die Angst – ängstlich, der Held / die Heldin – heldenhaft, die Hitze – heiß, das Glück – glücklich, die Überraschung – überraschend, der Mut – mutig, die Gefahr – gefährlich

Ü3 2. trotzdem, 3. deshalb, 4. deshalb, 5. trotzdem

Ü4 1. denn, 2. sodass, 3. Weil, 4. Obwohl

Ü5 2. Letztes Jahr ist er nur bis zum Bodensee gefahren, weil er nur neun Tage Urlaub hatte. 3. Auch dieses Jahr kann er nur zwölf Tage Urlaub nehmen, deshalb will er „nur" von München bis Florenz fahren. 4. Er fährt die Strecke im September, denn im August ist es zu heiß. 5. Aber im September gibt es manchmal viel Regen, sodass er letztes Jahr zwei Tage nicht weiterfahren konnte. 6. Die/Seine Reisen sind oft sehr anstrengend, trotzdem will er jedes Jahr wieder fahren. 7. Er hat seine Freundin schon oft zu einer Tour überredet, obwohl sie nicht so gerne Fahrrad fährt.

Ü6 1. Ein Auto muss bremsen, denn ein Mann geht bei Rot über die Straße. 2. Seine Besitzerin ruft ihn, trotzdem läuft der Hund weg. 3. Der Gemüseladen hat schon zu, trotzdem klopft eine Frau an die Ladentür. 4. Die Feuerwehr kommt, denn Rauch steigt aus einer Wohnung auf.

5. Eine Frau stolpert und verletzt sich am Bein, deswegen muss ein Mann einen Krankenwagen rufen. 6. Die verletzte Frau ist ungeduldig, weil der Krankenwagen immer noch nicht da ist. 7. Jetzt kommt der Krankenwagen, trotzdem schimpft die Frau. 8. Die Frau schimpft so laut, deswegen können die Sanitäter nicht mit ihr sprechen.

Ü7 (1) so … dass, (2) trotzdem, (3) weil, (4) deshalb, (5) so … dass, (6) denn

Modul 4   Unterwegs in Zürich

Ü2 <u>positiv</u>: einzigartig, unvergessen, humorvoll, fesselnd, spannend, überwältigend, unterhaltsam, umwerfend, vielversprechend, ergreifend, bemerkenswert, erfolgreich, sehenswert, fantastisch, originell
<u>negativ</u>: langweilig, eintönig, monoton, langatmig, geschmacklos, humorlos

Ü3 1. f, 2. r, 3. r, 4. f, 5. r, 6. f, 7. f

Ü4 1. Drama, 2. Schauspieler, 3. Pause, 4. Publikum, 5. Garderobe, 6. Regisseur, 7. Eintrittskarte, Lösungswort: Applaus

Aussprache   Satzakzent

Üa Wenn der Sprecher kein Wort besonders hervorheben will, ist der Satzakzent meist am Ende des Satzes.

Üb 1. gemacht B, 2. Martin D, 3. Nachtwächtertour C, 4. Zürich A

Kapitel 5   Alles will gelernt sein

Wortschatz

Ü1 der Unterrichtsraum, der Unterrichtsstoff, der Stundenplan, der Vertretungsplan, der/die Vertretungslehrer/in, die Klassenarbeit, das Klassenzimmer, der Klassenraum, das Klassenbuch, der/die Klassenlehrer/in, der Sportunterricht, die Sporthalle, die Mathematikarbeit, der Mathematikunterricht, die Mathematikprüfung, das Mathematikbuch, der/die Mathematiklehrer/in, die Abiturprüfung, das Abiturfach, der Abiturstoff, der Schulhof, der Schulunterricht, der/die Schuldirektor/in, das Schulbuch, das Schulfach, der Schulstoff, …

Ü2 1. Musikschule, 2. Abendschule, 3. Tanzschule, 4. Berufsschule, 5. Reitschule, 6. Hundeschule, 7. Fahrschule, 8. Universität, 9. Internat

Ü3 1. üben – lernen, 2. lernen – merken, 3. getestet, 4. erinnern – beizubringen, 5. pauken, 6. Merken,

7. behalten – wiederholen, 8. erklären – verstanden

Ü4a Musterlösung: 1. die neuen Wörter wiederholen/üben/aufschreiben/schreiben, 2. die Hausaufgaben machen, 3. einen Kurzvortrag halten/vorbereiten/schreiben/üben, 4. auf die Fragen des Lehrers antworten, 5. einen Dialog wiederholen/üben/aufschreiben/vorbereiten/schreiben, 6. eine Prüfung wiederholen/schreiben/bestehen/vorbereiten, 7. einen Kurs machen/halten/vorbereiten/wiederholen, 8. ein gutes Zeugnis bekommen, 9. einen Test schreiben/bestehen/vorbereiten/machen/wiederholen, 10. im Diktat viele Fehler machen

Modul 1   Lebenslanges Lernen

Ü1a An wen?: Fachbereichsleiterin für Deutsch als Fremdsprache Frau Linda König
Warum?: Sie können nicht zum Termin kommen.

Ü1b Anrede: Sehr geehrte Frau König,
Schluss: Mit freundlichen Grüßen

Ü1c 3, 6, 7, 9

Ü2 (1) zu, (2) -, (3) -, (4) zu, (5) - , (6) zu, (7) -, (8) -, (9) zu, (10) -

Ü3 **Musterlösung:** Man sollte am besten einen Zeitplan erstellen. Vergessen Sie nicht, Pausen beim Lernen einzubauen. Es ist empfehlenswert, den Lernstoff in sinnvolle Abschnitte einzuteilen. Man muss einen ruhigen und ungestörten Arbeitsplatz haben. Versuchen Sie, Karteikarten mit den wichtigsten Informationen anzulegen. Nehmen Sie sich Zeit, den Lernstoff in regelmäßigen Abständen zu wiederholen. Es ist notwendig, sich gründlich über die Prüfung zu informieren. Ich rate allen Kandidaten, mit anderen zusammen zu lernen.

Ü4 1. beginne, beabsichtige, 2. ärgert mich, stört mich, 3. höre auf, rate dir ab, 4. empfehle euch, rate euch

Modul 2   Surfst du noch oder lernst du schon?

Ü1 1. der Monitor, 2. die Kamera / die Web-Cam, 3. die externe Festplatte, 4. der Stick, 5. das Headset, 5a das Mikrofon, 5b der Kopfhörer, 6. das Kabel, 7. der Rechner / der Computer, 8. die Lautsprecher, 9. die Tastatur, 10. die Maus

Ü2 <u>den Computer</u>: programmieren, bedienen, einschalten, kaufen, bekommen, runterfahren
<u>im Internet</u>: chatten, neue Leute kennenlernen, Informationen suchen, surfen, bloggen

Lösungen

<u>eine Nachricht</u>: kopieren, posten, downloaden, speichern, beantworten, anklicken, bekommen, schreiben, löschen, senden, weiterleiten, lesen

Ü3a 2. Es ist doch bekannt, 3. Meiner Meinung nach, 4. Ein weiterer Aspekt ist, 5. spricht auch, 6. zwar nicht ersetzen, aber

Ü3b 2. Viele Lehrer halten es für falsch, dass …, 3. Ein weiteres Argument dafür ist, dass …, 4. Gegner einer solchen Lösung meinen, dass …, 5. Viele Eltern befürworten es / sind dafür, dass …

Modul 3   Können kann man lernen

Ü1 Musterlösung: 1. Der Montag hatte so gut angefangen, bis ich in die Prüfung gegangen bin. 2. Es war einfach unglaublich, aber mir fiel keine Antwort ein. Ich hatte einen Blackout. 3. Dann allerdings merkten die Prüfer, dass etwas nicht in Ordnung war. 4. Zum Glück haben sie mir geholfen und mich beruhigt. 5. Am Ende sind mir die Antworten wieder eingefallen und ich habe die Prüfung bestanden.

Ü2a Denken Sie daran, dass Sie viel gelernt haben. / Zeigen Sie, was Sie wissen und können. / Fähigkeit, eine positive Einstellung zu entwickeln / Vermeiden Sie negative Gedanken / Schreiben Sie angenehme Aussagen auf und lesen Sie sie immer wieder durch. / Prüfung als Anlass nutzen, sich danach zu belohnen / Verboten sind Szenarien der Angst / Bei Blackout in mündlichen Prüfungen Prüfer über Zustand informieren / Bitten Sie um Wiederholung und nehmen Sie sich Zeit für Antworten. / Wenn in schriftlichen Prüfungen das Herz rast, dann hilft eine gute Atmung. / Lesen Sie alle Aufgaben, erstellen Sie Notizen. Fangen Sie mit der Aufgabe an, bei der Sie sich am sichersten fühlen.

Ü2c 1. können, 2. muss, 3. kann, 4. darf, 5. darf, 6. darf, 7. will, 8. wollen, 9. können

Ü3 1. konnte/durfte, 2. Willst/Möchtest – muss – musstest/solltest/wolltest – habe … können, 3. musste – können, 4. Darf – dürfen, 5. will/möchte, 6. soll, kann – darf/soll/kann

Ü4a 2. Man darf während des Unterrichts nicht essen. 3. Marie will in einem halben Jahr die B2-Prüfung machen. 4. Wenn ich hierbleiben will, muss ich ein neues Visum beantragen.

Ü4b 2. Bist du wirklich in der Lage, in der Prüfung von deinem Nachbarn abzuschreiben? … 3. Ich habe keine Lust, diesen Film jetzt zu sehen. 4. Ich habe die Absicht, mir einen deutschen Tandempartner zu suchen, mit dem …

Ü5 1. c, 2. b, 3. a, 4. b

Modul 4   Lernen und Behalten

Ü1 das Gedächtnistraining, die Gedächtnis-schwäche, das Zahlengedächtnis, die Gedächtnisstörung, die Gedächtnisleistung, das Personengedächtnis, das Konkurrenz-denken, der Denkvorgang, das Prestigedenken, das Profitdenken, die Denkaufgabe

Ü2 2. d, 3. f, 4. a, 5. h, 6. g, 7. e, 8. c

Ü3a 1. Deutsche Sprache schwere Sprache 2. Warum ist die deutsche Sprache so schwer? 3. Sprach-institut 4. fortgeschrittene Lerner

Ü3b <u>Dario</u>: 1, 3, 5; <u>Laura</u>: 2, 6, 8; <u>Marta</u>: 4, 7

Aussprache   lange und kurze Vokale

Üa 1. M<u>ie</u>te – M<u>i</u>tte; 2. B<u>e</u>tt – B<u>ee</u>t; 3. f<u>üh</u>len – f<u>ü</u>llen; 4. <u>O</u>fen – <u>o</u>ffen; 5. St<u>a</u>dt – St<u>aa</u>t; 6. T<u>e</u>ller – T<u>ä</u>ler; 7. H<u>öh</u>le – H<u>ö</u>lle

Üc 1, 4, 5

Üd <u>lange Vokale</u>: Haare, Spiel, lesen, Igel, ziehen, Montag, Fliege
<u>kurze Vokale</u>: Wange, Dackel, lachen, Hand, Konto, Klammer, Mann, schnell, spannend, dringend

Kapitel 6   Berufsbilder

Wortschatz

Ü1 1. programmieren, eine Datenbank entwickeln, Software entwickeln, 2. Haare schneiden, Haare färben, föhnen, 3. eine Spritze geben, einen Verband anlegen, Fieber messen, 4. ein Bankkonto eröffnen, in Geldangelegenheiten beraten, über Online-Banking informieren, 5. Familien beraten, bei Problemen unterstützen, mit Jugendlichen arbeiten, 6. Gebäude planen, ein Modell bauen, ein Bauprojekt betreuen

Ü2 2. Grafiker, 3. Rechtsanwältin, 4. Dolmetscher, 5. Hebamme, 6. Schauspieler, 7. Journalistin, 8. Apotheker, **Lösungswort:** Traumberuf

Ü3 2. a, b; 3. d, e, g; 4. h; 5. d, f, g; 6. c, d, g; 7. d, e, g; 8. a, d, f, g

Ü4 1. Stelle, 2. Arbeit, 3. Job, 4. Beruf

Ü5a 1. e, 2. d, 3. g, 4. h, 5. a, 6. b

Ü5b c Arbeitszeit, f Freizeit

Modul 1   Wünsche an den Beruf

Ü1a 1. gemeinsam, 2. langweiligen, 3. Karriere, verdienen, 4. verantwortungsvolle, 5. Über-stunden, 6. Herausforderung

Ü1b (1) Teilzeitjob, (2) Gehalt, (3) freiberuflich, (4) anbieten, (5) Betriebsklima, (6) Kontakt, (7) Arbeitszeit, (8) Interessen

Ü3a 2. Er wird auf dem Schreibtisch liegen. 3. Dann wird er (noch) im Kopierer sein. 4. ..., wird er (schon) im Postfach sein/liegen.

Ü3b 2. Sie werden bitte sofort den Drucker reparieren (lassen)! 3. Sie werden sofort die Füße vom Tisch nehmen! 4. Sie werden sofort den Kunden anrufen! 5. Sie werden jetzt sofort die Post wegbringen! 6. Herr Huber wird / Sie werden sofort in mein Büro kommen! 7. Sie werden (sofort) das Angebot fertig machen!

Ü3c 2. Könnten/Würden Sie bitte den Drucker reparieren (lassen)? 3. Könnten/Würden Sie bitte die Füße vom Tisch nehmen? 4. Könnten/Würden Sie bitte den Kunden anrufen? 5. Könnten/Würden Sie bitte die Post wegbringen? 6. Könnten/Würden Sie bitte in mein Büro kommen? 7. Könnten/Würden Sie bitte das Angebot fertig machen?

Modul 2   Ideen gesucht

Ü1a individuell, kompetent, modern, praktisch, professionell, preiswert, persönlich, sauber, unkompliziert, zuverlässig

Ü2 1. erreichen, 2. erfüllen, 3. herstellen, 4. vereinbaren, 5. ausdrücken

Ü3a 1. der eigene Chef sein, 2. Geld, 3. Plan, 4. Werbung, 5. Beratung und Austausch

Ü3b <u>der eigene Chef sein</u>: realistisch sein, mehr Arbeit, muss sich um alles kümmern, trägt Verantwortung, am Wochenende arbeiten, kein bezahlter Urlaub
<u>Geld</u>: man muss mit finanziellem Risiko leben, auch Zeiten, in denen man wenig verdient
<u>Plan</u>: Schritte genau planen: Wann, wo, welche Konkurrenz, wie viel Kapital? Workshop gut
<u>Werbung</u>: muss man planen: Webseite, Flyer, Anzeige, Gestaltung, Kosten
<u>Beratung</u>: Workshops, Beratungsstellen, mit anderen austauschen

Modul 3   Darauf kommt's an

Ü1 1. ein interessantes Stellenangebot lesen, 2. sich genauer über die Firma und die Stelle informieren, 3. eine Bewerbung schreiben, 4. zum Vorstellungsgespräch eingeladen werden, 5. den Arbeitsvertrag unterschreiben

Ü2 2. f, 3. c, 4. b, 5. a, 6. d

Ü3 (2) auf, (3) bei, (4) mit, (5) an, (6) mit, (7) über, (8) von

Ü4a 2. Mit wem?, 3. Worauf?, 4. Wonach?, 5. Mit wem?

Ü4b 2. Wofür hast du dich entschuldigt? Für meinen Fehler. 3. An wen denkst du? An meine Familie. 4. Mit wem triffst du dich? Mit meinen Kollegen. 5. Worauf freust du dich? Auf das Wochenende.

Ü5 (1) bei, (2) vom, (3) darauf, (4) Zu, (5) über, (6) bei, (7) darüber, (8) darauf, (9) zu, (10) für, (11) zu, (12) darauf

Ü6 Musterlösung: 2. Ich habe lange darüber nachgedacht, ob ich wirklich kündigen soll. 3. Was hältst du davon, wenn wir gemeinsam einen Computerkurs besuchen? 4. Ich kann mich nicht daran gewöhnen, dass meine neue Chefin alles anders macht. 5. Wir freuen uns sehr darauf, zu verreisen.

Ü7 1. G, 2. D, 3. I, 4. X/0, 5. E, 6. A, 7. H

Modul 4   Mehr als ein Beruf

Ü3 1. Er wollte schon immer Alphirt sein, hat seinen Beruf als Dozent an der Uni nicht aufgegeben / als zweites Standbein und findet zwei Berufe abwechslungsreich. 2. Er verdient zu wenig Geld mit seiner Praxis. 3. R. Helbling sieht im Sommer seine Familie sehr wenig. M. Studer hat fast keine Freizeit.

Ü4a 2. glücklich sein, 3. traurig sein, 4. zwinkern, 5. krank sein, 6. überrascht sein, 7. wütend sein, 8. weinen, 9. laut lachen, 10. schweigen

Ü4b 2. komme gleich wieder, 3. Liebe Grüße, 4. Was ist los?, 5. Bis später!, 6. Gute Nacht!, 7. Mit freundlichen Grüßen

Ü5 1. G, 2. H, 3. A, 4. L, 5. F, 6. P, 7. B, 8. M, 9. O, 10. I

Aussprache   -e, -en und -er am Wortende

Üa 1. [ən] wie hören und [n] wie lesen, 2. [ɐ] wie Bruder, 3. [ə] wie Tage

Üc Zweitjob gesucht?
Wir biet<u>en</u> [n] interessant<u>en</u> [n] Sommerjob für zuverlässig<u>e</u> [ə] Person<u>en</u> [ən]. Wenn Sie Erfahrung mit Nutztierhaltung hab<u>en</u> [n] und Zeit und Lust hab<u>en</u> [n], im Somm<u>er</u> [ɐ] (mindestens 2 Monat<u>e</u> [ə]) auf unserem Bauernhof in Niederbayern mitzuhelf<u>en</u> [n], meld<u>en</u> [n] Sie sich bitte [ə].

Kapitel 7   Für immer und ewig

Wortschatz

Ü1a 2. g, 3. d, 4. a, 5. b, 6. c, 7. e

Ü2 (2) sich ... kennengelernt, (3) geheiratet, (4) sich ... scheiden lassen, (5) ist Witwe, (6) ist ... gestorben, (7) ist schwanger, (8) zur Welt kommen

Ü3 2. die Familie, 3. die Liebe, 4. das Misstrauen, 5. der Freundeskreis, 6. sich versöhnen, 7. das Gespräch, 8. verliebt

Ü4 1. Partner, 2. Hochzeit, 3. Paar, 4. Beziehung, 5. Scheidung, 6. Single

Lösungen

Ü5a die Partnersuche, die Patchworkfamilie, die Familienfeier, das Familienmitglied, die Familiengeschichte, das Kinderlachen, die Lebensgeschichte, die Liebesgeschichte, der Liebeskummer, die Hochzeitsfeier, das Beziehungsproblem

Ü5b 1. c, 2. a, 3. e, 4. b, 5. d

Modul 1   Lebensformen

Ü2

	ich	du	er/es/sie	wir	ihr	sie/Sie
Akk.	mich	dich	sich	uns	euch	sich
Dat.	mir	dir				

Ü3 1. mich, 2. mich, 3. mir, 4. mir, 5. mich, 6. mir, 7. mich

Ü4 2. Dann wasch dir die Hände. 3. Dann hol dir einen Joghurt aus dem Kühlschrank. 4. Dann kämm dir die Haare. 5. Dann kauf dir ein Heft. 6. Dann zieh dir die Jacke aus.

Ü5 (1) mich, (2) mich, (3) uns, (4) mir, (5) sich, (6) mich, (7) uns, (8) dich

Ü6 2. Hast du dich schon erkundigt, … 3. Ich habe mich auch schon gewundert, … 4. Wir freuen uns sehr auf das Fest. … 5. Er muss sich doch immer um seine kranken Eltern kümmern. 6. Aber er beschwert sich nie. … 7. Ich muss mich beeilen, sonst regt sich mein Chef wieder auf. 8. Okay, dann melde dich doch heute Abend, dann können wir uns weiter unterhalten.

Modul 2   Klick dich zum Glück

Ü1a 1. Ratgebersendung, 2. Partnervermittlung im Internet, 3. über eigene Erfahrungen berichten

Ü1b 1. Mike: kommt aus Hannover, hat eine Partnerin in einer Partnerbörse gefunden, Liebe auf den ersten Klick
2. Rüdiger: kommt aus Brandenburg, hat seine zukünftige Frau in einer Partnerbörse kennengelernt
3. Julia: kommt aus Hamburg, würde nie Geld für Partnerbörsen ausgeben. Findet, wenn man intensiv sucht, kann man nicht erfolgreich sein. Hat ihren Freund in einem sozialen Netzwerk kennengelernt.

Ü1c Mike: 3, 6, 8, Rüdiger: 2, 4, 9, Julia: 1, 5, 7, 10

Ü2a linke Spalte: 4, 12, 9, 5, 13, 2, 15, 10
rechte Spalte: 3, 16, 8, 6, 1, 11, 14, 7

Modul 3   Die große Liebe

Ü1 Aussehen: modern, sportlich, gepflegt, mollig, schick, elegant, hübsch, schlank
Charakter: tolerant, temperamentvoll, zuverlässig, egoistisch, warmherzig, ehrlich, sensibel, begeisterungsfähig, ernst, geduldig, liebenswert, gesprächig

Ü2a 1. Das ist mein Freund, …
a. der leider ganz weit weg lebt.
b. den du sicher nett finden würdest.
c. dem ich immer alles verzeihe.
d. für den ich alles tun würde.
e. dessen Humor toll ist.
2. Das ist das Kind, …
a. das neben mir wohnt.
b. das man oft draußen spielen sieht.
c. dem das Spielzeug gehört.
d. von dem ich dir schon oft erzählt habe.
e. dessen Lachen man oft hört.
3. Das ist meine beste Freundin, …
a. die mich immer versteht.
b. die ich fast jeden Tag sehe.
c. der ich immer bei ihren Seminararbeiten helfe.
d. mit der ich aufgewachsen bin.
e. deren Familie ich auch gut kenne.
4. Das sind meine Eltern, …
a. die immer für mich da sind.
b. die ich heute eingeladen habe.
c. denen ich viel verdanke.
d. mit denen ich mich auch manchmal streite.
e. deren Hilfe oft wichtig für mich ist.

Ü3 (1) dem, (2) der, (3) die, (4) der, (5) die, (6) der, (7) die, (8) dem, (9) der, (10) dem, (11) die, (12) die

Ü4 1. was, 2. woher, 3. was, 4. wo, 5. was, 6. was, 7. was, 8. wohin, 9. was, 10. was

Modul 4   Eine virtuelle Romanze

Ü1a Nomen: der Liebhaber, die Nächstenliebe, die Liebesgeschichte die Vorliebe, die Liebeserklärung, das Liebespaar,
Adjektive: kinderlieb, lieblich, verliebt, ordnungsliebend, lieblos, ruheliebend, liebevoll, unbeliebt, liebeskrank

Ü1b 1. Nächstenliebe, 2. Vorliebe, 3. Liebespaar, 4. ordnungsliebender, 5. Liebeserklärung, 6. unbeliebte, 7. kinderlieb, 8. Liebesgeschichte

Ü2 A 4, B 3, C 2, D 1

Aussprache   begeistert und ablehnend

Üa ○ Mann, war das ein tolles Fest!
● Was? Das war doch furchtbar!
○ Wieso? Die Leute waren doch total nett.
● Na ja. Du hast ja auch nicht neben Sandras Schwester gesessen. Die redet und redet und redet. Ohne Pause.
○ Aber ich habe ganz toll mit ihr getanzt.

● Toll. Und ich musste mit ihrem Mann tanzen. Der hat ja wirklich zwei linke Füße.
○ Ist aber so ein netter Typ. Und die Band war echt super. Und das Essen erst. Fantastisch!
● Ja, war ganz gut … Aber das Kleid von Sandra. Das geht ja gar nicht …
○ Du hast auch immer was zu meckern!
● Wenn es doch wahr ist!

Kapitel 8   Kaufen, kaufen, kaufen

Wortschatz

Ü2a 2. abholen, 3. einpacken, 4. umtauschen, 5. zurückgeben, 6. ausgeben, 7. zahlen, 8. einkaufen, 9. gefallen

Ü2b (1) einkaufen, (2) abholen, (3) bestellt, (4) gefällt, (5) umtauschen, (6) zurückgeben, (7) ausgegeben, (8) einpacken, (9) zahlen

Ü3a 1. g, 2. d, 3. f, 4. c, 5. b, 6. e, 7. a

Ü3b Musterlösung:
1. Kleidung: die Bluse, das Hemd, der Pullover
2. Möbel: das Regal, der Schrank, die Kommode
3. Geschirr: die Untertasse, die Suppentasse, die Platte
4. Schreibwaren: der Stift, der Block, das Papier

Ü4 1. f, 2. b, 3. h, 4. a, 5. d, 6. g, 7. e, 8. c, 9. i

Modul 1   Dinge, die die Welt (nicht) braucht

Ü1b Mann 1: Auto; Freundin wohnt 50 Kilometer entfernt, dort fährt kein Zug hin, Bus fährt nicht oft; Ausflüge in die Berge oder an einen See; Dinge transportieren für Job
Frau: Telefon/Handy; ohne Telefon weniger Kontakt zu guten Freunden, Austauschen auch über Entfernungen möglich; weniger Missverständnisse als in Mails oder Briefen; Kinder leben in London und in Australien
Mann 2: Klappschirm; 15 Minuten Fußweg bis zur U-Bahn; schon oft nass geworden; Klappschirm passt immer in Tasche

Ü2 1. …, um fit zu bleiben. 2. …, um sich vor plötzlichem Regen zu schützen. 3. …, um den Rücken beim Reisen zu schonen. 4. …, um ständig erreichbar zu sein. 5. …, um dir meine neueste Erfindung zu erklären.

Ü4 1. Ich will etwas Tolles erfinden, um viel Geld zu verdienen. 2. Ich kaufe gern lustige Erfindungen, damit meine Freunde Spaß haben. 3. Wir machen einen Spanischkurs, um im Urlaub ein bisschen mit den Leuten reden zu können. 4. Er hat einen Tanzkurs gemacht, damit sie sich freut.

Ü5 (1) …, damit die Gäste in den Bach sehen konnten. (2) …, damit die Gäste einen angenehmen Aufenthalt haben. (3) …, um die Gäste zu unterhalten. (4) Um sich am Buffet etwas aus einer Schüssel zu nehmen, … (5) …, um nicht nass zu werden. (6) Damit die Luft unter dem Schirm gut ist, …

Ü6 2. Zum Arbeiten brauche ich Ruhe und gute Ideen. 3. Benutzen Sie die Fernbedienung zum Einschalten des Geräts. 4. Zum Lösen des Tickets drücken Sie auf die grüne Taste. 5. Zum Einkaufen in diesem Geschäft benötigt man eine Kundenkarte.

Modul 2   Konsum heute

Ü1 Flohmarkt: billig, Ware anfassen, bar zahlen, gebrauchte Ware, der Trödelmarkt, der Verkaufsstand, nach Raritäten suchen, um den Preis handeln
Online-Shopping: eine Bestellung abschicken, mit Kreditkarte zahlen, ein Formular ausfüllen, Ware im Paket, die Werbung, das Sonderangebot, Händler bewerten, Fotos ansehen, die Neuware, umtauschen
Einkaufszentrum: der Verkaufsstand, mit Kreditkarte zahlen, bar zahlen, das Geschäft, die Neuware, die Werbung, das Sonderangebot, die Kundenkarte, umtauschen, der Händler / die Händlerin, Ware anfassen, Ware in der Tüte

Ü2 die Kaufkraft, das Kaufhaus, das Kaufverhalten, der Kaufvertrag, der Falschkauf, der Warenkauf, der Ratenkauf, der Geldbeutel, der Geldschein, die Geldsorgen (Pl.), der Geldbetrag, die Geldsumme, der Geldautomat, das Falschgeld, die Konsumkraft, die Konsumwaren (Pl.), das Konsumverhalten, das Konsumdenken, der Konsumverzicht, der Warenkonsum

Ü3a Musterlösung:
1. Sie hat nichts gegen Konsum, weil sie selbst gerne genießt und eine große Auswahl schätzt.
2. Sie sieht Konsum aber auch kritisch, weil man zu viel Zeit mit Geld und Konsum verbringt und keine Zeit mehr für sein Leben hat.
3. Während der „Shoppingdiät" will sie ein Jahr lang keine Kleidung, Schuhe und Accessoires kaufen.

Modul 3   Die Reklamation

Ü1a 2. B, 3. H, 4. C, 5. F, 6. D, 7. E, 8. A

Ü2 (1) Könnte, (2) Könntest, (3) könnte/würde, (4) würdest, (5) würde, (6) könntest

Ü3 2. Ich an deiner Stelle würde das Gerät ins Geschäft zurückbringen. 3. Würden/Könnten Sie bitte hier unterschreiben? 4. Würdest/Könntest

Lösungen

du dich jetzt bitte beeilen? 5. … Wenn ich du wäre, würde ich dort nicht mehr einkaufen.

Ü4 2. Du hättest kein Handy. 3. Du hättest den alten Stuhl nicht repariert. 4. Du hättest wenig zu lachen. 5. Du würdest keine Reisen mehr machen.

Ü5 Musterlösung: 2. Hätte sie schneller gefrühstückt / Wäre sie früher aufgestanden, hätte sie den Bus nicht verpasst. 3. Hätte er nicht vergessen einzukaufen, wäre der Kühlschrank nicht leer. 4. Hätte er/sie sich besser auf die Prüfung vorbereitet, hätte er/sie bestanden. 5. Hätte das Paar Karten reserviert, könnten sie ins Kino gehen. 6. Hätte die Frau besser auf ihre Tasche aufgepasst, hätte der Dieb sie nicht gestohlen.

Modul 4 Kauf mich!

Ü1 1. b, 2. c, 3. e, 4. f, 5. a, 6. d
Ü2 Bild A: Männer in der Natur, Meer, Segelboot, Strand
Bild B: Harter Boden zum Gehen, Teppich zum Stehen vor der Ware, Ware in die Hand nehmen, nette Verkäuferin
Bild C: Werbung mit Kindern für Frauen, Kindchenschema, Kaufhausmusik aus Lautsprecher, Duft von frischem Brot

Aussprache Wichtige Informationen betonen

Üa 1. b, 2. a, 3. b, 4. a
Üc a Sebastian, will Christiane nicht? b Sebastian will, Christiane nicht. c Hanne, sagt Franz, wird nie klug. d Hanne sagt, Franz wird nie klug.

Kapitel 9   Endlich Urlaub

Wortschatz

Ü1 2. f, 3. e, 4. g, 5. h, 6. i, 7. b, 8. j, 9. a, 10. c
Ü2 2. die Nagelschere / die Nagelscheren, 3. das Flugticket / die Flugtickets, 4. das Pflaster / die Pflaster, 5. die Sonnenbrille / die Sonnenbrillen, 6. die Kamera / die Kameras, 7. das Visum / die Visa, 8. die Badehose / die Badehosen, 9. die Kreditkarte / die Kreditkarten, 10. der Waschbeutel / die Waschbeutel, …
Ü3 (1) Kontinent, (2) Klima, (3) Heimweh, (4) fahre per Anhalter, (5) einen Abstecher … machen, (6) Impfung, (7) Reisekrankenversicherung
Ü4 die Bahn: das Gleis, die Fahrkarte, die Lok, der Schaffner, der Waggon, der ICE, der Speisewagen
das Flugzeug: der Flughafen, die Sicherheitskontrolle, der Duty-Free-Shop, das Gate, die Landung, das Handgepäck, die Flugbegleiterin
das Auto: die Garage, die Tankstelle, die Autobahngebühr, der Stau, der Kofferraum, der Verkehrshinweis, die Fahrzeugkontrolle
Ü5 2. sich im Park sonnen, 3. eine Städtereise buchen, 4. eine Ferienwohnung mieten, 5. neues Essen probieren, 6. Sehenswürdigkeiten besichtigen, 7. ein Visum beantragen, 8. in einem Hotel übernachten, 9. Urlaub im Ausland verbringen, 10. Geld wechseln

Modul 1 Einmal um die ganze Welt

Ü1 (1) erfüllt, (2) Weltreise, (3) bereist, (4) Städte, (5) verreiste, (6) Fernweh, (7) Sand, (8) Plan, (9) Urlaub, (10) Stress, (11) anstrengend, (12) klappt, (13) fühlen
Ü2 (1) (immer) wenn , (2) als (das letzte Mal), (3) (Diesmal) als, (4) wenn (früher … oft), (5) (beim letzten Flug) als, (6) als (dann), (7) (sofort) als
Ü3 2. Ich lerne gern Land und Leute kennen, während ich reise. 3. Solange/Während ich auf Reisen bin, habe ich keine Langeweile. 4. Während/Solange ich unterwegs bin, fotografiere ich viel. 5. Während ich die Fotos mit meinen Enkeln anschaue, gibt es Kaffee und Kuchen. 6. Solange ich auf Reisen sein kann, bin ich glücklich.
Ü4 2. Bevor ich losfahre, packe ich meinen Koffer. / Nachdem ich meinen Koffer gepackt habe, fahre ich los. 3. Während ich den Reiseführer genau lese, höre ich Musik aus dem Urlaubsland. 4. Bevor ich meine Wohnung verlasse, kontrolliere ich alle Zimmer. / Nachdem ich alle Zimmer kontrolliert habe, verlasse ich die Wohnung. 5. Während ich mit dem Taxi zum Flughafen fahre, überprüfe ich noch einmal, ob ich meinen Pass dabei habe. 6. Bevor ich zur Passkontrolle gehe, gebe ich mein Gepäck auf. / Nachdem ich mein Gepäck aufgegeben habe, gehe ich zur Passkontrolle. 7. Während ich im Flugzeug sitze, lese ich. 8. Bevor ich durch den Zoll gehe, hole ich mein Gepäck. / Nachdem ich mein Gepäck geholt habe, gehe ich durch den Zoll.
Ü5 2. bis, 3. seit/seitdem, 4. bis, 5. seit/seitdem, 6. seit/seitdem
Ü6 1 b, 2 b, 3 c, 4 c, 5 a, 6 b
Ü7 (1) wenn, (2) als, (3) nachdem, (4) während/als, (5) bis, (6) nachdem, (7) als, (8) als

Modul 2 Urlaub mal anders

Ü1a 1. teilnehmen, 2. reisen, 3. kooperieren, 4. unterstützen, 5. engagieren, 6. kennenlernen, 7. aufbauen, 8. lernen

Ü1b 1. das Engagement, 2. die Unterstützung, 3. die Teilnahme, 4. die Erfahrung, 5. die Erholung, 6. die Begeisterung, 7. das Interesse, 8. die Hilfe, 9. die Organisation, 10. der Zweifel

Ü2 (1) B, (2) C, (3) C, (4) B, (5) A, (6) C, (7) C, (8) A, (9) A, (10) B

Ü3 2. Carl, 3. Andy, 4. Natascha, 5. Merle, 6. Andy, 7. Samuel, 8. Carl, 9. Natascha, 10. Samuel

Modul 3 Ärger an den schönsten Tagen

Ü1 (2) Am, (3) vom, (4) bis (zum), (5) seit, (6) Im, (7) im

Ü2 1. (a) Am, (b) In, (c) Im, (d) Im, (e) Im, (f) -, (g) Zu/An, (h) Zu/An, (i) Am, (j) Vom … bis (zum)
2. (a) Im, (b) In, (c) Im, (d) -, (e) Im, (f) Vor
3. (a) Vor, (b) Während, (c) Während, (d) Vor, (e) -, (f) Im

Modul 4 Eine Reise nach Hamburg

Ü1 3. richtig, 4. b), 5. falsch, 6. a), 7. falsch, 8. b), 9. richtig, 10. c)

Ü2 Musterlösung
1. Haben Sie / Gibt es für morgen noch ein Einzelzimmer bis 50 Euro im Zentrum? 2. In welchen Abständen kann ich am Samstag ab/nach 19 Uhr mit dem ICE nach Bremen fahren und wie lange dauert die Fahrt? 3. Könnte ich für heute Abend einen Tisch für zwei Personen reservieren? 4. Ich wollte fragen / mich erkundigen, welche Musicals zurzeit in Hamburg laufen.

Aussprache *kr, tr, pr, spr, str*

Üb trippeln, trappeln, kriechen, krabbeln, springen, sprinten, streiten, strampeln, prima

Üd Spritze, abstrampeln, Straße, Strom, versprechen, anstrengend

Üe a) sch, b) Silbe, c) s

Kapitel 10 Natürlich Natur!

Wortschatz

Ü1a Klima: das Gewitter, die Luft, die Trockenheit, der Nebel, der Niederschlag, der Orkan, die Erwärmung, der Sturm, die Wolke, das Wetter, das Glatteis
Landschaft: der Wald, das Meer, die Wüste, das Gebirge, der Strand, das Moor, die Wiese

Pflanzen: das Gras, das Getreide, die Rose
Tiere: die Ziege, das Insekt, die Kuh, das Vieh, das Wildschwein, der Vogel, das Reh, das Huhn, der Hirsch

Ü2 (1) Umweltschutz, (2) Umweltverschmutzung/Umweltzerstörung, (3) umweltschädliche, (4) Umweltbewusstsein, (5) umweltfreundlicher, (6) Umweltzerstörung/Umweltverschmutzung, (7) Umweltkatastrophen

Ü3a 2. zerstören, 3. schaden, 4. schützen, 5. produzieren, 6. protestieren, 7. retten, 8. verbieten, 9. recyceln, 10. gefährden

Ü4 Wasser sparen, Abfall trennen, ein schadstoffarmes Auto fahren, Bäume pflanzen, öffentliche Verkehrsmittel benutzen, Stand-by ausschalten, Energiesparlampen benutzen, Ökostrom nutzen, Fahrgemeinschaften bilden, umweltfreundlich heizen

Ü5 1. Engagement, 2. Verpackungsmüll, 3. Mülleimer, 4. Alternative, 5. Bioprodukte, 6. Abwasser, 7. Altpapier, 8. ökologisch, 9. recyceln, 10. Biotonne, 11. Abgase

Modul 1 Umweltproblem Single

Ü1 1. vermehren, 2. verbrauchen, 3. produzieren, 4. verhindern, 5. schaffen, 6. fordern

Ü2 1. b, 2. a, 3. b, 4. b, 5. a, 6. b

Ü3a Musterlösung: 1. Heutzutage wird zu viel Verpackungsmüll produziert. 2. Häufig werden Ressourcen verschwendet. 3. Die Luft wird durch Abgase verpestet. 4. Die Menschen werden über die Umweltprobleme informiert. 5. Lösungen für die Umweltprobleme werden in vielen Projekten gesucht.

Ü3b 1. Das Haus wurde geplant. 2. Die Finanzierung wurde gesichert. 3. Interessenten wurden informiert. 4. Eine energiesparende Heizung wurde eingebaut. 5. Die Solaranlage wurde installiert.

Ü3c 2. Er ist nicht eingeladen worden. 3. Sie ist nicht abgeholt worden. 4. Es ist schon ausgegeben worden. 5. Sie sind zu spät informiert worden.

Ü4a 2. Er sollte rausgebracht werden. 3. Er sollte sortiert werden. 4. Er sollte repariert werden. 5. Sie sollten ausgeschaltet werden.

Ü5 2. Das Wasser darf nicht mehr verschwendet werden. 3. Die Flüsse dürfen nicht mehr verschmutzt werden. 4. Der Müll darf nicht mehr in die Natur geworfen werden. 5. Die Erde darf nicht mehr vergiftet werden. 6. Die Wälder dürfen nicht mehr abgeholzt werden.

Lösungen

Modul 2 Tierisch tierlieb?

Ü1 Missfallen ausdrücken: Ich finde es wirklich schlimm, wenn …; Ich habe den Eindruck, dass es sehr/etwas übertrieben ist, wenn …; Ich kann überhaupt nicht nachvollziehen, wie jemand …; Mich nervt es, wenn …; Ich finde es schockierend, wenn …;

Interesse/Erstaunen ausdrücken: Ich finde es erstaunlich, dass …; Mich interessiert, wie/ob …; Mich überrascht, wie …; Ich finde es wichtig, zu wissen, wie/ob…

Gefallen ausdrücken: Ich finde es ganz besonders schön, wenn …; Ich freue mich, wenn ich … sehe. Ich finde es sehr gut, wenn jemand …; Mir scheint es richtig/wichtig, dass …; Ich kann sehr gut verstehen, wenn …

Ü2 (1) Haustier, (2) Mietwohnung, (3) Anschaffungskosten, (4) Futter, (5) Steuer, (6) Hundebesitzer, (7) Halsband, (8) Versicherung, (9) Tierarztbesuche (10) Hundelebens

Ü3 1. b, 2. a, 3. b, 4. b, 5. c

Modul 3 Alles für die Umwelt?

Ü1a 1. g, 2. f, 3. h, 4. c, 5. a, 6. b, 7. d, 8. e

Ü1b 1. Die Bürger Kassels machen jedes Jahr beim Aufräumtag in der Stadt mit. 2. Sie finden immer ungefähr 10 Kilo Müll auf der Straße und stecken ihn in große Müllsäcke. 3. Beim letzten Mal haben sie neben einem Autobahnparkplatz ein altes Fahrrad gefunden. 4. Jetzt liegt das alte Fahrrad neben alten Autoteilen auf einem Schrottplatz.

Ü2a 1. gegenüber, 2. entlang, 3. innerhalb, 4. gegen, 5. um … herum, 6. ab

Ü2b (1) durch den Park, (2) den Bach entlang / entlang dem Bach, (3) um den Baum, (4) gegenüber der Brücke, (5) Bei der Brücke, (6) Durch das Geländer, (7) Von der Brücke, (8) zum Ausgang, (9) Bei den Fahrradständern, (10) Außerhalb des Parks

Ü3 1. a, 2. c, 3. b, 4. a, 5. b, 6. c, 7. b

Modul 4 Kostbares Nass

Ü1a Text A: Foto 1, Text B: Foto 5, Text C: Foto 4, Text D: Foto 2, Text E: Foto 3

Ü2 1. e, 2. d, 3. b, 4. f, 5. a, 6. c

Ü3 **Musterlösung:** Ostsee: einmaliges Ökosystem, große biologische Vielfalt, wichtig für Ernährung und Tourismus, viele Naturschutzgebiete + Nationalparks, Umweltschützer → Schutzgebiete sollten vergrößert werden, 25 Prozent Meeresboden biologisch tot, gehört zu den am stärksten verschmutzten Meeren: Abwässer, Industrieabfälle, Düngestoffe, giftige Algenteppiche, kaum noch Fische, Binnenmehr, Gifte bleiben lange im Wasser, starker Schiffsverkehr, größte Schwierigkeit bei Schutz → wirtschaftliche Interessen

Aussprache lautes Lesen üben

Musterlösung

Die Ostsee in Gefahr|

Die Ostsee – |Das ist ein einmaliges Ökosystem.|| Sie zeichnet sich durch eine große biologische Vielfalt aus| und ist für die Menschen in vielerlei Hinsicht wichtig,| z. B. für die Ernährung und den Tourismus. |Es gibt zahlreiche Naturschutzgebiete und Nationalparks.|| Umweltschützer fordern jedoch,| dass diese Schutzgebiete vergrößert werden.| Denn 25 Prozent des Meeresbodens gelten als biologisch tot.|| Die Ostsee gehört damit zu den am stärksten verschmutzten Meeren der Welt.|| Abwässer,| Industrieabfälle und Düngestoffe werden im Meer entsorgt.| Es bilden sich immer wieder giftige Algenteppiche| und viele Meeresbewohner sterben.| In vielen Ostseegebieten| gibt es kaum noch Fische.|| Außerdem ist die Ostsee ein Binnenmeer, so bleiben die Gifte auch sehr lange im Ostseewasser. |Das Wasser kann sich nicht so schnell erneuern wie in anderen Meeren.|| Ein weiteres Problem ist der Schiffsverkehr auf der Ostsee,| besonders der Tankerverkehr hat in den letzten Jahren stark zugenommen.| Es gibt zahlreiche Initiativen und Projekte, um die Ostsee zu schützen.| Aber bis jetzt ist das nicht genug.| Eine große Schwierigkeit dabei| sind die unterschiedlichen wirtschaftlichen Interessen der neun Staaten,| die an der Ostsee liegen.||

Transkript zum Arbeitsbuch

Kapitel 1   Leute heute

Modul 1   Übung 1

- ○ Sag mal, was machst du eigentlich, wenn du mit der Ausbildung fertig bist?
- ● Also, zuerst will ich natürlich ein paar Jahre als Krankenschwester arbeiten, deshalb habe ich die Ausbildung ja auch gemacht. Erst mal hier in Dortmund und dann ein paar Jahre im Ausland, vielleicht in England.
- ○ Klingt gut.
- ● Ja, im Ausland leben und arbeiten – den Traum würde ich mir gern erfüllen. Und du? Was für Träume hast du, die du unbedingt realisieren willst?
- ○ Hm, na ja. Ich würde auch gern ins Ausland gehen, am liebsten nach Frankreich.
- ● Oh ja, Paris, eine tolle Stadt. Und was willst du da machen?
- ○ Ein oder zwei Semester studieren. Dann hier mein Studium beenden und vielleicht eine eigene Firma gründen.
- ● Echt? Was für eine Firma denn?
- ○ Weiß ich noch nicht. Aber ich will gern mein eigener Chef sein. Ich brauche nur noch eine gute Idee und dann kann ich diesen Traum verwirklichen.
- ● Mein eigener Chef sein – das finde ich auch gut. Ich hätte ja später irgendwann gerne ein eigenes Café. Klein, gemütlich, mit tollem Kuchen und selbstgemachter Limonade.
- ○ Ein eigenes Café? Das wollen ja viele. Viele versuchen es ja auch, müssen den Traum dann aber wieder aufgeben. Das ist wahrscheinlich doch schwieriger, als man denkt.
- ● Na ja, ich bin gespannt, wie alles so ist, wenn wir uns in ein paar Jahren unterhalten. Ob wir alle unsere Träume verwirklicht haben.
- ○ Ja, ich auch. Vielleicht träumen wir dann auch schon wieder von ganz anderen Dingen …

Aussprache   Übung 1a

1. Hände, 2. Ecke, 3. eilen, 4. heben, 5. herstellen, 6. aus

Aussprache   Übung 1b

1. Ende – Hände, 2. Ecke – Hecke, 3. eilen – heilen,
4. eben – heben, 5. erstellen – herstellen, 6. Haus – aus

Aussprache   Übung 2b

herzhaft, lehren, Johannes, sehen, lebhaft, erheben, Alkohol, unhaltbar, Seehund, ehrlich, wohnen, Frechheit, Gehilfe

Aussprache   Übung 3

Hinter Hermann Hannes Haus hängen hundert Hemden raus.
Zehn zahme Ziegen zogen zehn Zentner Zucker zum Zoo.
Als Anna abends aß, aß Anna abends Ananas.

Kapitel 2   Wohnwelten

Modul 4   Übung 2

- ○ Hi Theresa, na, wie geht's dir?
- ● Hallo Sandra. Gut, danke … Ah, ich freu' mich auf einen Kaffee mit Kuchen.
- ■ Darf ich Ihnen schon etwas bringen?
- ○ Ja, sehr gerne. Ich hätte bitte gerne einen Latte Macchiato und einen Apfelkuchen.
- ● Für mich bitte genau das Gleiche. Danke.
- ■ Gerne.
- ● Und, erzähl. Wie ist es so zu Hause? Ist es zu ruhig, jetzt wo die Kinder ausgezogen sind?
- ○ Ach, nein, ich finde es herrlich! Du kennst ja den Witz: „Wann ist der Beginn des Lebens? – Wenn die Kinder aus dem Haus sind." Na ja, sie fehlen mir natürlich schon, aber wir telefonieren oft, deshalb geht es gut. Und ich find's toll, dass ich jetzt viel mehr Zeit für mich und Christian habe.
- ● Na, das ist ja auch wirklich lustig bei euch. Erst wohnen beide Kinder so lange bei euch und dann ziehen sie fast gleichzeitig aus.
- ○ Ja, das war doch ein bisschen plötzlich. Aber es wurde auch wirklich Zeit. Marcel ist jetzt 30! Und Lea ist auch schon 27. Ehrlich gesagt hab' ich mir schon Sorgen gemacht, dass sie nie auf eigenen Füßen stehen werden.
- ● Na ja, es war ja auch sehr praktisch für die beiden, bei euch zu Hause im Dachgeschoss zu wohnen. Sie hatten beide ihr großes Zimmer und sogar eine kleine Küche und ein Bad. Eigentlich war das ja fast wie in einer WG.
- ○ WG mit All-inclusive-Vollverpflegung, Reinigungsservice und Wäschedienst. Alles wurde gemacht. Und die Küche da oben, die haben sie eh nie benutzt.
- ● Ja, die hatten es echt gut bei euch.
- ○ Ja, das hab' ich mir auch oft gedacht. Aber ich wollte sie ja auch nicht rauswerfen. Wir haben uns schon prima verstanden. Wenn ich da andere Familien sehe … Da ziehen die Kinder mit 17 aus und reden nicht mehr mit ihren Eltern. Dann doch lieber zwei Nesthocker.
- ● Stimmt. Aber warum nun der plötzliche Sinneswandel bei den beiden?

Transkript zum Arbeitsbuch

○ Tja, rate mal: Marcel hat eine Freundin – die ist wirklich sehr nett. Und da wollte er dann doch nicht mehr bei der Mama wohnen.

● Und, macht sie ihm jetzt die Wäsche und kocht für ihn?

○ Hm, ich glaube nicht. Sie ist voll berufstätig und ich glaube, da muss er schon auch was im Haushalt machen. Anscheinend macht er das sogar ganz gut und gern. Ich kann's mir ja nicht so recht vorstellen … Ja, ja, die Liebe … Und Lea ist ausgezogen, weil sie von ihrer Firma für zwei Jahre nach Zürich versetzt worden ist.

● Und glaubst du, sie kommt danach wieder zu euch zurück?

○ Nein, das glaube ich nicht. Sie ist so glücklich in ihrer kleinen Wohnung. Das gefällt ihr schon sehr gut, dass sie jetzt ihr eigenes Zuhause hat. Aber sag mal, was macht denn dein Sohn jetzt eigentlich?

Aussprache Übung a

○ Hallo, jemand zu Hause?

● Hallo … Küche!

○ Alles okay? Du siehst so genervt aus.

● Ach, ich hab' mich wieder aufgeregt wegen Benni.

○ Was hat er denn wieder angestellt?

● Angestellt? Wie sich das anhört. Er ist doch kein Kind mehr.

○ Na ja, das sollte man annehmen … mit 23.

● Du sagst es … Er ist 23 und ich muss ihn immer noch bitten, aufzuräumen und nicht alles herumliegen zu lassen.

○ Ich habe gerade gestern mit ihm darüber gesprochen.

● Es hilft aber nichts. Er kommt auch nicht auf die Idee, den Einkauf zu übernehmen.

○ Geschweige denn, dass er auch mal ein bisschen Geld dazugibt.

● Ist das ein Witz? Gestern hat er sich erst fünfzig Euro von mir geliehen.

○ Ich habe mir das auch anders vorgestellt nach seinem Abitur.

● Haben wir ihn zu sehr verwöhnt?

○ Vielleicht. Ich finde, er sollte sich mal entscheiden, ob er auszieht oder nicht.

● Also, ich habe jedenfalls keine Lust mehr auf Hotel Mama.

○ Und Hotel Papa kann er auch vergessen!

Aussprache Übung b

aufregen – anstellen – anhören – annehmen – aufräumen – herumliegen – dazugeben – vorstellen – ausziehen

Kapitel 3   Wie geht´s denn so?

Modul 4 Übung 3a

Toni, 35, 2 Kinder, verheiratet
Ach, wissen Sie, mir wird das alles oft zu viel. Jeden Tag das Gleiche. Es ist 14 Uhr und ich muss die Kinder abholen. Aber ich komme einfach nicht pünktlich von der Arbeit weg. Ich bin nie fertig. Ich arbeite zwar halbtags, habe aber Arbeit für den ganzen Tag. Dann hetze ich zum Kindergarten, da warten die Kinder auch schon. Zusammen müssen wir meistens noch einkaufen, dann gehen wir nach Hause. Aufräumen, waschen, kochen und gegen fünf kommt meine Frau. Wir essen zusammen und ich schlafe meistens vor dem Fernseher ein. Und ich habe immer ein schlechtes Gewissen, weil ich gar keine Zeit für die Kinder habe. Meistens bin ich so genervt, dass ich sie schon bei Kleinigkeiten anmecker'. Aber meine Frau arbeitet Vollzeit, die kann mir auch nichts abnehmen. So geht das echt nicht weiter!

Maja, 29, ledig
Letztes Jahr habe ich mit meiner Freundin Lina eine Firma gegründet: ökologische Spielsachen und Kleidung für Kinder. Die Firma läuft schon ganz gut. Aber ich muss so viel arbeiten und hab' gar keine Freizeit mehr. Die Aufträge, die Bestellungen, die Homepage bearbeiten … und dann auch noch nett zu den Kunden sein. Das kostet meine ganze Kraft. Und dann doch immer die Sorgen um das Geld. Diesen Monat reicht es, aber nächsten Monat? So langsam, aber sicher bin ich am Ende. Und jetzt haben Lina und ich auch noch Streit. Sie will mit mehr Aktionen und Sonderangeboten arbeiten. Aber wir haben bisher noch gar nicht so viel verdient, dass wir Geld dafür ausgeben könnten. Und ich soll auch noch die ganze Werbung machen. Oh Mann!

Aussprache Übung 1a und b

1. Kissen, 2. Kiel, 3. spülen, 4. liegen, 5. Münze, 6. fühlen, 7. Tier, 8. vier, 9. Bühne, 10. Kiste, 11. Züge

Aussprache Übung 1c

1. Kissen – küssen, 2. Kiel – kühl, 3. spielen – spülen, 4. lügen – liegen, 5. Münze – Minze, 6. fielen – fühlen, 7. Tür – Tier, 8. für – vier, 9. Bühne – Biene, 10. Küste – Kiste, 11. Züge – Ziege

Aussprache Übung 2b

14

1. Buch – Bücher, 2. Strumpf – Strümpfe, 3. Gruß – Grüße, 4. Tuch – Tücher, 5. Zug – Züge, 6. Fluss – Flüsse, 7. Mutter – Mütter, 8. Hut – Hüte

Kapitel 4   Viel Spaß!

Modul 4 Übung 3

15

○ Hey, hallo Rana!
● Hallo Simon, wie geht's?
○ Gut, danke, und dir?
● Bei mir ist alles okay soweit. Hab' ein ziemlich schönes Wochenende gehabt.
○ Ach ja? Was hast du denn gemacht?
● Ja, war im Kino und so. Das Lustige war, dass es ein Überraschungsabend war. Iris hat mir das vor ein paar Monaten zu meinem Geburtstag geschenkt. Und am Wochenende habe ich das Geschenk dann endlich eingelöst. Das war echt aufregend!
○ Und? Was habt ihr angesehen?
● Ja, warte, immer schön der Reihe nach! Also, erst waren wir im Park spazieren – wir haben uns schon um fünf getroffen. Dann sind wir sehr lecker Essen gegangen, in dem neuen Lokal direkt neben der Hauptpost. Das war wirklich super! Kennst du das?
○ Ja, ich war auch schon mal da, hat mir auch sehr gut gefallen.
● Und dann sind wir zum Kino gegangen. Da haben dann auch noch vier andere Freundinnen auf uns gewartet, das war noch mal eine Extra-Überraschung!
○ Ja, das glaube ich! Wer war denn alles dabei?
● Luisa, Clara, Franziska und Amelie.
○ Wer ist denn Amelie?
● Ach, das ist eine Freundin von Franziska. Sie kommt aus Paris und studiert dort an der Universität Germanistik. Sie will später mal Deutschlehrerin werden.
○ Und welchen Film habt ihr dann angesehen?
● Das glaubst du nicht: den neuen James Bond.
○ Was? Sechs Mädels gehen ins Kino und sehen James Bond?!
● Ja! Zuerst habe ich mir auch gedacht: „Na toll! Das ist ja eine super Idee!" Eigentlich mag ich solche Filme nicht so gerne. Ich mag lieber Komödien oder auch Dramen.
○ Ach, ich nicht. Ich sehe mir schon gerne mal Actionfilme an. Und wie fandest du ihn jetzt, den Film?
● Super! Ich hab' mich sowas von amüsiert! Vielleicht auch, weil ich schon so lange nicht mehr im Kino war. Aber ich fand den Film wirklich gut gemacht,

das war klasse Unterhaltung. Der Schauspieler ist eh cool und die Musik hat mir auch sehr gut gefallen. Die anderen waren auch alle ganz begeistert.
○ Und nach dem Film?
● Ja, dann wurde es noch besser. Wir sind in eine Bar gegangen. Da war auch Livemusik und die haben Samba und Salsa gespielt.
○ Oh, das ist ja genau das Richtige für dich!
● Ja, genau. Und dann war da so ein Paar, die haben so hervorragend getanzt. Ich habe mir ganz genau angesehen, wie die tanzen.
○ Und dann?
● Na, dann fragt mich der Typ doch tatsächlich, ob ich auch tanzen möchte. „Oh je", hab' ich gedacht. Ich tanze ja gerne, aber der Typ war ein Profi, das hab' ich gleich gesehen! Und so viele Leute haben ihm und seiner Partnerin zugeschaut … und dann haben alle auf mich geschaut. Puuuh, da war ich echt nervös! Aber irgendwie hat er mich überredet und dann ging es richtig gut. Er konnte so gut führen, das war wirklich ein Traum.
○ Und haben alle auf euch geschaut?
● Ja, meine Freundinnen natürlich sowieso, aber auch die anderen. Aber wie gesagt, es hat wunderbar geklappt! Er hat mir dann erzählt, dass er eine Tanzschule hat und Tanzlehrer ist. Kein Wunder also!
○ Und? Hat er dich gleich zu einem Tanzkurs eingeladen?
● Na ja, ein bisschen Werbung hat er natürlich schon gemacht. Ich weiß noch nicht, vielleicht mache ich einen Kurs. Er war nämlich echt nett und konnte wirklich perfekt tanzen.
○ So so …
● Sag mal, hättest du nicht Lust, einen Salsa-Tanzkurs zu machen?
○ Ich?? Ähm, ich weiß nicht so … Du, ich muss jetzt auch los, kann ich mir das noch mal überlegen?
● Klar, überleg es dir in Ruhe – macht echt Spaß. Wir könnten auch einfach mal eine Probestunde machen, dann siehst du ja, ob es dir gefällt.
○ O. k., das machen wir. Tschüss, ich ruf dich an.
● Ciao!

Aussprache Übung a

16

1. Er geht gern ins Theater. 2. Ich habe Lust auf Kino. 3. Wir gehen abends essen.

Aussprache Übung b

17

1. Hat Martin die Nachtwächtertour in Zürich **gemacht**? 2. Hat **Martin** die Nachtwächtertour in Zürich gemacht? 3. Hat Martin die **Nachtwächtertour** in Zürich gemacht? 4. Hat Martin die Nachtwächtertour in **Zürich** gemacht?

Transkript zum Arbeitsbuch

Kapitel 5   Alles will gelernt sein

Modul 4   Übung 3a

18

„Deutsche Sprache – schwere Sprache", meinen selbst Deutsche, wenn sie merken, wie kompliziert ihre eigene Sprache ist. Doch was sind die Gründe dafür? Dieser Frage wollen wir uns heute in unserer Sendung „Nachgehakt" widmen. Und wer könnte diese Frage besser beantworten als Menschen, die diese Sprache gerade lernen? Ich bin heute in einem Sprachinstitut, um einige Lerner zu befragen. An diesem Institut lernen vor allem Fortgeschrittene, d. h. Menschen, die bereits einige Erfahrung mit der deutschen Sprache gesammelt haben. Wir können also gespannt sein …

Modul 4   Übung 3b

19

○ Entschuldigung, darf ich Sie etwas fragen? Sprechen Sie Deutsch?

● Ja, natürlich. Ich lerne schon lange diese Sprache, aber die Frage ist, wann ich sie endlich perfekt kann.

○ Was ist denn für Sie so schwierig am Deutsch-lernen?

● Also, wenn ich ehrlich bin, könnte ich da sofort einige Dinge aus der Grammatik aufzählen. Das Schlimmste sind für mich die Verben.

○ Was ist denn daran so schlimm?

● Na, die vielen Präfixe oder Vorsilben. Die Deut-schen nehmen einfach nur ein Präfix und setzen es vor ein Verb und schon hat man ein neues Wort. Nehmen Sie zum Beispiel das Verb *gehen*. Damit können Sie sehr viele neue Verben bilden: ausgehen, aufgehen, umgehen, vorgehen, durchgehen, untergehen … usw. Der arme Aus-länder aber hört nur *gehen* und soll sich schnell die richtige Bedeutung aussuchen. Und bei diesen Verben kommt es noch schlimmer. Nicht nur dass man vor die Verben ein kleines Wort setzt, nein, im Satz muss man es wieder auseinanderreißen: Das Verb steht irgendwo vorn, das kleine Wort irgendwo hinten. Da muss man sich sehr konzen-trieren, wenn man spricht. Und es gibt auch noch trennbare und untrennbare …

○ Oje, Sie haben recht. Deutsch ist wirklich nicht so einfach. Vielen Dank für Ihren Beitrag.

20

○ Und Sie? Sie sind hier interessiert stehen geblie-ben. Wie gut ist denn Ihr Deutsch?

● Schon ganz gut. Ich bin ja auch schon seit ein paar Monaten in Deutschland. Ich komme aus Italien und habe dort schon Deutsch gelernt. Deutsch ist

meine zweite Fremdsprache. Ich finde, dass Deutschlernen viel einfacher ist, wenn man andere Sprachen kann, besonders Englisch.

○ Warum denn das?

● Weil es im Deutschen viele Wörter gibt, die ähnlich wie im Englischen sind.

○ Aha … Dann war Deutsch für Sie also gar nicht so schwer?

● Nicht besonders, allerdings hatte ich am Anfang große Probleme mit der Aussprache. Aber die ist zum Glück durch ständiges Training besser gewor-den. Ausspracheübungen sind wirklich sehr wichtig.

○ Vielen Dank.

21

○ Und Sie, darf ich Sie auch fragen, was für Sie beim Deutschlernen schwierig ist?

● Ich finde den Artikel schwierig. Wie soll man den lernen? Im Deutschen gibt es *der, die, das*: masku-lin, feminin, neutral. Bei uns im Spanischen haben wir nur zwei Artikel. Außerdem haben viele Wörter im Spanischen einen anderen Artikel als im Deut-schen: Der Mond ist zum Beispiel im Spanischen feminin, der Tisch auch.

○ Und wie haben Sie die deutschen Artikel gelernt?

● Ich hatte da ein paar Lernhilfen. Ich bin beim Ler-nen sehr visuell. Deswegen arbeite ich viel mit Far-ben. Rot ist für mich feminin, blau maskulin und grün neutral. Wenn ich neue Wörter auf meine Wörterliste schreibe, dann notiere ich die Nomen genau in diesen Farben. Wenn ich die Augen schließe, dann sehe ich die Farbe, in der ich die Nomen geschrieben habe, und so weiß ich den Artikel.

○ Das ist eine tolle Idee!
Liebe Hörerinnen und Hörer, Sie sehen „Deutsche Sprache, schwere Sprache". Aber mit ein paar Tipps geht vieles leichter, auch das Deutschlernen. Deswegen haben wir für Sie auch Tipps zum er-folgreichen Sprachenlernen auf unserer Home-page, wenn Sie auf …

Aussprache   Übung a

22

1. Miete – Mitte, 2. Bett – Beet, 3. fühlen – füllen,
4. Ofen – offen, 5. Stadt – Staat, 6. Teller – Täler,
7. Höhle – Hölle

Aussprache Übung b

23

Miete – [iː] – Miete
Mitte – [i] – Mitte
Bett – [ɛ] – Bett
Beet – [eː] – Beet
fühlen – [yː] – fühlen
füllen – [y] – füllen
Ofen – [oː] – Ofen
offen – [ɔ] – offen
Stadt – [a] – Stadt
Staat – [aː] – Staat
Teller – [ɛ] – Teller
Täler – [ɛː] – Täler
Höhle – [øː] – Höhle
Hölle – [œ] – Hölle

Aussprache Übung d

24

Haare, Wange, Dackel, Spiel, lesen, lachen, Hand,
Konto, Klammer, Igel, Mann, ziehen, Montag, schnell,
spannend, Fliege, dringend

Kapitel 6 Berufsbilder

Modul 2 Übung 3

25

○ Wer träumt nicht davon, eine tolle Geschäftsidee
zu haben und damit viel Geld zu verdienen? Endlich sein eigener Chef sein. Aber das bedeutet auch
ein gewisses Risiko. Worauf muss man achten,
wenn man sich mit einer Idee selbstständig
macht?
Ganz herzlich begrüßen darf ich zu diesem Thema
heute Morgen bei uns im Studio Frau Karen Müller.
Schön, dass Sie da sind.

● Hallo!

○ Frau Müller, Sie geben Workshops für Menschen,
die sich mit einer Geschäftsidee selbstständig machen möchten. Worauf sollte man dabei denn besonders achten?

● Nun, zunächst einmal ist es wichtig, dass man realistisch bleibt. Der eigene Chef zu sein, bedeutet in
der Regel, dass man mehr Arbeit hat. Man muss
sich um alles kümmern, man trägt viel Verantwortung. Man muss oft am Wochenende arbeiten und
bezahlten Urlaub hat man auch keinen mehr.

○ Aber man verdient viel Geld mit einer guten Idee.

● Na ja, vielleicht. Grundsätzlich sollte man sich
überlegen, ob man mit dem finanziellen Risiko
leben kann. Auch wenn die Geschäftsidee erfolgreich ist, gibt es sicherlich Zeiten, in denen man
nicht viel Geld verdient.

○ Wie beginnt man am besten?

● Ganz wichtig ist ein guter Plan. Man muss die verschiedenen Schritte richtig planen, also zum Beispiel wann und wo gründet man das Unternehmen, welche Konkurrenz gibt es auf dem Markt,
wie viel Kapital braucht man? Und so weiter.
Wie man das alles am besten macht, kann man
auch in einem Workshop lernen.
Wenn man Leute anstellen muss, ist es ganz
wichtig, ein gutes Team zu haben, auf das man sich
verlassen kann und das motiviert und mit viel
Engagement bei der Sache ist.

○ Man braucht auch ein gutes Netzwerk, oder? Dadurch kann eine Geschäftsidee auch bekannt werden.

● Richtig. Und das ist ein weiterer wichtiger Punkt.
Wie wird meine Idee bekannt? Wie erfahren die
Leute davon? Es ist auch ganz wichtig, die Werbung für die eigene Geschäftsidee zu planen. Also,
zum Beispiel eine eigene Webseite, Flyer oder Anzeigen in der Zeitung. Wer gestaltet die Werbung
und was kostet sie mich? All diese Punkte muss
man bedenken.

○ Viele Leute unterschätzen das sicher, wenn sie von
dem eigenen kleinen Café träumen.

● Ja, das stimmt. Aber deshalb gibt es ja auch Workshops dazu, wie ich sie zum Beispiel anbiete. Und
es gibt auch diverse Beratungsstellen, die einem
helfen. Ein guter Tipp ist auch, sich regelmäßig mit
anderen Leuten zu treffen, die sich selbstständig
gemacht haben, und Erfahrungen auszutauschen.
Solche Treffen gibt es eigentlich in jeder Stadt.
Am besten recherchiert man da ein bisschen im
Internet.

○ Vielen Dank, Frau Müller, das war sehr informativ.
Frau Müller ist noch für eine Stunde hier bei uns im
Studio und beantwortet im Chat Ihre Fragen.
Wenn Sie also Fragen haben, dann schreiben Sie.
Frau Müller wird direkt antworten. Und wir machen
jetzt weiter mit Musik.

Aussprache Übung a

26

[ə] wie in Tage, [ɐ] wie in Bruder, [ən] wie in hören,
[n̩] wie in lesen

1. an manchen Tagen; mitten in einem kleinen Bach
2. ein schöner Sommer; ein guter Autofahrer
3. mein Kollege macht Mittagspause; eine hohe Welle

Aussprache Übung c

27 Zweitjob gesucht?
Wir bieten interessanten Sommerjob für zuverlässige Personen. Wenn Sie Erfahrung mit Nutztierhaltung haben und Zeit und Lust haben, im Sommer (mindestens 2 Monate) auf unserem Bauernhof in Niederbayern mitzuhelfen, melden Sie sich bitte.

Kapitel 7   Für immer und ewig

Modul 2 Übung 1a

28 Herzlich willkommen zu einer neuen Ausgabe unserer Ratgebersendung heute zum Thema „Partnervermittlung im Internet". Im Studio bis 12 für Sie: Anja Beckmann.
Man sucht und erhält Partnervorschläge online. Jeder Zweite, der einen Partner oder eine Partnerin sucht, macht das mittlerweile im Internet mithilfe von Online-Partnerbörsen. Aber wie erfolgreich ist diese Art der Partnersuche? Entstehen dadurch wirklich Partnerschaften?
Darüber wollen wir heute in unserer Ratgebersendung sprechen und natürlich wollen wir gerne wissen, welche eigenen Erfahrungen Sie, liebe Hörerinnen und Hörer, mit solchen Partnerbörsen gemacht haben. Berichten Sie uns das – gerne auch anonym – unter unserer kostenlosen Nummer 0800-21 21 04.

Modul 2 Übung 1b und c

29 ○ Wir haben den ersten Hörer in der Leitung: Mike aus Hannover. Guten Morgen, Mike. Welche Erfahrungen haben Sie denn mit Partnerbörsen im Internet gemacht?
● Ja, guten Morgen. Also ganz unterschiedliche. Sie reichen von „empfehlenswert und hilfreich" bis hin zu „lieber nicht".
○ Wie kommt es, dass Ihre Erfahrungen so unterschiedlich sind?
● Das ist ganz einfach: Partnerbörsen im Internet haben natürlich ein wirtschaftliches Interesse. Sie verdienen mit der Partnersuche Geld. Das Finanzielle steht für manche Kontaktbörsen im Vordergrund, weniger das Menschliche. Das merkt man am Service und im Portemonnaie. Denn jedes Mitglied schließt mit einer solchen Partnerbörse einen Vertrag für drei Monate, ein halbes oder für ein ganzes Jahr ab. Das ist alles andere als billig. Dafür bekommt man im Gegenzug dann Partnervorschläge.

○ Aber ein Vierteljahr ist doch nicht so lang?
● Da haben Sie recht, aber einige Börsen sind da sehr geschickt. Sie schicken einem genau gegen Ende der Mitgliedschaft besonders viele Partnervorschläge …
○ Die man sich dann alle gern noch anschauen möchte.
● Genau, weil man natürlich neugierig ist und mit den Personen in Kontakt treten möchte. Wenn man wirklich auf der Suche ist, möchte man alle Vorschläge sehen. Man hofft ja wirklich, eine Partnerin oder einen Partner zu finden.
○ Verraten Sie uns, ob Sie schon Glück hatten?
● Ja, ich hatte Glück. Ich habe eine Partnerin gefunden. Es war Liebe auf den ersten Blick, also eher Klick. Aber, jetzt habe ich ein ganz anderes Problem …
○ Welches denn?
● Ich habe meinen Vertrag verlängert und zahle jetzt noch elf Monate weiter. Deswegen ist mein Tipp an alle Hörer, die vielleicht auch einmal eine Kontaktbörse ausprobieren möchten: Am besten sind meiner Meinung nach Mitgliedschaften für drei Monate. Die sind zwar etwas teurer, aber man kommt dann schneller aus so einem Vertrag heraus.
○ Danke für diesen Tipp, Mike. Und da Sie ja erfolgreich waren und Ihr Glück gefunden haben, verschmerzen Sie sicher auch den Beitrag für die restlichen Monate. Für Sie und Ihre neue Partnerin alles Gute.

○ Wir haben den nächsten Hörer in der Leitung. Guten Morgen nach Brandenburg. Rüdiger? Sind Sie noch dran?

30

● Ja, guten Morgen. Ich rufe an, weil ich über eine bekannte Kontaktbörse meine zukünftige Frau kennengelernt habe. Für mich ist das ein großes Glück. Ich bin mit 63 Jahren nun auch nicht mehr der Jüngste und wollte nach dem Tod meiner Frau, nach so langer Zeit nicht mehr allein bleiben. Ich sehe mich als ein positives Beispiel und will deswegen gerade älteren Menschen die Angst vor dieser Art des Kennenlernens nehmen und Ihnen Mut machen.
○ Die haben Angst?
● Ja. Wem auch immer ich in meinem Freundes- und Bekanntenkreis erzähle, wie Anni und ich uns kennengelernt haben, alle schauen uns verwundert und verunsichert an. Für viele ältere Menschen ist diese Art des Kennenlernens zu unpersönlich und vielleicht auch ein bisschen unseriös. Man hört ja oft ganz andere Geschichten über das Internet.

○ Und was empfehlen Sie älteren Menschen?

● Probieren Sie es einfach aus. Nutzen Sie diese Möglichkeit! Ich rate eher zu den größeren, bekannten Partnerbörsen. Ich denke, wenn man ehrlich ist und konkret sagt, was man sucht, ist die Wahrscheinlichkeit groß, dass man Menschen trifft, mit denen man auf einer Linie liegt. Und nach meinen Erfahrungen sind Partnerbörsen, in denen man etwas bezahlt, erfolgreicher, weil sie wirklich etwas tun für das Geld. Ich habe auch schon kostenlose Kontaktbörsen genutzt, hatte da aber keinen Erfolg.

○ Vielen Dank, Rüdiger, für Ihren Anruf und alles Gute für Sie.

31

○ Wir haben eine Hörerin aus Hamburg in der Leitung. Guten Morgen, Julia.

● Guten Morgen.

○ Julia, du gehörst zu der Generation, die mit dem Internet groß geworden ist. Hast du denn schon Erfahrungen mit Kontaktbörsen gemacht?

● Mit Kontaktbörsen nicht, aber mit dem Kennenlernen im Internet schon. Ich würde niemals Geld für Partnerbörsen ausgeben. Das kann ich gar nicht verstehen. Es gibt doch so viele andere Möglichkeiten, die überhaupt nichts kosten. In sozialen Netzwerken zum Beispiel kann man so viele Leute kennenlernen …

○ …, aber in diesen Netzwerken suchen nicht alle einen Partner.

● Das stimmt. Aber ich glaube auch nicht, dass man wirklich erfolgreich sein kann, wenn man so intensiv auf diese Art sucht. Ich glaube, man verrennt sich da.

○ Wie meinst du das?

● Na, wenn man immer wieder neue Partnervorschläge bekommt und Profile durchliest. Das klingt für mich so, als blättere man in einem Katalog.

○ Du hast am Anfang gesagt, dass du Erfahrungen mit dem Kennenlernen im Internet gemacht hast. Welche denn?

● Ich habe meinen jetzigen Freund in einem großen sozialen Netzwerk kennengelernt. Wir waren da beide bei einem Freund verlinkt. Auf diese Weise haben wir Kontakt aufgenommen. Und das sehr erfolgreich, denn wir wollen im nächsten Jahr heiraten.

○ Na, Glückwunsch. Was würdest du denn unseren Hörern raten?

● Das Internet ist eine wunderbare Erfindung, die jeder nutzen sollte, egal, ob jung oder alt. Für die Partnersuche gibt es viele Möglichkeiten, ich finde, dafür sollte man nichts zahlen. Netzwerke gibt es für alle Generationen und viele Interessen. Da kann jeder mitmachen.

○ Vielen Dank, Julia, und alles Gute. Und wenn Sie, liebe Hörerinnen und Hörer, auch Erfahrungen mit der Partnervermittlung im Internet haben, dann rufen Sie an. Wir sind für Sie bis 12 im Studio.

Aussprache Übung a und b

32/33

○ Mann, war das ein tolles Fest!

● Was? Das war doch furchtbar!

○ Wieso? Die Leute waren doch total nett.

● Na ja. Du hast ja auch nicht neben Sandras Schwester gesessen. Die redet und redet und redet. Ohne Pause.

○ Aber ich habe ganz toll mit ihr getanzt.

● Toll. Und ich musste mit ihrem Mann tanzen. Der hat ja wirklich zwei linke Füße.

○ Ist aber so ein netter Typ. Und die Band war echt super. Und das Essen erst. Fantastisch!

● Ja, war ganz gut. Aber das Kleid von Sandra. Das geht ja gar nicht …

○ Du hast auch immer was zu meckern!

● Wenn es doch wahr ist!

Kapitel 8 Kaufen, kaufen, kaufen

Modul 1 Übung 1b und c

34

○ Guten Tag, darf ich Sie kurz etwas fragen? Wir machen eine Umfrage.

● Worum geht es denn?

○ Wir möchten von Ihnen gerne wissen, auf welche Erfindung Sie auf keinen Fall verzichten möchten.

● Auf welche Erfindung? Also, wie meinen Sie das genau? Auf welche neue Erfindung oder Erfindungen ganz allgemein?

○ Ganz allgemein – es kann also auch die Glühbirne oder das Rad sein.

● Ah, verstehe – da muss ich mal kurz nachdenken. Hm … ja klar, das Auto.

○ O. k., und darf ich auch fragen, warum?

● Natürlich. Also, meine Freundin wohnt in einem Dorf ungefähr 50 Kilometer von hier – und da fährt kein Zug hin. Es gibt einen Bus, aber der fährt nur unter der Woche und nur dreimal am Tag. Ich brauche also mein Auto, wenn ich sie besuchen will! Und auch sonst möchte ich nicht auf mein Auto verzichten: Wir machen gerne Ausflüge in die Berge oder an einen See und für meinen Job muss ich auch öfter größere Dinge transportieren: Ich mache und renoviere Bilderrahmen. Das geht nicht mit der U-Bahn.

○ O. k., herzlichen Dank!

● Gerne, tschüss.

○ Guten Tag, darf ich Sie auch etwas fragen?
● Aber gerne.
○ Auf welche Erfindung möchten Sie auf gar keinen Fall verzichten?
● Oh, das ist schwer – da fallen mir so viele Sachen ein!
○ Na, was ist für Sie die allerwichtigste Erfindung?
● Das Telefon! Und natürlich auch das Handy.
○ Aha, und darf ich fragen, warum?
● Aber natürlich. Ohne Telefon hätte ich zu vielen Freunden keinen so guten Kontakt mehr. Entweder sie wohnen in anderen Städten oder sie sind nicht mehr so mobil. Wie könnte man sich denn da ohne Telefon austauschen? Das würde gar nicht gehen … Briefe sind viel zu lange unterwegs und auch bei Mails muss man sich jedes Wort genau überlegen. Nein, also das Telefon ist für mich die beste Erfindung aller Zeiten.
  Mit meinen Kindern kann ich zum Glück auch viel reden, die leben in London und in Australien!
○ Ui, das ist aber wirklich weit weg. Da ist das sehr verständlich, dass für Sie das Telefon am wichtigsten ist.
● Ja. Wobei ich sagen muss, dass ich mit meiner Tochter in Australien meistens übers Internet telefoniere. Wir skypen oft – aber ohne Telefon hätte man das ja auch nie erfunden.
○ Ja, das stimmt. Dann alles Gute für Sie.
● Danke, auf Wiedersehen!

○ Guten Tag.
● Hallo! Ihr macht eine Umfrage?
○ Ja. Auf welche Erfindung möchtest du auf keinen Fall verzichten?
● Hm … Ach ja, was ganz Praktisches und Spießiges: Ein Klappschirm.
○ Ein Klappschirm? Falls es regnet?
● Ja, genau, so ein ganz banaler Klappschirm. Ich wohne ungefähr 15 Minuten Fußweg von der U-Bahn-Haltestelle weg und ich bin schon so oft nass geworden. Jetzt habe ich immer – auch wenn das Wetter noch so schön ist – einen Klappschirm in der Tasche. Der hat mir schon sehr oft, sehr gute Dienste geleistet.
○ Ja, das glaube ich – bei dem Wetter hier …

Aussprache Übung a

1. Kommen Sie mit, Frau Schulz?
2. Das Plakat gefällt mir so super.
3. Wir kaufen das jetzt Maria.
4. Mach mit beim Kinder-Gartenprojekt!

Aussprache Übung b

1. a Kommen Sie mit Frau Schulz?
   b Kommen Sie mit, Frau Schulz?
2. a Das Plakat gefällt mir so super.
   b Das Plakat gefällt mir so, super!
3. a Wir kaufen das jetzt, Maria.
   b Wir kaufen das jetzt Maria.
4. a Mach mit beim Kinder-Gartenprojekt!
   b Mach mit beim Kindergarten-Projekt!

Aussprache Übung c

a Sebastian, will Christiane nicht?
b Sebastian will, Christiane nicht.
c Hanne, sagt Franz, wird nie klug.
d Hanne sagt, Franz wird nie klug.

Aussprache Übung e

1. a Gut haben Sie sich entschieden.
   b Gut, haben Sie sich entschieden?
2. a Du, mein Mann und ich gehen shoppen.
   b Du, mein Mann und ich gehen shoppen.
3. Was nimmst du? Kaffee oder Tee?
   a Den Kaffee, nicht den Tee.
   b Den Kaffee nicht, den Tee.

Kapitel 9   Endlich Urlaub

Modul 4 Übung 1

Beispiel: Sie hören eine Nachricht auf einem Anrufbeantworter.

Guten Tag, Frau Lange, hier spricht Frau Thomas vom Reisebüro Suder. Es geht um Ihre Reise nach Mallorca am 17. Oktober. Leider sind an dem Tag, an dem Sie reisen möchten, alle Flüge ab Hamburg bereits ausgebucht. Könnten Sie vielleicht an einem anderen Tag fliegen? Das wäre eine gute Alternative, denn am 17. Oktober sind auch die Flüge von anderen Flughäfen im Norden wie Bremen oder Hannover nicht optimal. Bitte rufen Sie mich kurz zurück. Sie erreichen mich heute noch bis 18 Uhr und morgen ab 8 Uhr unter 778956. Vielen Dank.

Text 1: Sie hören eine Durchsage am Bahnhof.
Achtung an Gleis 8. Es hat Einfahrt der verspätete EuroCity 113 von München Hauptbahnhof nach Salzburg Hauptbahnhof über Rosenheim, Prien am Chiemsee, Traunstein, Freilassing. Planmäßige Abfahrt war 12 Uhr 35. Bitte beachten Sie, dass die elektronische Platzreservierung wegen eines technischen Defekts heute nicht angezeigt werden kann. Bitte geben Sie die Plätze für Personen frei, die eine Reservierung gebucht haben. Wir danken für Ihr Verständnis.

Text 2: Sie hören eine Meldung im Radio.
Und hier die aktuellen Verkehrsmeldungen für den kalten Norden. A7 Hannover Richtung Hamburg: 6 Kilometer Stau wegen einer Baustelle am Dreieck Walsrode. Im weiteren Verlauf Behinderungen wegen starken Schneefalls. Und ebenfalls A7 zwischen Anschlussstelle Bispingen und Anschlussstelle Evendorf: Gefahr durch Eis auf der Fahrbahn. Fahren Sie hier besonders vorsichtig, es ist spiegelglatt. A1 Bremen Richtung Cloppenburg: Vor dem Dreieck Stuhr 4 Kilometer stockender Verkehr wegen eines Unfalls. Kommen Sie weiter gut durch den Tag. Radio Nordwest informiert Sie immer aktuell.

Text 3: Sie hören eine Nachricht auf einem Anrufbeantworter.
Hier spricht Herr Hansen vom Hotel Alster-Residenz, dies ist eine Nachricht für Herrn Groß. Wie besprochen melden wir uns noch einmal auf Ihre Anfrage für ein Doppelzimmer vom 24. bis 25. November. Wir können Ihnen für diesen Zeitraum ein Standardzimmer für 125,- Euro inklusive Frühstück anbieten. Für die Buchung benötigen wir noch Ihre Kreditkartennummer. Bitte teilen Sie uns diese telefonisch unter 040/8900321933 mit. Danach senden wir Ihnen gerne die schriftliche Buchungsbestätigung. Wir freuen uns auf Ihren Rückruf, auf Wiederhören.

Text 4: Sie hören einen Hinweis auf einer Flugreise.
Meine Damen und Herren, wir haben nun unsere Reisehöhe erreicht. Aus Sicherheitsgründen möchten wir darauf hinweisen, dass Sie aber weiter angeschnallt bleiben sollten. In Kürze haben Sie die Möglichkeit, einen preiswerten Imbiss oder auch Getränke bei unserem Servicepersonal zu bestellen. Die Preise entnehmen Sie bitte dem Prospekt an Ihren Plätzen. Wir möchten Sie auch noch auf unsere günstigen Kombiangebote aufmerksam machen: ein Heißgetränk und ein Sandwich Ihrer Wahl für nur 6,50 €. Kalte Getränke erhalten Sie für 2,50 €. Wir wünschen guten Appetit.

Aussprache Übung a
Tr – tr – trinken
Spr – spr – sprechen
Pr – pr – probieren
Str – str – streicheln
Kr – kr – kratzen

Aussprache Übung b
Im Haus, da bin ich nie allein,
im Winter kommen Mäuse rein.
Sie trippeln und trappeln
und kriechen und krabbeln,
sie springen und sprinten,
sie streiten und strampeln,
„Na, prima", schimpf' ich in mich hinein
und lad' mir gleich ein Kätzchen ein.

Aussprache Übung d
Spritze, Astronaut, abstrampeln, knusprig, Straße, Strom, Astrid, versprechen, Kasper, frustriert, anstrengend

Kapitel 10   Natürlich Natur!

Modul 3 Übung 3
○ Schönen guten Abend hier in unserer Sendung „Jetzt bin ich dran!". Heute geht es um Grünbrücken. Sie fragen sich vielleicht, was das ist. Ganz einfach, eine Grünbrücke ist eine Brücke über eine stark befahrene Straße. Aber keine Brücke für Menschen –, sondern eine schön bepflanzte Brücke nur für Tiere, die für mehr Sicherheit im Straßenverkehr sorgt. Ich begrüße hier im Studio die beiden leidenschaftlichen Autofahrer Markus Raller und Hella Steger. Frau Steger, was sagen Sie zum Thema Grünbrücken?

● Nun ja, ich bin wirklich viel mit dem Auto unterwegs. Da weiß ich natürlich, wie gefährlich Unfälle mit Wildtieren sein können. Aber mir ist noch nie ein Tier vor das Auto gelaufen. Und das, obwohl ich auch oft in der Dämmerung unterwegs bin, und das ist ja bekanntlich die Zeit, in der die meisten Unfälle passieren.

○ Herr Raller, Sie fahren ja auch viel mit dem Auto. Ist Ihnen schon mal ein Tier vor das Auto gesprungen?

■ Ja. Mir ist das schon einmal passiert. Ich war gerade auf dem Weg nach Hause von der Arbeit, da stand plötzlich dieses Reh direkt vor mir auf der Straße. Ich hab' eine Vollbremsung gemacht und kann nur von Glück reden, dass ich nicht so schnell unterwegs war. Frau Steger kann froh sein, dass sie diese Erfahrung noch nicht gemacht hat.

○ Frau Steger, ändert das Ihre Meinung?

● Tja, aber ändern denn die Grünbrücken grundsätzlich etwas an dem Risiko? Ich kann mir nicht vorstellen, dass ein Reh einen Umweg über eine Grünbrücke nimmt!

○ Das ist natürlich ein Argument: Grünbrücken sind noch lange keine Garantie dafür, dass einem kein Reh vor das Auto läuft!

■ Studien haben aber durchaus gezeigt, dass die Tiere die Grünbrücken erstaunlich gut annehmen. Wenn sie die Brücke einmal entdeckt haben, dauert es nicht lange, bis sie ihre Routen so ändern, dass der Weg über die Brücke zur Gewohnheit wird.

● Ja, das ist interessant, das hätte ich nicht gedacht. Ich bin ja auch für Tierschutz, aber es muss alles in einem gewissen Verhältnis stehen. Ich denke, es ist wichtiger, Geld in die Sanierung von Straßen und Autobahnbrücken zu investieren, als solche Grünbrücken zu bauen. Wenn das geschehen ist und noch Gelder übrig sind, dann kann man gerne Grünbrücken bauen … Oder man sollte sie beim Bau von neuen Straßen von Anfang an mitplanen, dann kommen sie nicht so teuer.

■ Ja, teuer sind diese Brücken. Aber ich halte sie trotzdem für gerechtfertigt, schließlich können sie Menschenleben retten.

○ Aber für Sie als Vielfahrer sind gut ausgebaute Straßen doch auch von Relevanz, oder?

■ Ja, das stimmt. Die Investition in gut ausgebaute Straßen, auch zu abgelegenen Orten, ist natürlich das Wichtigste überhaupt, damit alle Orte gut angebunden sind und wir nicht unnötig lang von A nach B brauchen. Aber insgesamt ist die Situation hierzu in Deutschland ja ganz gut.

● Na ja … Ich fände es viel sinnvoller, wenn die Autoindustrie mehr Geld in Frühwarnsysteme investiert. Dann könnten die Fahrer immer rechtzeitig gewarnt werden, wenn sich ein Tier der Fahrbahn nähert.

○ Das ist natürlich eine Möglichkeit, die in Zukunft sicherlich zur Erhöhung der Sicherheit von Mensch und Tier beitragen wird. In der Autoindustrie wird hieran ja heutzutage schon intensiv geforscht. Es gibt sogar schon Autos, die mit Kameras ausgestattet sind und Hindernisse auf der Fahrbahn anzeigen.

Frau Steger und Herr Raller, ich bedanke mich sehr herzlich dafür, dass Sie sich die Zeit genommen haben, zu uns ins Studio zu kommen.

Liebe Hörerinnen und Hörer, ich wünsche Ihnen einen schönen Abend und bis nächste Woche, wenn es wieder heißt „Jetzt bin ich dran!".

Aussprache

Die Ostsee in Gefahr

Die Ostsee – Das ist ein einmaliges Ökosystem. Sie zeichnet sich durch eine große biologische Vielfalt aus und ist für die Menschen in vielerlei Hinsicht wichtig, z. B. für die Ernährung und den Tourismus. Es gibt zahlreiche Naturschutzgebiete und Nationalparks. Umweltschützer fordern jedoch, dass diese Schutzgebiete vergrößert werden.

Denn 25 Prozent des Meeresbodens gelten als biologisch tot. Die Ostsee gehört damit zu den am stärksten verschmutzten Meeren der Welt. Abwässer, Industrieabfälle und Düngestoffe werden im Meer entsorgt. Es bilden sich immer wieder giftige Algenteppiche und viele Meeresbewohner sterben. In vielen Ostseegebieten gibt es kaum noch Fische. Außerdem ist die Ostsee ein Binnenmeer, so bleiben die Gifte auch sehr lange im Ostseewasser. Das Wasser kann sich nicht so schnell erneuern wie in anderen Meeren.

Ein weiteres Problem ist der Schiffsverkehr auf der Ostsee, besonders der Tankerverkehr hat in den letzten Jahren stark zugenommen.

Es gibt zahlreiche Initiativen und Projekte, um die Ostsee zu schützen. Aber bis jetzt ist das nicht genug. Eine große Schwierigkeit dabei sind die unterschiedlichen wirtschaftlichen Interessen der neun Staaten, die an der Ostsee liegen.

50

Unregelmäßige Verben

Infinitiv	Präsens	Präteritum	Perfekt
aufstehen	steht auf	stand auf	ist aufgestanden
ausziehen	zieht aus	zog aus	hat/ist ausgezogen
backen	backt/bäckt	backte	hat gebacken
sich befinden	befindet sich	befand sich	hat sich befunden
beginnen	beginnt	begann	hat begonnen
begreifen	begreift	begriff	hat begriffen
behalten	behält	behielt	hat behalten
beißen	beißt	biss	hat gebissen
bekommen	bekommt	bekam	hat bekommen
betreiben	betreibt	betrieb	hat betrieben
betrügen	betrügt	betrog	hat betrogen
sich beziehen	bezieht sich	bezog sich	hat sich bezogen
biegen	biegt	bog	hat gebogen
bieten	bietet	bot	hat geboten
binden	bindet	band	hat gebunden
bitten	bittet	bat	hat gebeten
bleiben	bleibt	blieb	ist geblieben
braten	brät	briet	hat gebraten
brechen	bricht	brach	hat gebrochen
brennen	brennt	brannte	hat gebrannt
bringen	bringt	brachte	hat gebracht
denken	denkt	dachte	hat gedacht
dürfen	darf	durfte	hat dürfen/gedurft
eindringen	dringt ein	drang ein	ist eingedrungen
einfallen	fällt ein	fiel ein	ist eingefallen
einladen	lädt ein	lud ein	hat eingeladen
einschlafen	schläft ein	schlief ein	ist eingeschlafen
einziehen	zieht ein	zog ein	ist eingezogen
empfangen	empfängt	empfing	hat empfangen
empfehlen	empfiehlt	empfahl	hat empfohlen
empfinden	empfindet	empfand	hat empfunden
entlassen	entlässt	entließ	hat entlassen
entscheiden	entscheidet	entschied	hat entschieden
sich entschließen	entschließt sich	entschloss sich	hat sich entschlossen
entsprechen	entspricht	entsprach	hat entsprochen

Unregelmäßige Verben

Infinitiv	Präsens	Präteritum	Perfekt
entstehen	entsteht	entstand	ist entstanden
erfahren	erfährt	erfuhr	hat erfahren
erfinden	erfindet	erfand	hat erfunden
erhalten	erhält	erhielt	hat erhalten
erkennen	erkennt	erkannte	hat erkannt
erscheinen	erscheint	erschien	ist erschienen
erziehen	erzieht	erzog	hat erzogen
essen	isst	aß	hat gegessen
fahren	fährt	fuhr	ist gefahren
fallen	fällt	fiel	ist gefallen
fangen	fängt	fing	hat gefangen
finden	findet	fand	hat gefunden
fliegen	fliegt	flog	ist geflogen
fliehen	flieht	floh	ist geflohen
fließen	fließt	floss	ist geflossen
fressen	frisst	fraß	hat gefressen
frieren	friert	fror	hat gefroren
geben	gibt	gab	hat gegeben
gefallen	gefällt	gefiel	hat gefallen
gehen	geht	ging	ist gegangen
gelingen	gelingt	gelang	ist gelungen
gelten	gilt	galt	hat gegolten
genießen	genießt	genoss	hat genossen
geraten	gerät	geriet	ist geraten
geschehen	geschieht	geschah	ist geschehen
gewinnen	gewinnt	gewann	hat gewonnen
gießen	gießt	goss	hat gegossen
greifen	greift	griff	hat gegriffen
haben	hat	hatte	hat gehabt
halten	hält	hielt	hat gehalten
hängen	hängt	hing	hat gehangen
heben	hebt	hob	hat gehoben
heißen	heißt	hieß	hat geheißen
helfen	hilft	half	hat geholfen
hinweisen	weist hin	wies hin	hat hingewiesen

Infinitiv	Präsens	Präteritum	Perfekt
kennen	kennt	kannte	hat gekannt
klingen	klingt	klang	hat geklungen
können	kann	konnte	hat können/gekonnt
kommen	kommt	kam	ist gekommen
laden	lädt	lud	hat geladen
lassen	lässt	ließ	hat gelassen
laufen	läuft	lief	ist gelaufen
leiden	leidet	litt	hat gelitten
leihen	leiht	lieh	hat geliehen
lesen	liest	las	hat gelesen
liegen	liegt	lag	hat gelegen
lügen	lügt	log	hat gelogen
messen	misst	maß	hat gemessen
mögen	mag	mochte	hat mögen/gemocht
müssen	muss	musste	hat müssen/gemusst
nehmen	nimmt	nahm	hat genommen
nennen	nennt	nannte	hat genannt
reiben	reibt	rieb	hat gerieben
reiten	reitet	ritt	ist geritten
rennen	rennt	rannte	ist gerannt
riechen	riecht	roch	hat gerochen
rufen	ruft	rief	hat gerufen
scheinen	scheint	schien	hat geschienen
schieben	schiebt	schob	hat geschoben
schießen	schießt	schoss	hat geschossen
schlafen	schläft	schlief	hat geschlafen
schlagen	schlägt	schlug	hat geschlagen
schleichen	schleicht	schlich	ist geschlichen
schließen	schließt	schloss	hat geschlossen
schmeißen	schmeißt	schmiss	hat geschmissen
schneiden	schneidet	schnitt	hat geschnitten
schreiben	schreibt	schrieb	hat geschrieben
schreien	schreit	schrie	hat geschrien
schweigen	schweigt	schwieg	hat geschwiegen
schwimmen	schwimmt	schwamm	ist geschwommen

Unregelmäßige Verben

Infinitiv	Präsens	Präteritum	Perfekt
sehen	sieht	sah	hat gesehen
sein	ist	war	ist gewesen
senden	sendet	sendete/sandte	hat gesendet/gesandt
singen	singt	sang	hat gesungen
sinken	sinkt	sank	ist gesunken
sitzen	sitzt	saß	hat gesessen
sollen	soll	sollte	hat sollen/gesollt
sprechen	spricht	sprach	hat gesprochen
springen	springt	sprang	ist gesprungen
stechen	sticht	stach	hat gestochen
stehen	steht	stand	hat gestanden
stehlen	stiehlt	stahl	hat gestohlen
steigen	steigt	stieg	ist gestiegen
sterben	stirbt	starb	ist gestorben
stoßen	stößt	stieß	hat gestoßen
streichen	streicht	strich	hat gestrichen
streiten	streitet	stritt	hat gestritten
tragen	trägt	trug	hat getragen
treffen	trifft	traf	hat getroffen
treten	tritt	trat	hat/ist getreten
trinken	trinkt	trank	hat getrunken
tun	tut	tat	hat getan
übertreiben	übertreibt	übertrieb	hat übertrieben
sich unterhalten	unterhält sich	unterhielt sich	hat sich unterhalten
unternehmen	unternimmt	unternahm	hat unternommen
unterscheiden	unterscheidet	unterschied	hat unterschieden
verbieten	verbietet	verbot	hat verboten
verbinden	verbindet	verband	hat verbunden
verbringen	verbringt	verbrachte	hat verbracht
vergessen	vergisst	vergaß	hat vergessen
vergleichen	vergleicht	verglich	hat verglichen
verlassen	verlässt	verließ	hat verlassen
verlieren	verliert	verlor	hat verloren
vermeiden	vermeidet	vermied	hat vermieden
verraten	verrät	verriet	hat verraten

Infinitiv	Präsens	Präteritum	Perfekt
verschieben	verschiebt	verschob	hat verschoben
verschwinden	verschwindet	verschwand	ist verschwunden
versprechen	verspricht	versprach	hat versprochen
verstehen	versteht	verstand	hat verstanden
verzeihen	verzeiht	verzieh	hat verziehen
vorhaben	hat vor	hatte vor	hat vorgehabt
vorkommen	kommt vor	kam vor	ist vorgekommen
vorschlagen	schlägt vor	schlug vor	hat vorgeschlagen
vortragen	trägt vor	trug vor	hat vorgetragen
wachsen	wächst	wuchs	ist gewachsen
waschen	wäscht	wusch	hat gewaschen
werben	wirbt	warb	hat geworben
werden	wird	wurde	ist worden/geworden
werfen	wirft	warf	hat geworfen
wiegen	wiegt	wog	hat gewogen
wissen	weiß	wusste	hat gewusst
wollen	will	wollte	hat wollen/gewollt
ziehen	zieht	zog	hat/ist gezogen
zugeben	gibt zu	gab zu	hat zugegeben
zwingen	zwingt	zwang	hat gezwungen

Verben mit Präpositionen

Mit Akkusativ

achten	auf	Achte bei der Prüfung genau auf die Aufgabenstellung.
ankommen	auf	Bei einer Bewerbung kommt es nicht nur auf gute Noten an.
anpassen	an	Man muss sich nicht an jeden Trend anpassen.
antworten	auf	Hat die Firma schon auf deine Bewerbung geantwortet?
sich ärgern	über	Ich habe mich heute so über meine Kollegin geärgert.
aufpassen	auf	Könntest du heute Abend auf meine Kinder aufpassen?
ausgeben	für	Wie viel hast du für das Geschenk ausgegeben?
sich bedanken	für	Wir wollten uns für das schöne Geschenk bedanken.
sich beklagen	über	Der Gast hat sich ständig über das Essen beklagt.
berichten	über	Im Fernsehen wurde über das Ereignis kaum berichtet.
sich beschweren	über	Herr Müller hat sich gestern über den Lärm beschwert.
sich bewerben	als	Er hat sich als Event-Manager beworben.
sich bewerben	auf/um	Er hat sich auf/um die Stelle als Event-Manager beworben.
bezeichnen	als	Er bezeichnet sich selbst als Experten.
sich beziehen	auf	Die Mahnung bezieht sich auf die Rechnung vom Januar.
bitten	um	Könnte ich dich um einen Gefallen bitten?
danken	für	Ich möchte dir für deine Unterstützung danken.
denken	an	Denk doch nicht immer nur an dich!
diskutieren	über	Ich will nicht schon wieder über dieses Thema diskutieren.
eingehen	auf	Dirk geht einfach nie auf die Meinung anderer ein.
sich einsetzen	für	Wir setzen uns für eine bessere Ausbildung ein.
sich einsetzen	gegen	Meine ganze Familie setzt sich gegen Atomenergie ein.
einziehen	in	Wir sind erst vor Kurzem in die neue Wohnung eingezogen.
sich engagieren	für	Viele Leute engagieren sich für einen guten Zweck.
sich engagieren	gegen	Wir engagieren uns gegen Gewalt im Alltag.
sich entscheiden	für/gegen	Wir haben uns für/gegen dieses Sofa entschieden.
sich entschuldigen	für	Kristina hat sich heute für ihren Fehler entschuldigt.
(sich) erinnern	an	Erinnerst du dich an unser Gespräch neulich?
erzählen	über	Was hat er denn über seinen Chef erzählt?
sich freuen	auf	Ich freue mich auf unseren Ausflug am Wochenende.
sich freuen	über	Meine Eltern haben sich sehr über meinen Besuch gefreut.
sich gewöhnen	an	Ich kann mich einfach nicht an dieses Essen gewöhnen.
glauben	an	Seine Eltern glauben an ihn, das macht ihm Mut.
halten	für	Ich halte Sie für eine sehr kompetente Fachkraft.
sich halten	an	Halte dich doch bitte an unsere Abmachung!
sich handeln	um	Hier handelt es sich um eine seltene Pflanze.
hinweisen	auf	Ich möchte Sie noch auf unsere Sonderangebote hinweisen.
hoffen	auf	Wir haben lange auf besseres Wetter gehofft.
(sich) informieren	über	Vor seiner Bewerbung hat er sich über die Firma informiert.
sich interessieren	für	Maren interessiert sich sehr für Tiere und Naturschutz.
investieren	in	Das Unternehmen hat viel Geld in dieses Projekt investiert.
kämpfen	für	Sie kämpfen für eine saubere Umwelt.
kämpfen	gegen	Sie kämpfen gegen Umweltverschmutzung.
sich konzentrieren	auf	Seid leiser! Ich muss mich auf die Aufgabe konzentrieren.
sich kümmern	um	Wer kümmert sich um den Hund, wenn wir weg sind?
lachen	über	Über diesen Witz kann ich echt überhaupt nicht lachen.
nachdenken	über	Ich denke über dein Angebot nach und gebe dir Bescheid.

reagieren	auf	Wie hat dein Chef eigentlich auf deinen Vorschlag reagiert?
reden	über	Wir haben lange über das Problem geredet.
schimpfen	über	Er schimpft den ganzen Abend über seine Kollegen.
sorgen	für	Olaf will für seine kranken Eltern sorgen.
sich sorgen	um	Katja sorgt sich oft zu sehr um ihre berufliche Zukunft.
sich spezialisieren	auf	Er hat sich während des Studiums auf Chirurgie spezialisiert.
sprechen	über	Habt ihr auch über die Arbeitsbedingungen gesprochen?
(sich) streiten	über	Streitet ihr schon wieder über die gleiche Frage?
(sich) streiten	um	In Beziehungen wird oft um Geld gestritten.
sich unterhalten	über	Wir haben uns den ganzen Abend über Politik unterhalten.
sich verlassen	auf	Auf meinen besten Freund kann ich mich immer verlassen.
sich verlieben	in	Nina hat sich schon während der Schulzeit in Paul verliebt.
verzichten	auf	Ich kann am Morgen einfach nicht auf Kaffee verzichten.
sich vorbereiten	auf	Hast du dich gut auf das Vorstellungsgespräch vorbereitet?
warten	auf	Auf wen wartest du denn?
sich wenden	an	Wenden Sie sich bitte an Herrn Kohl.
werben	für	Die Firma wirbt für ihre Produkte.
wetten	um	Wir haben um ein Abendessen gewettet.
sich wundern	über	Ich habe mich sehr über diese Frage gewundert.

Mit Dativ

abhalten	von	Ich konnte ihn nicht von seinem Vorhaben abhalten.
abhängen	von	Der Klimawandel hängt auch von unserem Verhalten ab.
abmelden	von	Hast du dich wirklich vom Sportstudio abgemeldet?
abraten	von	Ich kann euch von diesem Restaurant nur abraten.
ändern	an	Bert sagt, dass er an der Situation nichts ändern kann.
anfangen	mit	Er hat mit dem Tanzkurs angefangen.
anrufen	bei	Hast du bei unserem Vermieter angerufen?
arbeiten	an	Sie arbeiten an einem großen Projekt.
arbeiten	bei	Er arbeitet bei BMW.
arbeiten	in	Sie arbeitet in einer großen Firma.
aufhören	mit	Kinder, könnt ihr bitte mit dem Lärm aufhören?
ausgehen	von	Ich gehe davon aus, dass wir uns morgen wiedersehen.
sich auskennen	mit	Er kennt sich gut mit moderner Technik aus.
sich austauschen	mit	Im Forum kann sich Tom mit anderen Betroffenen austauschen.
sich bedanken	bei	Ich muss mich unbedingt bei dir bedanken.
sich befassen	mit	Der Film befasst sich mit traditioneller Musik.
sich befinden	in	Wir befinden uns hier im Zentrum von Hamburg.
beginnen	mit	Wann beginnst du mit dem Deutschkurs?
beitragen	zu	Möchtest du auch etwas zu dieser Diskussion beitragen?
sich beklagen	bei	Unsere Nachbarin hat sich wieder beim Vermieter beklagt.
berichten	von	Matthias berichtet immer sehr ausführlich von seinen Reisen.
sich beschweren	bei	Herr Müller hat sich bei der Hausverwaltung beschwert.
bestehen	aus	Diese Schokolade besteht hauptsächlich aus Kakao.
bestellen	bei	Habt ihr die Lieferung bei Herrn Krömer bestellt?
sich beteiligen	an	Habt ihr euch auch an der Demo gestern beteiligt?
sich bewerben	bei	Susanne hat sich bei einer Software-Firma beworben.
bringen	zu	Er bringt mich immer zum Lachen.

Verben mit Präpositionen

diskutieren	mit	Wir haben lange mit unserem Vermieter diskutiert.
einladen	zu	Ich würde dich gern zu meiner Party einladen.
(sich) entfernen	von	Der Taucher hat sich weit von der Küste entfernt.
sich entschließen	zu	Kristina hat sich zu einem Fernstudium entschlossen.
sich entschuldigen	bei	Kristina hat sich heute bei mir entschuldigt.
erhalten	von	Haben Sie die Nachricht von Frau Krause erhalten?
sich erholen	von	Sie hat sich gut von der Krankheit erholt.
erkennen	an	Ich erkenne ihn an seiner Stimme.
sich erkundigen	bei /nach	Ich habe mich bei der VHS nach Kursen erkundigt.
erwarten	von	Was erwartest du von diesem Kurs?
erzählen	von	Erzähl doch mal was von deiner Familie!
erziehen	zu	Sie haben ihre Kinder früh zur Selbstständigkeit erzogen.
experimentieren	mit	Habt ihr mit Wasser experimentiert?
fragen	nach	Wo warst du? Max hat schon dreimal nach dir gefragt.
führen	zu	Der Klimawandel führt zu immer mehr Unwettern.
gehören	zu	Zu welcher Projektgruppe gehörst du?
gratulieren	zu	Ich möchte dir zu deinem guten Prüfungsergebnis gratulieren.
greifen	nach	Er greift nach dem Treppengeländer.
handeln	mit	Die Firma handelt mit Schmuck.
handeln	von	Das Buch handelt von drei Freunden.
halten	von	Was hältst du von dem neuen Büro?
helfen	bei	Könntest du mir bitte beim Aufräumen helfen?
hören	von	Hast du mal was von Tina und Moritz gehört?
klarkommen	mit	Sie kommt sehr gut mit ihren Kolleginnen klar.
klingen	nach	Das klingt nach einem tollen Film.
leiden	an	Er leidet an Asthma.
leiden	unter	Er leidet unter Schlaflosigkeit.
liegen	an	Es liegt an seinem Ehrgeiz, dass er so weit gekommen ist.
sich melden	bei	Meldest du dich morgen bei mir?
motivieren	zu	Kann ich dich heute zum Joggen motivieren?
nachfragen	bei	Dein Paket ist nicht da? Hast du schon bei der Poststelle nachgefragt?
naschen	von	Wer hat von dem Kuchen genascht?
sich orientieren	an	Er hat sich an seinen Vorbildern orientiert.
passen	zu	Der Pulli passt gut zu der Hose.
raten	zu	Ich rate dir zu einem Arztbesuch.
(sich) retten	vor	Alle haben sich vor dem Feuer gerettet.
sich richten	nach	Ich richte mich da ganz nach dir.
schimpfen	mit	Er schimpft den ganzen Tag mit seinem Hund.
schmecken	nach	Die Schokolade schmeckt nach Nougat.
speichern	auf	Du solltest die Datei auf einer externen Festplatte speichern.
sprechen	mit	Kann ich mal kurz mit dir sprechen?
sprechen	von	Adrian hat den ganzen Abend nur von dir gesprochen.
sterben	an	Mein Opa ist letztes Jahr an Krebs gestorben.
(sich) streiten	mit	Ich habe mich gestern mit meinem Freund gestritten.
teilnehmen	an	Nimmst du auch am nächsten Kurs teil?
telefonieren	mit	Ich habe gerade mit der Personalabteilung telefoniert.
träumen	von	Ich träume vom nächsten Urlaub.
sich treffen	mit	Nach dem Kurs treffe ich mich noch mit Rosalie.
(sich) trennen	von	Sie hat sich von ihrem alten Auto getrennt.

überreden	zu	Ich habe sie zu einem Ausflug überredet.
überzeugen	von	Versuch nicht, mich vom Gegenteil zu überzeugen.
umgehen	mit	Kannst du gut mit dem neuen Programm umgehen?
unterbrechen	bei	Meine Kinder unterbrechen mich ständig beim Telefonieren.
sich unterhalten	mit	Gestern habe ich mich lange mit meinem Chef unterhalten.
sich unterscheiden	von	Ein Pony unterscheidet sich deutlich von einem Pferd.
unterstützen	bei	Kannst du mich bei dem Projekt unterstützen?
sich verabreden	mit	Ich würde mich gern mal mit ihr verabreden.
sich verabschieden	von	Die Gäste haben sich von uns verabschiedet.
verbinden	mit	Was verbindest du mit dem Begriff „Freundschaft"?
vergleichen	mit	Man kann Äpfel nicht mit Birnen vergleichen.
verlangen	von	Was verlangst du von mir?
(sich) verstecken	vor	Er versteckt sich vor ihr.
sich verstehen	mit	Valentin versteht sich sehr gut mit seinen Eltern.
vorbeikommen	bei	Kommt ihr nachher noch bei uns vorbei?
vorkommen	bei	Das kommt bei meinem Computer öfter vor, dass er abstürzt.
vortragen	vor	Er hat das Gedicht vor über 100 Leuten vorgetragen.
weglaufen	vor	Die Tiere laufen vor dem Feuer weg.
sich wünschen	von	Simon wünscht sich von mir ein Buch.
zurückkommen	von	Gestern ist mein Bruder von einer langen Reise zurückgekommen.
zählen	zu	Walter zählt zu den besten Studenten der Universität.
zweifeln	an	Zweifelst du an seiner Ehrlichkeit?
zwingen	zu	Niemand kann dich zu dieser Prüfung zwingen.

Verben mit Dativ

abraten	Ich rate dir vom Kauf ab.
ähneln	Das Baby ähnelte dem Vater sehr.
antworten	Bitte antworten Sie mir so schnell wie möglich.
auffallen	Mir fällt auf, dass er jetzt immer pünktlich ist.
ausweichen	Der Radfahrer konnte dem Fußgänger gerade noch ausweichen.
begegnen	Jeden Morgen begegne ich Herrn Müller.
beistehen	Meine Eltern stehen mir immer bei.
beitreten	Sie können unserem Sportverein gerne beitreten.
bekommen	Das Essen ist mir überhaupt nicht bekommen.
danken	Ich danke Ihnen für Ihr Verständnis.
dienen	Das Treffen dient dem gegenseitigen Kennenlernen.
drohen	Ihm droht die Kündigung, wenn er so weitermacht.
einfallen	Mir fällt einfach nichts ein.
entfallen	Mir ist sein Name entfallen.
fehlen	Du fehlst mir so sehr!
folgen	Bitte folgen Sie mir unauffällig.
gefallen	Das Konzert gestern hat mir super gefallen.
gehören	Das Buch gehört mir.
gelingen	Dieser Kuchen gelingt mir immer besonders gut.
genügen	Diese Antwort genügt mir nicht.
gratulieren	Wir gratulieren dir ganz herzlich zum Geburtstag!
helfen	Ich helfe dir gerne bei den Vorbereitungen für die Party.
kündigen	Wir kündigen Ihnen hiermit zum nächstmöglichen Zeitpunkt.
leichtfallen	Wörterlernen ist mir immer leichtgefallen.
leidtun	Es tut mir wirklich leid, dass ich schon wieder zu spät bin.
missfallen	Mir missfällt, wie Sie mit mir sprechen.
misslingen	Der Kuchen ist mir leider misslungen.
nützen	Diese Information nützt mir rein gar nichts.
passen	Der Anzug passt mir wie angegossen.
schaden	Ein bisschen mehr zu lernen, würde dir gar nicht schaden.
schmecken	Schmeckt dir die Suppe nicht?
schwerfallen	Es fällt mir oft schwer, mich zu konzentrieren.
stehen	Der Mantel steht dir ausgezeichnet.
tun	Was habe ich dir getan?
vertrauen	Meinem besten Freund kann ich immer vertrauen.
widersprechen	Da muss ich Ihnen wirklich widersprechen.
zuhören	Könnten Sie mir bitte mal zuhören?
zustimmen	Da kann ich dir nur zustimmen.

Verben mit Dativ und Akkusativ

anbieten	Wir bieten Ihnen eine gute Stelle in unserem Unternehmen an.
auffallen	Ist Ihnen etwas Besonderes aufgefallen?
beschreiben	Ich beschreibe dir den Weg zum Bahnhof.
bestätigen	Bitte bestätigen Sie mir die Reservierung.
bieten	Die Reinigung bietet Ihnen einen guten Service.
borgen	Kannst du mir mal 20 Euro borgen?
bringen	Bringst du mir bitte mal meine Brille?
empfehlen	Ich empfehle Ihnen das neueste Modell.
entziehen	Die Polizei hat ihm die Fahrerlaubnis entzogen.
erklären	Mama, erklärst du mir die Mathehausaufgaben?
erlauben	Ich erlaube meinen Kindern viel.
erleichtern	Ihre Hilfe erleichtert mir die Umstellung.
ermöglichen	Ein Stipendium hat mir diesen Auslandsaufenthalt ermöglicht.
erzählen	Das hat er mir selbst erzählt.
geben	Ich gebe dir 20 Euro.
gestatten	Bitte gestatten Sie mir einen Besuch in Ihrer Abteilung.
glauben	Nach so vielen Lügen kann ich dir einfach nichts mehr glauben.
leihen	Ich leihe dir meinen Toaster.
liefern	Ihnen wird heute ein Kaffeeservice geliefert.
mitteilen	Bitte teilen Sie mir Ihre Kontonummer mit.
nennen	Können Sie mir bitte die Gründe für die Reklamation nennen?
präsentieren	Heute präsentiere ich Ihnen unsere neue Kollektion.
schenken	Ich schenke meinem Opa eine Tasse zum Geburtstag.
schicken	Ich schicke meiner Kollegin oft E-Mails.
schreiben	Mein Freund schreibt mir viele SMS.
schulden	Du schuldest mir noch 20 Euro.
senden	Ich sende dir ein Päckchen zu Weihnachten.
servieren	Heute servieren wir Ihnen eine Suppe vom Rind.
spenden	Eine ältere Dame hat ihr Vermögen einem Verein gespendet.
verbieten	Ich verbiete dir den Umgang mit Josef.
verdanken	Der Verletzte verdankte dem Arzt sein Leben.
verheimlichen	Diesen Vorfall hat sie mir verheimlicht.
verkaufen	Der Metzger verkauft seinen Kunden Fleisch und Wurst.
vermitteln	Du vermittelst mir immer das Gefühl, faul zu sein.
verraten	Ich verrate Ihnen ein Geheimnis : …
verschweigen	Ich verschweige meinem Freund nichts.
versprechen	Ich verspreche Ihnen viele Verbesserungen.
verzeihen	Ich verzeihe meinem Mann alles.
vorlesen	Die Oma liest ihren Enkeln eine Geschichte vor.
vorschlagen	Ich schlage Ihnen Folgendes vor: …
wegnehmen	Max nahm seiner Schwester das Spielzeug weg.
wiedergeben	Gib mir sofort meinen Kuli wieder.
wünschen	Ich wünsche Ihnen gute Besserung.
zeigen	Hier zeige ich Ihnen die neueste Erfindung aus Amerika.
zuordnen	Welchem Absatz können Sie diese Überschrift zuordnen?
zurückbringen	Bringst du mir morgen mein Buch zurück?

Reflexive Verben

Verben, die immer reflexiv sind und deren Reflexivpronomen im Akkusativ steht:

sich auskennen	Kennst du dich mit diesem Programm aus?
sich äußern	Mein Kollege hat sich noch nicht zu dem Problem geäußert.
sich ausruhen	Ich will mich im Urlaub vor allem ausruhen.
sich austoben	Kinder müssen sich richtig austoben können.
sich bedanken	Du musst dich doch bei mir nicht bedanken.
sich beeilen	Schnell, wir müssen uns beeilen.
sich befassen mit	Warum befassen wir uns denn jetzt mit diesem Thema?
sich befinden	Wir befinden uns hier in der Altstadt.
sich beschweren bei/über	Sie beschwert sich ständig bei mir über die Musik.
sich bewerben	Wer hat sich denn auf die Stelle noch beworben?
sich einsetzen für/gegen	Dieser Verein setzt sich für Obdachlose ein.
sich entschließen	Ich habe mich entschlossen, das Studium abzubrechen.
sich erholen	Herr Meier hat sich im Urlaub nicht richtig erholt.
sich erkundigen nach	Jemand hat sich vorhin nach dir erkundigt.
sich freuen auf/über	Freut ihr euch auch schon auf das Fest?
sich interessieren für	Ich interessiere mich wirklich überhaupt nicht für Fußball.
sich irren	Hier lang? Ich glaube, du irrst dich.
sich konzentrieren	Bei diesem Lärm kann sich ja kein Mensch konzentrieren!
sich kümmern um	Kannst du dich um meine Katzen kümmern?
sich lustig machen über	Mach dich nicht immer lustig über mich!
sich orientieren	So viele Informationen! Ich muss mich erst mal orientieren.
sich richten nach	Immer sollen sich alle nach ihm richten.
sich schämen	Also wirklich! Du solltest dich schämen!
sich scheiden lassen	Hast du schon gehört? Frau Schmidt lässt sich scheiden.
sich sehnen nach	Sie sehnt sich nach ihrer Heimat.
sich setzen	Ach, Frau Holzmann, setzen Sie sich doch.
sich verabreden	Wir könnten uns doch mal wieder verabreden.
sich vergnügen	Alle müssen arbeiten und Peter vergnügt sich am Strand.
sich verlassen auf	Auf mich kannst du dich immer verlassen.
sich verlaufen	Oh nein, wir haben uns völlig verlaufen.
sich verlieben	Sie hat sich sofort in ihn verliebt.
sich verloben	Wir haben uns verlobt. Sieh mal, mein Ring!
sich wandeln	Die Gesellschaft wandelt sich ständig.
sich wenden an	Wenden Sie sich bitte an den Direktor.
sich wohlfühlen	Sie fühlt sich hier einfach nicht wohl.
sich wundern	Über sein Verhalten kann man sich nur wundern.
sich zurückziehen	Sie hat sich völlig aus dem Geschäft zurückgezogen.
sich zuwenden	Er wendete sich den wartenden Leuten zu.

Verben, die reflexiv gebraucht werden können (Reflexivpronomen im Akkusativ) oder mit einer Akkusativergänzung stehen:

(sich) ändern	Es hat sich überhaupt nichts geändert.	Wir können den Plan nicht mehr ändern.
sich anstellen	Komm, wir stellen uns hier an.	Die Firma kann niemanden anstellen.
(sich) anstrengen	Du musst dich mehr anstrengen.	Streng doch mal deinen Kopf an.
(sich) ärgern	Ich ärgere mich über meinen Bruder.	Mein Bruder ärgert mich oft.
(sich) aufregen	Reg dich doch nicht immer so auf!	Die Nachricht hat ihn sehr aufgeregt.
(sich) austauschen	Alle Mitarbeiter haben sich ausgetauscht.	Wir müssen das Gerät austauschen.
(sich) begeistern für	Ich kann mich für vieles begeistern.	Er hat die Schüler für das Thema begeistert.
(sich) beklagen	Sie beklagt sich oft über die Arbeit.	Der Politiker beklagt die Korruption.
(sich) beteiligen	Sie sollten sich stärker an der Diskussion beteiligen.	Er hat seinen Partner nicht an dem Geschäft beteiligt.
(sich) bewegen	Ich muss mich mehr bewegen.	Sie bewegte nur ihre Hand.
(sich) beziehen	Der Artikel bezieht sich auf ein aktuelles Thema.	Woher beziehen Sie Ihre Informationen?
(sich) duschen	Ich dusche mich.	Ich dusche meinen Hund.
(sich) einarbeiten	Sie müssen sich schnell in das Thema einarbeiten.	Wir arbeiten gerade viele Leute ein.
(sich) einbringen	Ich möchte mich in die Diskussion einbringen.	Er bringt viele neue Ideen ein.
(sich) engagieren	Wir engagieren uns für ein soziales Projekt.	Die Firma hat einen Anwalt engagiert.
(sich) einfügen	Er hat sich gut in die neue Abteilung eingefügt.	Hier musst du noch ein Wort einfügen.
(sich) entfernen	Sie hat sich unauffällig entfernt.	Den Verband muss der Arzt entfernen.
(sich) entscheiden	Entscheide dich jetzt endlich!	Das musst du allein entscheiden.
(sich) entschuldigen	Ich möchte mich für mein Verhalten entschuldigen.	Ich möchte meinen Sohn entschuldigen, er ist krank.
(sich) entwickeln	Das Kind hat sich gut entwickelt.	Wer hat das Konzept entwickelt?
(sich) erinnern	Erinnerst du dich noch an Maria?	Ich sollte dich an den Termin erinnern.
(sich) erfrischen	Puh, ich muss mich erst mal erfrischen.	Das Wasser hat mich erfrischt.
(sich) fühlen	Ich fühle mich ganz gut.	Er kann den Schmerz fühlen.
(sich) gewöhnen an	Wir gewöhnen uns langsam an das Klima.	Wir gewöhnen die Tiere langsam an die Umgebung.
(sich) informieren	Wo kann ich mich denn informieren?	Die Leitung muss noch alle informieren.
(sich) melden	Melde dich, wenn du da bist.	Ich möchte einen Unfall melden.
(sich) stressen	Ich will mich nicht so stressen.	Die Prüfung stresst mich.
(sich) trennen	Lea hat sich von Kevin getrennt.	Wir haben die streitenden Kinder getrennt.
(sich) unterscheiden	Dieses Produkt unterscheidet sich sehr von den anderen.	Ich kann die beiden Farben nicht unterscheiden.
(sich) unterhalten	Wir haben uns gestern gut unterhalten.	Er hat die ganze Gruppe unterhalten.
(sich) verabschieden	Ich muss mich jetzt verabschieden.	Das Parlament ihn verabschiedet.
(sich) verändern	Er hat sich sehr verändert.	Wir haben etwas verändert.
(sich) verbessern	Ich will mich wirklich verbessern.	Wir können das Ergebnis verbessern.
(sich) verbrennen	Das Kind hat sich verbrannt.	Warum hast du den Brief verbrannt?

Reflexive Verben

(sich) verständigen	Sie kann sich gut verständigen.	Man musste die Polizei verständigen.
(sich) verstecken	Komm, wir verstecken uns.	Sollen wir die Geschenke verstecken?
(sich) verstellen	Er kann sich gut verstellen.	Kannst du deine Stimme verstellen?
(sich) vorbereiten	Ich bereite mich gut vor.	Wir bereiten ein Fest vor.
(sich) vorstellen	Ich möchte mich gerne vorstellen.	Ich möchte euch Betty vorstellen.

Verben, deren Reflexivpronomen im Akkusativ stehen oder im Dativ stehen, wenn es eine andere Akkusativergänzung gibt:

sich anziehen	Ich ziehe mich an.	Ich ziehe mir das T-Shirt an.
sich ausziehen	Ich ziehe mich aus.	Ich ziehe mir das T-Shirt aus.
sich eincremen	Ich creme mich ein.	Ich creme mir das Gesicht ein.
sich kämmen	Ich kämme mich.	Ich kämme mir die Haare.
sich rasieren	Er rasiert sich.	Er rasiert sich das Gesicht.
sich verbrennen	Ich habe mich verbrannt.	Ich habe mir die Finger verbrannt.
sich waschen	Ich wasche mich.	Ich wasche mir die Hände.

Verben, deren Reflexivpronomen im Dativ stehen und die eine Akkusativergänzung brauchen:

sich etw. aneignen	Ich habe mir dieses Wissen im Studium angeeignet.
sich etw. ansehen	Hat der Chef sich schon die Unterlagen angesehen?
sich etw. einprägen	Du musst dir die Wörter gut einprägen.
sich etw. leisten (können)	Wie können die Müllers sich nur dieses Haus leisten?
sich etw. merken	Ich habe mir seinen Namen sofort gemerkt.
sich etw. überlegen	Wir haben uns das gut überlegt.
sich etw. vorstellen	Kannst du dir das vorstellen?

Verben, deren Reflexivpronomen im Dativ stehen und die eine Akkusativergänzung brauchen, die aber auch mit einer Dativergänzung stehen können:

(sich) etw. abgewöhnen	Du muss dir das Rauchen unbedingt abgewöhnen.	Wir haben unserem Hund das Hochspringen abgewöhnt.
(sich) etw. angewöhnen	Sie hat sich das Jammern richtig angewöhnt.	Wir haben unserem Hund das Gehorchen angewöhnt.
(sich) etw. erfüllen	Ich erfülle mir einen Traum.	Er möchte seiner Tochter einen Wunsch erfüllen.
(sich) etw. gönnen	Komm, wir gönnen uns jetzt etwas Gutes.	Du gönnst mir aber auch gar nichts.
(sich) etw. leihen	Ich habe mir Geld geliehen.	Ich habe dir schon so oft Geld geliehen.
(sich) etw. wünschen	Ich wünsche mir eine gute Note.	Wir wünschen euch eine schöne Reise.

Bild- und Textnachweis

S. 9   Georges DeKeerle – Getty Images
S. 10   WireImage, Anita Bugge – Getty Images
S. 12   Wilhelm Busch: Die Freunde. In: Ders.: Sämtliche Werke II. Hg. von Rolf Hochhuth. München: Bertelsmann Verlag 1982, S. 1062
S. 13   oben: vgstudio – shutterstock.com; Mitte: Konstantin Chagin – shutterstock.com; unten: Ian Walton – Getty Images Sport
S. 15   Mika Heittola – shutterstock.com
S. 22   Monkey Business Images – shutterstock.com
S. 23   Ant Clausen – shutterstock.com
S. 24   Foto: Andreas Rentz – Getty Images; Fragebogen: Heinrich Bauer CARAT KG / Wohnidee
S. 26   Malena und Philipp K – Fotolia.com
S. 29   S. Borisov – shutterstock.com
S. 35   A, C, D, E, F, G shutterstock.com; B Andrzej Tokarski – shutterstock.com; H motorolka – shutterstock.com
S. 36   1. stockcreations – shutterstock.com; 2., 3. shutterstock.com
S. 38   Monkey Business Images – shutterstock.com
S. 40   auremar – shutterstock.com
S. 43   Forsa, © Statista 2013
S. 44   links: vlavetal – shutterstock.com; rechts: Rido – shutterstock.com
S. 50   oben: Aaron Amat – shutterstock.com; unten: Zoia Kostina – shutterstock.com
S. 52   Pavel L Photo and Video – shutterstock.com
S. 53   v. links n. rechts: aida ricciardiello – shutterstock.com; erashov – shutterstock.com; z0w – shutterstock.com
S. 55   links: KKulikov – shutterstock.com; rechts: Vaidas Bucys – shutterstock.com
S. 56   oben: photothek.net; unten: carlos castilla – shutterstock.com
S. 58   Tito Wong – shutterstock.com
S. 63   auremar – shutterstock.com
S. 65   links: Rido – shutterstock.com; Mitte: Andrii Muzyka – shutterstock.com; rechts: photogl – shutterstock.com
S. 66   1. Hywit Dimyadi – shutterstock.com; 2. Volodymyr Krasyuk – shutterstock.com; 3. vetkit – shutterstock.com; 4. Gunnar Pippel – shutterstock.com; 5. grublee – shutterstock.com; 6. Tanchic – shutterstock.com;

7. Tomislav Pinter – shutterstock.com; 8. Voronin76 – shutterstock.com
S. 72   Syda Productions – shutterstock.com
S. 77   Minerva Studio – shutterstock.com
S. 78   1. u. 2. v. oben: Klett-Langenscheidt Bildarchiv; 3. u. 4. v. oben: shutterstock.com
S. 80   robert werner – toonmix digital artworks
S. 81   Peggy Blume – Fotolia.com
S. 85   links: Rudolf Helbling; rechts: Dieter Mayr; Smileys: Beboy – Fotolia.com
S. 90   Pressmaster – shutterstock.com
S. 91   tina7si – Fotolia.com
S. 92   oben: Pinkyone – shutterstock.com; unten: Kzenon – Fotolia.com
S. 94   Olesia Bilkei – shutterstock.com
S. 95   Luis Carlos Torres – shutterstock.com
S. 100 digitalstock – Fotolia.com
S. 104 Elnur – shutterstock.com
S. 106 paffy – shutterstock.com
S. 108 Text: konsumrebellion.wordpress.com
S. 113 oben: Valua Vitaly – shutterstock.com; unten: goodluz – Fotolia.com
S. 118 oben v. links n. rechts: auremar – shutterstock.com; Kurt Kleemann – shutterstock.com; Ersler Dmitry – shutterstock.com; unten: Africa Studio – Fotolia.com
S. 120 oben: Jens Ottoson – shutterstock.com; unten: Stanislav Tiplyashin – shutterstock.com
S. 121 l i g h t p o e t – shutterstock.com
S. 122 Foto: Christian Mueller – shutterstock.com; Text: „Schwierige Entscheidung" von Paul Maar aus JAguar und NEINguar. Gedichte von Paul Maar © Verlag Friedrich Oetinger, Hamburg 2007
S. 132 Lorelyn Medina – shutterstock.com
S. 134 Andrew Scherbackov – shutterstock.com
S. 135 photobank.ch – shutterstock.com
S. 137 Ralf Sonntag
S. 140 FiledIMAGE – Fotolia.com
S. 142 links oben: DeVIce – Fotolia.com; links unten: Almotional – shutterstock.com; rechts: Perry – Fotolia.com

Audio-CD zum Arbeitsbuch

Track	Modul, Aufgabe	Länge
1	Vorspann	0:17
	Kapitel 1, Leute heute	
2	Modul 1, Übung 1	1:41
3	Aussprache, Übung 1a	0:36
4	Aussprache, Übung 1b	1:20
5	Aussprache, Übung 2b	1:41
6	Aussprache, Übung 3	0:22
	Kapitel 2, Wohnwelten	
7	Modul 4, Übung 2	3:07
8	Aussprache, Übung a	1:22
9	Aussprache, Übung b	1:04
	Kapitel 3, Wie geht's denn so?	
10	Modul 4, Übung 3a Toni	1:09
11	Maja	0:53
12	Aussprache, Übung 1a und b	0:51
13	Aussprache, Übung 1c	1:42
14	Aussprache, Übung 2b	1:08
	Kapitel 4, Viel Spaß!	
15	Modul 4, Übung 3	3:56
16	Aussprache, Übung a	0:26
17	Aussprache, Übung b	0:45
	Kapitel 5, Alles will gelernt sein	
18	Modul 4, Übung 3a	0:54
19	Modul 4, Übung 3b Dario	1:28
20	Laura	0:48
21	Marta	1:36
22	Aussprache, Übung a	0:45
23	Aussprache, Übung b	2:36
24	Aussprache, Übung d	2:02
	Kapitel 6, Berufsbilder	
25	Modul 2, Übung 3	3:05
26	Aussprache, Übung a	1:11
27	Aussprache, Übung c	0:26

Track	Modul, Aufgabe	Länge
	Kapitel 7, Für immer und ewig	
28	Modul 2, Übung 1a	1:01
29	Modul 2, Übung 1b und c Mike	2:01
30	Rüdiger	1:46
31	Julia	1:44
32	Aussprache, Übung a	0:52
33	Aussprache, Übung b	1:43
	Kapitel 8, Kaufen, kaufen, kaufen	
34	Modul 1, Übung 1b und c Mann 1	1:14
35	Frau	1:17
36	Mann 2	0:41
37	Aussprache, Übung a	0:40
38	Aussprache, Übung b	1:15
39	Aussprache, Übung c	0:40
40	Aussprache, Übung e	0:59
	Kapitel 9, Endlich Urlaub	
41	Modul 4, Übung 1	1:49
42	Text 1	1:15
43	Text 2	1:31
44	Text 3	1:44
45	Text 4	1:25
46	Aussprache, Übung a	0:54
47	Aussprache, Übung b	0:24
48	Aussprache, Übung d	0:36
	Kapitel 10, Natürlich Natur!	
49	Modul 3, Übung 3	3:45
50	Aussprache	1:43

Sprecherinnen und Sprecher:
Ulrike Arnold, Olga Balboa, Simone Brahmann, Farina Brock, Vincent Buccarello, Walter von Hauff, Lena Kluger, Detlef Kügow, Nikola Lainović, Verena Rendtorff, Jakob Riedl, Annalisa Scarpa-Diewald, Marc Stachel, Peter Veit, Gisela Weiland
Schnitt und Postproduktion: Christoph Tampe
Studio: Plan 1, München